RURIKO

林 真理子

角川文庫 16841

1

新京《しんきょう》の冬は早く、まだ十一月に間があるというのに、澄み切った青空から垂直に冷気が降りてくるようだ。

それはここが支那《シナ》の東北に位置しているということだけでなく、あまりにも整然としている美しさにあるのではないかと浅井《あさい》源二《げんじ》郎《ろう》は思う。

日本帝国の威信にかけて建設されたこの新しい首都は、昭和十九年の今はもはや完成されつつある。中心部に広い道路が通り、その両脇に官庁が並ぶ。関東軍司令部は大阪城を模し、国務院は日本の国会議事堂を真似ているというが、レンガの重厚さとその大きさのために、全く滑稽《こっけい》さはない。ポプラの並木は、ほとんど葉を落としているために、かえって高く凜《りん》としている。

この街は源二郎の知っているどのヨーロッパの街、ベルリンにもローマにも似ていなかった。東京とも北京ともまるで違う。清潔で冷ややかで巨大な街である。

源二郎が渡満して満州国官吏の職を得たのは今から十年前のことだ。その頃、今の中心部のほとんどは建設中で、トラックや荷馬車が走り、工事に駆り出された苦力《クーリー》たちが怒鳴りわめきと、とにかく騒がしくほこりっぽい記憶しかない。それなのに、この静けさと完成度はどうしたことだろう。巨人がきっちり定規を引き、丁寧につくり上げた街のようだと、源二郎はいささかロマンティックな比喩《ひゆ》を思い浮かべる。彼もまた、かすかな違和感と大きな誇らしさを持ってこの街に住む日本人のひとりである。

いったい誰が、コーリャンの畑地と荒野が拡がるこの北の大地に、首都が出現すると思っただろうか。日本人の頭脳と勤勉さがなければ不可能だったに違いない。日本の政府首脳部、いや陸軍内部でさえ、この満州帝国をめぐって論争があると聞いた。いや、それぱかりではない。まことに畏《おそ》れ多いことであるが、宮城の中におわす陛下も、内心はお喜びでないと源二郎は漏れ聞いたことがある。しかしこの国家はいずれつくらなくてはいけなかったのであるし、この新京という都市も生まれなくてはならなかった。源二郎は五日前、児玉公園前の大通りを通過した満州帝国皇帝の溥儀《ふぎ》の専用車を思い出した。車の窓からは青白い彼の横顔が見えた。皇帝がこの国と軍に大きな不満を持ち、沈黙を決め込んでいるのを、この新京で知らない者はいない。

陸軍の上層部の中には、酒に酔うと、

「いったい誰のおかげで、ここで皇帝と呼ばれる身分になったのだ。北京で生殺しにされていたのを、俺たちが救ってやったのに」

と息まく者もいたが、支那に憧《あこが》れ東亜《とうあ》同文《どうぶん》書院に学んだ源二郎は、決して彼らに同調する気になれない。

もう少しのご辛抱だと彼は思う。たとえ傀儡《かいらい》国家と世界中からそしりを受けようと、やがて満州帝国が、国家の体《てい》をなす時が来るであろう。あれほどひよわで細かった新京のポプラの並木が、堂々と育ったようにだ。その時が来たら、溥儀皇帝は自分のお力をふるえばいいのだ。

その時に自分がお役に立つことがあればいい。日本人とて支那を愛し、支那語を懸命に学んだ者がいる。そういう者こそ新しい帝国建設に何の利害もなく手を貸すことが出来るはずだ……しかし一官吏である源二郎が、皇帝と直接言葉を交わせるわけもなく、儀式の時に遠くからお姿を拝するだけだ。心なしか皇帝は、この頃ますます痩《や》せられたようだ。お似合いとはいえない満州帝国大礼服の肩のあたりが余っている。北京の紫禁城には及びもつかない小さな宮殿で、いったい何を思って毎日暮らしていらっしゃるのか、源二郎には案じられてならない。皇后との仲はもう決定的だと聞いたことがある。皇后はアヘンの世界にひとり入り、ぴったりと扉を閉ざされてしまったようだ。心の通わぬ妻と、この地の冬を越すのは、どれほどつらいことだろうか。

が、源二郎の憂うつな気分は、湖西陵に向かう頃にはすっかり消えてしまう。満映《まんえい》の門が見えてきた。ゆるやかな短いスロープを上がる。守衛の男が、源二郎の公用車を見て敬礼した。

満州映画協会の、この茶色の建物を、

「映画会社にしては味もそっけもない」

と評する者もいる。もともとあったものに膨大な資金を投入し、再建を図った満州鉄道の生まじめさが表れているようなつくりだ。

観音開きの重たいガラス戸を押し、源二郎は中に入った。外気の冷ややかさはここでいっそう深くなるようだ。タイルを敷きつめた玄関に、大きな龍《りゅう》が二頭寝そべっている。

この満映の理事長である甘粕正彦《あまかすまさひこ》が、右翼組織黒龍会の密《ひそ》かなメンバーなので、このような龍の模様をつくらせたのだと、まことしやかに言う者がいるが定かではない。

定かではないといえば、甘粕のすべてが謎につつまれている。甘粕正彦。関東大震災の混乱の中、無政府主義者大杉栄《おおすぎさかえ》と伊藤野枝《いとうのえ》を虐殺した甘粕の名を、知らない日本人はひとりもいないだろう。世間に怖れられる無政府主義者だけならともかく、彼は大杉に偶然ついてきた幼い甥《おい》っ子さえ、首を絞めて殺したのだ。

その甘粕が服役を終え、フランス留学を経てこの満州にいると聞いた時、源二郎はぶるっと身震いしたものである。怪しげな公司《コンス》をつくり大儲《おおもう》けした後は、溥儀が名誉総裁を務める協和会という団体の総務部長だそうだ。

いったいどうなっているのだ。理想に燃えるこの新しい国の建設に、どうして血で汚れた手を持つ者を参加させるのだと、渡満したばかりの源二郎は憤ったものである。彼だけではない。若き官僚の中には、甘粕を帰国させるための血判状をしたためようと、言いつのる者すらいた。

「そうだとも、あんな殺人鬼をこの満州の地にいさせてたまるか」

と、源二郎は大きく頷《うなず》いたものだ。それなのに今では、源二郎はこうして満映の理事長になった甘粕を訪ねるほどの仲になっているのである。それも少ない回数ではなく、

「浅井さんほどの美男子なら、いくらでもうちは歓迎しますよ。いかがですか、こんなにしょっちゅういらっしゃるなら、いっそ映画俳優になられては」

と甘粕がふざけて言うほどである。

きっかけは今から六年前、昭和十三年の満州国外交使節団である。源二郎は団長の経済部大臣、韓雲階の秘書官として、甘粕は副団長兼事務総長として、この使節団に加わることになった。

協和会の部長といえば、公的な高い地位というわけでもない。それなのに甘粕が使節団の副団長になったということについて、例によってさまざまな噂が立った。

甘粕は三年足らずの刑を終えた後、フランスの陸軍大学に留学している。その経験からヨーロッパに派遣するのだろうという説、いや陸軍から秘密の命を帯びて、あちらの要人と会うのだとまことしやかに言う者もいた。いずれにしても他の団員に簡単なフランス語会話やテーブルマナーを教えているうちに、甘粕は完全に使節団のリーダーとなっていった。そうかといってでしゃばるわけではない。もの静かな表情は崩さないまま、その場の空気を仕切っていくやり方である。しかし気がつくと、記念写真に収まる時、重要人物の隣には、いつも甘粕が立っていた。ベルリンでは、団長と甘粕、もうひとりだけがヒトラーと会っている。

あの五ヶ月の旅は、源二郎にとってたとえようもないほど刺激的なものであった。彼は支那だけでなく、ヨーロッパの文化にも深い憧憬《しょうけい》を持っていたので、改めて見るパリやウィーンの街に激しく心をかきたてられた。しかし旅の多くは船の上で費やされる。船上の生活はひどく退屈なもので、源二郎はたいてい本を読んで過ごしていた。日本で中秋の名月にあたる日、船上では小さな宴が張られ、それぞれが隠し芸を披露した。剣舞と詩吟が続いた後、甘粕が小唄《こうた》を口にした際、口三味線で合いの手を入れたのが源二郎である。これには甘粕が驚いたようだ。

「浅井さんがこんな粋《いき》な歌をご存じとは、さぞかし日本で修業を積まれたのでしょう」

「いえ、いえ、私のような下っ端は、新橋や赤坂とは縁がありません。ただ私は母が芸者でしたから」

ほうと甘粕は目を丸くした。

「東京はどちらのお生まれですか」

「下谷《したや》です。浅草に近い下町ですが、ご存じですか」

「私は仙台の田舎育ちなので、東京の下町はよくわかりません。昔、三社祭りとほおずき市には行ったことがあります」

そう言った時の甘粕の顔が初めてといっていいほどほころんだ。

彼は血なまぐさい伝説にいかにもふさわしい容貌《ようぼう》をしていた。軍人らしく背筋が伸びていて動きに無駄がない。それよりもすべての人が深く心にとどめるのはその目だ。眼光鋭い、という表現ではもの足りぬほど、眼鏡ごしの目はいつも光り、こちらを見据えているかのようだ。

「一分見ているとぞっとしてくる」

とよく人が言うまなざしである。

が、この目が時々ひょうきんに笑いかけてくることを源二郎は知った。努力して人と交わろうとする目だ。決して鋭さを覆い隠せるわけがないのに、それでもやわらかく見せようとして甘粕は目を細める。そしてそううまくない小唄や都々逸《どどいつ》を唄ってみせる。

気がつくと源二郎は甘粕と親しく言葉を交わすようになっていた。源二郎の支那語は定評があるが、英語もかなり喋《しゃべ》れることに甘粕は好感を持ったようだ。

「浅井さんは本当によく勉強する人だ。もう少し世の中が落ち着いたら、ヨーロッパのどこかの国へ行かれたらどうですか」

「いや、私は根っからの支那屋ですから、甘粕さんのように、ハイカラなところへはとても行けません」

支那屋というのは、浅井のように同文書院出の人間がよく口にする言葉だ。若い時から大陸に魅入られ、そこで働くことを夢みてきた連中だ。

源二郎もこの新しい国家に骨を埋《うず》める覚悟をしていたのであるが、つい先日辞令が下った。タイのバンコックへ向かうようにという通達があったのだ。

電話でそのことを告げると、甘粕は言ったものだ。

「バンコックへ行く前にぜひお顔を見せてください。お別れを申しあげたい」

ひとまわり年上の甘粕が自分に見せる好意に、まだ源二郎はとまどうことがある。満映理事長などという肩書きは隠れ蓑《みの》で、甘粕こそがこの満州帝国を動かす帝王だという者もいる。とにかく彼がこの地の大物実力者だということに間違いはない。それなのに甘粕は、何かにつけ源二郎のことを気にかけてくれる。内地から来た珍しいものを、公用車にことづけて浅井の官舎まで届けてくれるのもしょっちゅうだ。

「あんな怖ろしい人とおつきあいするなんて、何かあったらどうしましょう」

などと最初は怯《おび》えていた妻まで、最近は、

「理事長は本当にいい人だ、誰に聞いてもあんなやさしい人はいないと言っていますよ」

と、手放しのほめようだ。一度などは、

「本当は大杉栄を殺したのはあの方ではないのでしょう。なんでも軍のえらい人の罪を、ひとりで背負ったのだとみなが噂していますよ」

などと口にし、

「うかつなことを大きな声で言うものではない」

と源二郎がひどく叱ったほどだ。

階段を上がり、冷えた廊下の感触を確かめながら理事長室のドアをノックする。中からどうぞと、甘粕の低い声がした。ドアを開けると、甘粕は秘書の伊藤スマ子を相手に、何か筆記させているところであった。

「お仕事中でしたか」

「いいえ、今終わるところです。ずっとお待ちしていました」

甘粕が言い、スマ子は軽く頭を下げるやいなや、パッと小鳥が飛び立つように机を離れた。その顔がうす赤くなっている。

「浅井さんがいらっしゃるというと、うちの女性たちがそわそわします。どんなスターを見ても、こんなことはないのですが」

「まさか」

源二郎は笑った。

四十三歳の彼は立派に中年の部類に入るのであるが、年よりもはるかに若く見えた。引き締まった小さな唇に二重の大きな目を持っている。それは〝つぶら〟といっていいほどの、黒目がちの大きな目だ。若い頃は、男にしては大き過ぎるこの目が気になって仕方なかった。が、四十過ぎた頃から瞼《まぶた》が少々弛《たる》んできたのが幸いした。彼の顔はやっと壮年の落ち着きを持ちつつある。とはいえ、

「国務院の浅井さん」

といえば、この新京でも美男子で有名だ。日本人街の料亭でも、源二郎が来ると芸者たちは

側を離れない。

「先日お話ししましたとおりタイのバンコックに赴任することになりました。それでおいとまにまいりました」

タイは、この鬼っ子のような満州帝国を認めてくれる数少ない友好国である。おそらく源二郎は広報活動を担当することになるはずであった。

「急なことですね。こんな時に満州を離れてタイに行くなどというのは、国務院も思いきった人事をする」

甘粕はよくわからん、という風に首を横に振ったが、本当にそうだろうかと源二郎は思う。この満州帝国の闇の支配者と言われる彼が、この人事を知らないはずはない。この国家の謀略のための費用が、すべて甘粕から出ているというのは噂の域を超えていた。

どれほど親しくなっても、甘粕には心を許せないところがある。この男の後ろには、いったいどれほど大きく暗いものが隠されているのだろうかと、たいていの人は後ずさりするに違いない。しかし後ずさりしながら、結局は彼に吸い寄せられていく。そんな魅力が彼にはあった。ものごしはやわらかで礼儀正しい。ずっと年下の源二郎にも敬語を使う。映画や音楽に本当に興味を持っているかは疑問であるが、本質をつかむ直観を持っている。だから彼の言うことはたいていあたっているのだ。

「バンコックの大使館には、私のフランス時代の友人が武官で行っています。よろしかったらご紹介しましょうか」

「それはありがたい。ぜひよろしくお願いします」

「……やはりやめておきましょう」

甘粕は笑った。不気味という人がいるが自嘲《じちょう》とも違う、自分の運命や過去を面白がっている笑いだ。

「私の名前など出さない方がいい。せっかくの新しい生活に傷がついてしまいます」

「傷などとはとんでもない」

源二郎はこういう時、ついどもってしまう。その場限りのうまいことを決して言えない人間であった。

「バンコックはどんなところかわからず、私のような支那屋に何が出来ますやら」

「いや、いや、浅井さんのように優秀な方が、この満州を出られるのは本当に残念です。おまけにこんなややこしい時に……」

後は口をつぐんだ。今年の七月にサイパンが陥落し、既に奉天《ほうてん》や大連の空にB29の姿が見られるようになっている。この戦争がどうなるのか、甘粕は知っているに違いなかった。が、それを聞いたところでどうしようもない。日本の運命に自分たちは黙々と従うしかない。それが戦争というものであった。

「ところで、信子《のぶこ》ちゃんは元気ですか」

不意に甘粕が尋ねた。信子というのは、今年四歳になる源二郎の次女である。

「はい、元気過ぎて困るほどです。寒い国から暑い国へ行くというので、洋服をたくさんつってもらい、機嫌がよくなって、ますます元気になりました」

「それはよかった」

甘粕は目を細める。源二郎には娘が二人いるのだが、甘粕は最初に会った時から信子のことばかり気にかけている。二度ほど撮影所に連れてきたことがあるのだが、その時も膝《ひざ》にのせて、キャンディやチョコレートをくれたほどだ。

「信子ちゃんを、どうか大切に育ててください」

甘粕はきっぱりと言った。

「私はあんなに綺麗《きれい》な女の子を見たことがありません。初めて見た時に息を呑《の》みましたよ。こんな目を持った少女がいたのかとね」

「そんな大げさな……」

源二郎は自分に生き写しの愛娘《まなむすめ》のことを誉められ、すっかり照れてしまった。四つ違いの姉の澄子が母親似なのに対し、信子は何から何まで父親にそっくりであった。黒い目はのぞき込んだ相手を哀しくさせるほど大きい。人見知りの激しい子で、他人に向かってめったに笑わない。そのかわり大きなぬれぬれとした目でじっと見るのだ。甘粕はそのことを言っているのだろう。

「私は信子ちゃんが大きくなるのを楽しみにしているのです。信子ちゃんが成人したら、きっとこの満映のスターになってくれるだろうとね」

「それは、それは」

源二郎は笑い出した。話が大き過ぎて、これは冗談というものであろう。けれども甘粕の顔は真剣で、目はいつもの暗い光をたたえていた。

「私の見る目に間違いはありません。信子ちゃんは近い将来、とてつもない美女になるはずです。そうしたらぜひ女優にしてください。その頃、私はここの理事長をしていないでしょうけれども、きっとこの満映に入れてください。お願いします」

「そう言われても、本人の意思を聞きませんとね」

源二郎は彼にしては珍しい、芝居じみた笑い声をたてた。まだ信子はたった四歳なのだ。女優、と言われてもその意味もわからない年齢である。笑ってこの話を打ち切りにしたいと思った。

「本人がそれなりの年になり、理事長のおっしゃってくださったとおりに美女になり、女優になりたいと言ったらぜひお願いいたします」

ところでと源二郎は切り出した。

「今日も撮影を見せていただいてもよろしいですか。バンコックに行くというので、もう仕事もなくとても暇なのです」

「もちろん、ご覧ください。誰かをつけましょうか」

「結構です。もう様子もわかっていますし」

「それはそうだ」

甘粕は初めておかしそうに笑った。


ステージと呼ばれるスタジオに向かうコンクリートの廊下は、さらに冷気が漂っている。広い廊下を早くも綿入れで着膨《きぶく》れた女が、掃除道具を持って横切っていく。

第4ステージの前に立った。「録音中」というランプは消えている。重たい扉を押した。昔の支那の寺院のセットが組まれ、女優と男優が、何やら監督と打ち合わせをしている最中であった。衣装の様子からどうやら「三国志」らしいと源二郎は見当をつける。原語で愛読した本だ。俳優は寧波と寒梅。満映では二番手といったところだ。傍に立っているのは監督の張天賜であろう。

やがてライトがつけられ、リハーサルが始まる。白い唐着の寒梅は大層美しく声もよく通る。

「女優か……」

思わずつぶやき、そして苦笑した。信子は本当に可愛い。他の人にはニコリともしないが、家族に向かっては笑顔を惜しまない。歌を歌うのが大好きで、大きくなったら京劇に出たいなどと言う。

けれども女優になれるはずはない。目の前の寒梅を見ればわかるように、女優というのは特別な女なのだ。特別に美しく、特別な精神を持っていなくてはならない。それは強靭《きょうじん》さ、あるいは大胆さ、図太さといったもので、いずれにしても平凡な幸福をさまたげるものであろう。どんな父親も、自分の娘には平凡な幸せをつかんでほしいと思うものだ。澄子も信子も、いずれ内地の学校に通わせるつもりだった。満州でもある程度以上の家《うち》の子どもは、男の子なら中学、女の子なら女学校と、ともに内地の学校に通わせる。最近は、内地の戦況が厳しくなり、手元に置く者も多いが、それでもいい教育を受けさせるには、日本に帰さなくてはならなかった。そして娘たちが望むならば、女子大に進ませてやってもいい。そうしたらきっとよい相手を見つけることが出来るだろう。二人の娘のことを考えると、源二郎はいつも温かい気持ちになる。妻に指摘されるまでもなく、源二郎は子ぼんのうな父親であった。

寒梅扮《ふん》する阿蘭が、王人路扮する張興に向かってこう言っている。

「あなたはいったいどなたです、どうしてここにいるのですか。人を呼びますよ」

支那語を自在に操る源二郎だったので、彼女の台詞《せりふ》まわしがあまりうまくないことはすぐにわかった。完璧《かんぺき》な北京語ではなく、南の方の訛《なまり》がある。

それにしてもスタジオというのはなんと楽しいのだろうか。闇がそこかしこにあり、そこに体を沈めていると本当に心が休まるのだ。そして闇のすぐ近くには、まぶしくライトがあたる、華やかな美しい世界がある。この対比が好きだった。子どもの頃、母の稽古場《けいこば》で見た光景とよく似ている。

浅草の芸者だった母は、落籍《ひか》されて結婚した後も踊りを忘れず、何人か弟子をとっていた。確か花柳《はなやぎ》だったはずだ。

「それ、トチチリシャン、トチチリシャン……」

若い芸者だったのか、それとも近所の娘だったのか、浴衣《ゆかた》を着た若い女が三人並んで踊っている。それを次の間の薄闇の中から源二郎は見つめている。薄闇の中に身を隠していれば、咎《とが》められることはない。そしてそこから明るい世界を見るのだ。

母は踊りを習いに来るどの女よりも美しかった。源二郎の顔は母からそっくり受け継いだものだ。父は有名な相場師で、その絶頂の頃、売れっ子芸者だった母を手に入れた。しかし念願かなって母と何度目かの結婚をした後、父は急に落ち目になった。

源二郎が芝中学二年の年に父が死んだ時は、家の他には何も残っていなかったほどだ。後は母が苦労して学校を出してくれた。支那に憧《あこが》れた源二郎は、一高、二高、三高、といったナンバースクールと並び称された上海の東亜同文書院に合格したが、その入学金のために、母はとっておきの宝石を売った。が、彼はもう一度我儘《わがまま》を言った。

「同文書院だけではやはり不安なので、日本のちゃんとした大学に行かせてほしい」

母は黙って残りの宝石をすべて売った。あの頃の母は今の自分の年だったかもしれない。が、美《び》貌《ぼう》にはいささかの衰えもなかったと記憶している。

源二郎が母に勧められるまま母の遠縁の娘と結婚したのは、自然のなりゆきだったろう。中央大学を出た年に大蔵省に入ったが、その次の年には妻をめとった。アサという娘は、高い鼻《び》梁《りょう》、大きな目と、母の家の血を脈々と受け継いでいた。源二郎はこの妻を愛した。休みの日は二人で銀座へ行き、よく映画を観たものだ。映画館には源二郎の好きな闇が、さらに濃いものとなって拡がっていた。その中で彼は妻の手を握る。小柄な妻は手も大層小さい。すっぽりと彼の掌《てのひら》の中に入った。どれほど彼は幸せだったろうか。

が、ある時からアサは嫌な咳《せき》をするようになった。胸を病んでいた。いい病院に入れたのであるが、一年と少しの療養の後、二十四歳の若さで死んでしまった。

彼が支那行きを決心するのはそのすぐ後のことだ。東亜同文書院に学んだのだから、いずれは支那で働くつもりであった。ただ、あまりにもあどけない若妻を、植民地の荒っぽい風土の中に連れていくことにためらいがあったのだ。

けれどももう何を迷うことがあるだろう。そしてまず彼が選んだのが奉天という街であった。支那屋としての大蔵省入省であったから、語学力を買われて席はいくつもあった。彼は奉天の税務署にかなりの地位を得たのだ。

そんな時、日本の母から手紙があった。アサの妹をもらってくれないかというのだ。結婚式の時に会ったきりの妹を、源二郎はほとんど憶《おぼ》えていない。もしかすると入院中のアサを見舞ってくれたのかもしれないが定かではない。それでもいいと思った。アサの妹なら、自分は愛せないまでも、きっといとおしく思うことが出来るだろう。

やがて母と、かつての妻の妹が船に乗ってやってきた。あわただしく式が挙げられ、それを機に彼は新京にやってきたのだ。源二郎が三十四歳、妻となる女は二十一歳であった。新しい妻の名は〝ちょう〟と言った。蝶《ちょう》ではなく、そっけないひらがなで〝ちょう〟と書く。

「器量はアサさんのようにいかないけれど」

と母が手紙で書いてきたとおり、ちょうは姉に似ていなかった。ちょうは自分でもそのことを知っている。だから二人の娘が出来た今でも、大層夫に気を遣い、つつましく仕えているのだ。源二郎はそんな妻があわれでならない。だからやさしくしてやる。けれどもアサの時のように、妻の手を暗がりで握ったりはしない。

いつのまにか源二郎の傍に、甘粕が立っていた。足音がしなかったと、源二郎は少々気味悪い。

「この女優はいつまでたってもうまくなりません」

彼は目を俳優たちに向けたままつぶやいた。

「うちは本当のスターを育てられませんでした。残念です」

「いや、李香蘭《りこうらん》がいるじゃありませんか。今じゃ日本でもひっぱりだこで、今はあっちに行っているのではありませんか」

「浅井さんだけにお話ししますが、李香蘭は支那人ではありません」

「なんですって」

「純粋な日本人です。両親も日本人です。父親は満鉄の仕事をしていました」

「驚いたなあ……。あの李香蘭が……」

日満友好のシンボルとなっている李香蘭は、支那はおろか日本でも爆発的な人気を得た。映画の中ではたいてい最初は反ぱつしていても日本の男を愛し、理解していく可憐《かれん》な娘を演じているのだ。

「浅井さん、信子ちゃんはきっと李香蘭を越えるスターになれますよ。いつかきっと私にください」

私にくださいという言葉が、闇の中でまがまがしく響いた。

そしてもう甘粕とは二度と会うことはないだろうと、源二郎は強く予感したのである。

2

やはりあの男だと、白井宗吉《しらいそうきち》は声を上げそうになった。

春の盛りのことで、日活調布《ちょうふ》撮影所は、ところどころ桜の木が見え隠れしている。その桜の木をひとつひとつ確かめるようにして歩いている男があった。灰色の背広に同じ色のソフト帽だ。そのソフト帽を脱がせ、軍帽をかぶせたら、あの男になる。

いない。

白井が声をかけると、男は顔をこちらに向けた。男にしては大き過ぎる目に丸い眼鏡、間違いない。

「浅井源二郎さん」

「新京にいらした浅井源二郎さんでしょう。私は満映にいた白井です。お忘れかもしれませんが、二度ほどお目にかかったことがあります」

知らず知らずのうちに丁寧な言葉を使っている。満州にいた頃、浅井は国務大臣秘書官で、自分は一介のカメラマンであった。一度頼まれてカメラの解説をしたことがある。官僚にしては浅井はさばけた男で、いずれ自分も映画を撮りたいと話していたのを憶えている。

「ご無事だったのですね」

「あなたも。何よりです」

戦争が終わってから十年たとうとしていたが、人々は懐かしい人に再会するとまだこのような言い方をする。ましてや二人は外地で別れてきたのだ。満州で起きた悲劇は最近あきらかになり、二十四万人の日本人が命を落としたことがわかっている。そのことを思うと、こうして元気で再会出来るのは奇跡のようなものかもしれなかった。

「白井さんは、今ここで働いているのですか」

「私も引き揚げてからは本当に苦労しましたが、何とか元の日活に戻ることが出来ました」

満映の仲間のほとんどは東映に入社していたが、行き先の決まらない者は大勢いる。白井は大層幸運の方だといわねばならなかった。

「甘粕《あまかす》さんはお気の毒なことをしましたね」

浅井はそこで言葉を切った。多くの感情がこみ上げてきたからに違いない。甘粕と浅井が二人、スタジオの隅や二階の廊下で、何やら楽しげに話していたのを白井は思い出した。意外に社交性のある男と言われていたけれども、甘粕は最後の最後は人を信じておらず、人からもついに心を許してもらうことはなかった。その甘粕が浅井に向かっては、声をたてて笑うのを何度も見たことがあった。

「まあ甘粕さんらしい最期といえばいえないこともなかったけれども……」

浅井はぽつんと言う。

満映理事長の甘粕正彦が、終戦直後に青酸カリをあおって自らの命を絶った話は、日本でも有名なものになっている。どうせ生き抜いたところで戦犯にされていただろうから、さっさと自殺したのは得策だったという者もいるが、白井はそうは思わない。たとえ裁判にかけられることになったとしても、一緒に日本の土を踏みたかった。満州に骨を埋《うず》めるのだというのが口癖だったらしいが、甘粕ほど日本を懐かしく恋していた者はいまい。だからこそ、生きて故郷に帰りたい、という者たちの気持ちがあれほどよくわかったのだ。

「理事長は情のあるいい方でした。最後の最後まで私たちのことを考えていてくれたのですから」

白井は問われることもないまま語り始めていた。

日本は負ける、という気配を、もうあの頃満映の社員たちは感じていた。とうにイタリアは無条件降伏していたし、日本陸軍が最後の運命を賭《か》けたインパール作戦は失敗に終わった。内地から見ると「天国のよう」といわれた満州でさえ物資は不足し、白米の飯は、毎日は口に出来ないものになっていった。白井の家には、生まれたばかりの双子《ふたご》の女の子がいたが、粉ミルクを手に入れるために妻は次々と着物を手放していた。支那人の商人が、闇でとんでもない値段をふっかけてくると、よく口惜しそうに訴えたものだ。

甘粕は時々幹部を集め、覚悟をしておくようにと言ったらしいが、それはカメラマンにまでは伝わってこない。その言葉を聞いたのは甘粕が死んだずっと後のことだ。

とはいうものの社員たちは、現場に行くたびに「これが最後の一作ではないか」という思いから逃れることが出来なかった。だからこそ一作一作にあれほど力を注いだのではなかったか。木村荘十二《きむらそとじ》監督がメガホンを握った「蘇少妹」は、実験的に初めてカラーが使われることになった。

「『風と共に去りぬ』みたいなもんを撮る」

と杉山公平撮影技師は張り切っていたものだ。彼は上海《シャンハイ》で観たその映画のことを、熱に浮かされたように喋《しゃべ》っていたのである。

「見ていろ。満映っていうのは映画の鬼っ子でもきわものでもない、っていうもんをつくるからな」

そして八月九日、いきなり百七十五万のソ連軍が国境を越えて侵攻してきた。その次の日はよく晴れた暑い日で、白井が出社するとあたりがざわついてきた。

「ソ連が牡丹江《ぼたんこう》から攻めてきた。もうじきこの新京もやられるらしい」

「まさか！」

事務室へ行くと、女の社員たちが真っ赤に目を泣き腫《は》らして、あちこちで固まっている。

「白井さん！」

おとどし女学校を出たばかりの村上順子が近寄ってきた。

「もしソ連軍がやってきたら、日本人の男はみんな殺されて、女はみんな手ごめにされて奴隷《どれい》にされるんですか」

「まさか」

白井は言った。

「もしそんなことがあっても、この満映の社員は大丈夫だ。理事長がいるのだから」

あれは満映社員全員の考えだったはずだ。この満州で、甘粕理事長は闇の支配者と呼ばれている。関東軍さえ牛耳り、各官庁も掌中にしている。戦況についても、刻一刻内地から、あるいは現地からいちばん詳しい情報が届いているはずだ。その甘粕が自分たちを見殺しにするはずはなかった。

が、翌十一日、彼は全社員に向けて、次のような伝令を発した。

「日本人の全社員に告ぐ。本日午後七時に家族と共に本社に集まるように。衣服は清潔なものに着替え、武器を持ってくること」

どうやら全員で玉砕するつもりなのだと、白井は覚悟を決めた。甘粕がそこまで言うのなら、もう自分たちに助かるすべはないということだ。妻の美保子も同じ考えだったらしい。

「こうなったら仕方ありません。子どもたちには可哀想ですが、日本人として立派にあの世にまいりましょう」

と言い、箪笥《たんす》の中から新しい下着ひと揃いと、懐刀を取り出したのには少なからず驚いた。聞くと士族の血をひく父親が、渡満の際にくれたものだという。

「だが、決して早まるなよ。死ぬのはいつでも出来るのだから」

と妻に言い残してとりあえず一足先に白井は会社へ向かった。宴会は既に始まっていた。どこにこれほどたくさんのウイスキーがあったのだろうと目をむくほど、たくさんの酒がテーブルに並べられ景気よく抜かれていった。演芸大会が開かれ、社員たちのお国自慢が始まる。ある者はどじょう掬《すく》いをし、ある者はソーラン節を唄《うた》った。宴会が途中で荒れ始めたのは、あのささやきが、テーブルをすごい速度でまわり始めてからだ。これから甘粕が社員全員に青酸カリを配ることになる、女子社員の手にはもう渡ったというのだ。

「嘘だろう」

白井は叫んだ。

「こんなにたくさんの人間が、いちどきに死ねるわけがないじゃないか」

それから後のことは、まるで映画のようであった。映画をつくる人間が言うのだから間違いない。いや、あのさまざまな出来事のめまぐるしさ、悲劇の度合いというのは、二時間の映画の何十本分かになる。毎日のように誰かが死に、絶望と希望がかわるがわるやってきたのだ。

玉砕を命じた甘粕が一夜たつと全く別のことを言い出した。満映社員全員のために特別の列車を仕立てた、それに乗って奉天まで脱出するようにと言うのだ。双子を一人ずつ背負い、白井夫婦は列車に乗り込んだ。新京のホームは、逃げてきた避難民で歩く隙もないほどだ。白井と同じように赤ん坊を抱いている者も多い。彼らはやっと到着した列車に必死にしがみつこうとする。それを関東軍の残党が追い払った。

「乗せてくれよ！」

「もうソ連軍がそこまで来ているじゃないか！」

　生きるためにすさまじい形相になった人々が、列車の床にしがみつく。がすぐに力ずくではがされた。

　列車といっても、積荷の石炭が残っている無蓋車《むがいしゃ》だ。そこにようやく腰をおろした時、可哀想といって美保子は涙を流した。仙台にあるカソリックの女学校を出ているやさしい女である。白井はその時妻に対してこう怒鳴った記憶がある。

「これから俺たちは地獄に突入していくんだ。どうしても生きて日本に帰らなきゃならん。もう他人のために涙を流す余裕なんかないんだ」

　そして列車はのろのろと進んだかと思うと止まる、ということを繰り返し、二日後に奉天に着いた。十三日の二日後だから十五日だ。ここで満映の社員たちは、敗戦を告げる玉音放送があったことを知った。

「日本は負けたのだ……」

　予感があったとはいえ、それを知った時の白井の衝撃は大きかった。ましてやここは外地だ。日本人に報復しようとする支那人の中に取り残されたことになる。彼らも怖いが、極悪非道と聞いているソ連兵たちが大挙してやってくるのは時間の問題だった。

　仲間の中には地面にうつぶして泣いている者が何人もいた。が、ここで死のうという者がひとりも出なかったのは幸いだった。映画人としての知性が、最後の冷静さを失わせなかったのだ。

そして人々はひと晩奉天の映画館で過ごし、次の日はまた新京に戻った。なぜ戻るのか、誰も説明してくれなかった。とにかくわかっているのは、外敵から身を守ろうとする小鳥のように、今はまとまって大きなかたまりにならなくてはいけない、ということだ。

そして満映の社員のほとんどはまた、本社に集合した。十六日のことだ。午後の四時から甘粕の挨拶《あいさつ》があるというので、みんなはぞろぞろと会議室へ向かった。その時、青酸カリを社員に配ったはずの彼が意外なことを口にしたのだ。

「どうかこれから祖国再建のために働いてください。婦人や子どもがたくさん残っています。どうかこの人たちが、みなさんの力で無事に帰れるよう、くれぐれも頼みます」

しかし自分は帰国することなど考えていないと、甘粕は一瞬目を閉じた。

「私は武士の家で生まれ、軍人として育てられたので、本来ならば日本刀で自殺すべきですが、こんなありさまでは日本刀で死ぬことは許されません。だから別の方法で死にます」

じっと聞いていた社員の間からすすり泣きが漏れた。それは甘粕に対する愛惜というよりも、自分らの明日の運命に対しての不安であったろう。そして日本人の社員全員に分厚い封筒が配られた。退職金だという。中を開けてびっくりした。五千円入っていた。その頃、田舎で千円出せばそこそこの家が建てられた。こんな時でなければ、白井が一生手にすることのなかった大金である。

これもずっと後に聞いたことであるが、甘粕は満州興業銀行の総裁にかけ合って、満映の全預金六百万円を引き出させたという。そんな金はすぐに用意出来ないとしぶる総裁に向かい、

「バカヤロー、明日は紙クズになる金じゃないか」

と怒鳴ったというのだ。

そしてその金を持って白井は帰り仕度を始めた。会社に置いてあったこまごまとした私物を持ち、現場の支那人に別れを告げようとスタジオへ向かう。第二スタジオでは「蘇少妹」のセットを、杉山公平や部下たちが解体しているところであった。

「何をしているのですか」

「どうせソ連か八路軍《はちろぐん》の手に渡るんだ。その前にこういうものは俺たちの手で壊しておこうと思ってな」

「そうですか……」

カメラマン団長であり師匠筋の杉山が力仕事をしているのに、白井が見ているわけにもいかず、金鎚《かなづち》を持ってきて、大道具の支えのあちこちを叩《たた》き始めた。

「なあ、白井」

「はい」

「結局俺たちはつまらん映画しかつくれなかったなあ。日本を飛び出して、新天地満映で思う存分腕をふるうんだ、なんて意気込んできたが、結局はこのざまだ……」

「そうでしょうかね。でも高峰秀子が出た『東遊記』は忘れられませんよ。それと李香蘭……あの女優はうちが育てたんですからね。あの大スターが出ただけでもいいじゃありませんか」

「おい、白井！」

杉山は手を止めてこちらを見た。燃えているのか、昏《くら》く沈んでいるのかわからない目だった。

「李香蘭は日本人なんだ」

「え、嘘でしょう」

「ああ間違いない。幹部だったらみんな知っている。支那語を操るけれども、こちらで生まれた純粋な日本人だ。父親が、満鉄社員に支那語を教えていた——。だからあんなに達者に喋《しゃべ》る」

「驚いたなあ……」

李香蘭といえば満映の生んだ大スターとされ、その輝くばかりの美貌《びぼう》は、日本でも大変な人気を博していた。李香蘭が日本で開いたリサイタルには、大勢の男たちが詰めかけ、日劇のまわりを七周したというのは、今でも語りぐさになっている。それというのも李香蘭が、「日満友好を必死で願う、けなげな支那女」だからなのだ。その李香蘭が実は日本人だというのだから、白井は開いた口がふさがらない。

「それが本当だとしたら大変なことじゃないですか。李香蘭はただではすまない。これからどうやって生きていくんでしょう」

「そんなことは俺たちの知ったことじゃないさ。だけど李香蘭もすべてまがいもん、いんちきだったわけだ、この映画会社そのものだよなあ」

白井はもうそれに答えることが出来ない。

「ああ、思いきりいい女を撮りたかったよなあ……」

その杉山の言葉を、白井はずっと憶《おぼ》えていることになる。そしてその日をもって、満映は解散ということになった。しかし、不思議なことに、満映の社宅は、ずっとガスと電気が引かれ、それは一年後の引き揚げの時まで続いた。

「理事長がきっと話をつけてくださったのだ。ありがたい」

と美保子は言い、甘粕の写真に向かって手を合わせた。八月二十日に彼が青酸カリを飲んで自ら命を絶ってからというもの、毎日そうしているのだ。

甘粕から貰《もら》った五千円で、白井一家は新京の冬を越すことが出来た。満映の連中は金を持っているということで、支那人の物売りたちがひっきりなしにやってくる。それで喰《く》いつなぐことが出来たのだ。

が、あたりは悲惨だった。奥地から命からがら逃げてきた開拓団の人々が、餓死寸前の姿でさまよっている。夜になると女たちを狙ったソ連兵がやってきて、かん高い悲鳴があちこちで聞こえてきた。美保子は家の扉を叩く何人かの日本人に食べ物を与え、貴重な服までやった。そんなことはするなと白井がいくら叱っても無駄だった。

「私たちは理事長に助けられたのだから、私も出来る限りのことをしなくては」

というのが美保子の言い分であった。

確かに五千円の金の威力は大きく、引き揚げる時も白井の胴巻きの中には二千円が残っていたほどだ。

戦後満映を接収した八路軍は、「優秀な日本人技術者の提供」を要請したが、権力者となった者のそれは要請ではなく命令だ。拒むことは出来ない。木村荘十二、内田吐夢《とむ》といった実力派の監督が演出顧問として残ることになった。もしカメラマンとして自分が選ばれることになったらと、白井は生きた心地もしなかったのであるが、二百人の残留者の中には入らなかった。

終戦直後、必死でセットを壊していたカメラマン団長の杉山公平もなぜかはずされていた。

満映社員の第一陣が帰国したのは、昭和二十一年の秋である。舞鶴《まいづる》の港に着いた時、なぜか美保子だけ別のテントに呼ばれ、しばらく帰ってこなかった。

「妊娠していないかどうか、いろいろ聞かれたのよ」

ソ連兵に陵辱され、身籠《みごも》った女たちを水際で食い止めようとしていたのだ。

「妊娠している人は別のところに連れていかれ、手術を受けるのよ。麻酔もかけられないで本当に気の毒……」

美保子は胸元に手をあてた。あの懐刀はとうに捨ててきたけれども、甘粕の写真だけは肌身離さず持ってきたのだ。日本の地を踏んだ時、妻は甘粕が自分たちを護《まも》ってくれたのだと確信を持ったに違いない。


「甘粕さんを日本人はみんな悪く言いますが、私たちにとっては恩人なのですよ。妻は今でも毎日、写真に向かって手を合わせています」

「そうですね。甘粕さんの自殺を、この頃日本の新聞や雑誌は面白おかしく書くけれども、社員に五千円の退職金を渡したことは知られていません」

「内田吐夢さんはおととしやっと帰国しました。カメラマンの気賀さんは、なんと昨年ですよ。九年も支那、いや、中国に残ったことになります」

「そうですか。今日は懐かしい人の消息が聞けて本当に嬉《うれ》しかった。その頃私は、役人をしていたくせに、映画をつくる現場が大好きで、よくおたくにお邪魔していましたからなあ」

二人は桜の木がよく見えるベンチに座っていた。時折衣装をつけたままの大部屋の俳優たちが、煙草を吸いにここにやってくるのだが、二人のしんみりとした様子に気圧《けお》されるのか、煙草を吸うやいなやそそくさと立ち去っていく。白井はゴールデンバットの五本目に火をつけ、大切なことを聞くのを忘れていたことに気づいた。

「ところで浅井さんは、どうしてここにいるのですか」

「ああ、今度娘が映画に出ることになったのです」

「何ですって」

「井上監督の映画の主役に選ばれたのです」

井上監督といえば井上梅次《うめつぐ》のことであろう。脚本家として出発した売れっ子監督で、この頃はジャズを風俗として扱った映画を器用にこなす。

「白井さんは、私が終戦の前の年に、バンコックへ行ったことをご存じでしょうか」

「いいえ、知りません」

「そうですか。あの時のことが、娘の映画出演につながっているのです」

源二郎とその家族が、バンコックに赴任したのは、昭和十九年の秋であった。満州ならばもう初雪がちらつく頃、バンコックは雨季、夏の終わりであった。水の都といわれたバンコックは、チャオプラヤー川に沿って美しい寺院や宮殿が並んでいる。暁の寺ワット・アルン、ワット・プラ・ケオの本堂は、エメラルド寺院という美しい名がついていた。雨が上がると、急激に青空が広がり、寺院の上に虹《にじ》がかかることがある。新京の陰うつな空と別れを告げてきた源二郎にとって、ここはまさに別天地であった。

食べ物はどれもうまく、満州では貴重品だった果物がここでは溢《あふ》れかえっていた。ロンコーン、マプラオ、ンゴ、ねっとりとした味のトゥーリアン、毎朝それを白い皿に盛って娘たちと食べていると、戦争などまるで嘘のようであった。

源二郎の新しい職場である特務機関は、いわば満州帝国の出張所のようなものであった。世界で満州帝国を認めてくれている数少ない国のひとつ、タイの政府や民衆に向けての広報活動が主な仕事だ。タイ語のパンフレットをつくり、満映のつくった記録映画を上映したりする。が、こんなことをしていても反響などあるはずもなく、閑職といってもいい。

源二郎は時々、あの時は大きな力が働いて、自分を満州から連れ出したのではないかと思うことがある。あのまま自分が新京にとどまっていたら、いったいどうなっていただろうか。おそらく戦争責任は免れることが出来なかったはずだ。シベリア送りになったか、あるいは終戦の混乱の中、銃殺されたかもしれない。それより家族を無事に帰国させてやることが出来ただろうか。

敗戦後、満州の地で多くの日本人が逃避行を続け、飢えと寒さの中で生命を落とした。もし娘たちに何かあったらと思うと、浅井は心底ぞっとするのである。

東南アジアで唯一の独立国であるタイは、最初の頃は日本との友好関係を進めていたが、昭和十九年ともなると、とうに日本の負け戦を見切っていた。

前年に東京で開催された大東亜会議に、ピブーンソンクラーム首相は欠席したぐらいだ。今の新政権は、ピブーンソンクラーム首相よりもずっと日本に協力的と言われている。しかしいずれにしても、日本が負けるであろうことを彼らは既に承知していて、満州帝国、すなわち日本側の軍人、役人たちとは不思議な均衡が保たれていた。こちらのすることにいっさい干渉しないのである。

バンコックの暮らしは快適だった。源二郎は郊外に白い西洋館をあてがわれ、使用人は五人いた。雇うも雇わないもない。この館《やかた》の付属品のようなもので、コックや門番が最初からいたのだ。吹き抜けの大広間やバルコニーは、まるで小さな城のようで、娘の信子はスカートをつまんで挨拶《あいさつ》をする。

「お父さま、ごきげんよう」

そうすると信子は本当の姫君のようだ。源二郎はこちらの日本大使館で会った、この国のかつての王族の女たちを思い出した。

信子の美しさは、どういっていいのだろうか。源二郎はわが子ながら、時々そら怖しくなることがある。目千両という言葉があるけれども、睫毛《まつげ》の長い大きな目は、じっと見ているとその黒々とした光るものの中に吸い込まれそうだ。口元は閉じると、ふっくらとした小さな山が出来る。まだ五歳だというのに、大輪の花のあでやかさがあった。そればかりか、信子は権高さとぎりぎりの気品を生まれつき持っていて、姉とは違った扱われ方をしていることに源二郎は気づいた。おもちゃやお菓子を取り合いする時でも、四つ上の姉は、

「これは信子ちゃんに」

と譲るのだ。これは多分に妻のちょうによるところが大きい。源二郎の死んだ前妻は、ちょうの姉であった。平凡な顔立ちのちょうに比べて、美人で有名だった前妻は大きな目と美しい

唇を持っていた。それに信子が似ていることに源二郎は驚く。まるで信子は源二郎と前の妻に出来たような娘なのだ。そのことにちょうが気づいていないはずはない。

「私は姉さんと違って不器量だから」

というちょうは、わが子である信子に対して妙に遠慮深いところがあった。姉には平気で叱りつけるところを、信子に向かっては言葉を呑《の》んでしまう。それを姉も当然と思っている節がある。いつのまにか浅井家では、信子が総領娘の風格を身につけていったのである。

終戦の年、郵便事情が本当に悪くなるまで、甘粕は時々手紙をくれた。満映も出征する者が多くなり淋《さび》しくなった、などという文字の後に、信子のことを問うてくることがあった。

「信子ちゃんはさぞかし大きくなったことでしょう。次に会う時はどんな美人になっているか楽しみです」

不意に源二郎は劇団をつくりたくなった。バンコックでは衣食住は充分確保されていたが、娯楽がないのが不満だった。アメリカや英国の映画が入ってくることはなく、映画館でかかっているのは、タイ語のつまらぬ映画ばかりだ。しかしいくら満映に出入りしていたといっても、素人に映画がつくれるはずもない。だいいちカメラひとつ持っていないのだ。それならば劇団をつくるのはどうだろう。脚本を書くのはやったことがないが、やれば出来そうな気がする。幸い日本大使館の二等書記官に芝居っ気のある者がいた。慶應時代に演劇をやっていたという。彼の夫人とその友人が日舞を踊るという。源二郎が持ちかけたところ、みんな目を輝かせた。すぐにやろうというのだ。

平時だったらば、大使館の面目、などと言っていたかもしれない。が、日本の敗戦はもう気配でわかっていた。タイの政府や関係者は日に日に冷たくなっていく。せめて日本人が集まって楽しいことをしようという源二郎の提案は、あっさりと受け容《い》れられたのだ。

四日かけて源二郎は脚本を書き上げた。題名は「南国の二人」というものだ。国策とは関係ないから、愛国心などというものは出てこない。日本で一緒になれなかった恋人たちがバンコックでめぐり合うが、男が結婚していたために涙ながらにまた別れるという物語である。会場はレストランの二階にしたが、数十人の日本人が詰めかけた。二等書記官が演出を担当し、バイオリンもついでに弾いてくれた。二人の別れのシーンでは、多くの人々がハンカチに目をあてた。あまりの好評に気をよくし、源二郎は第二作を書き上げたが、この時子役として使ったのが信子である。二作目は時代劇のため着物を着せた。七五三の時、姉のために日本でつくらせた友禅である。ひわ色の手毬《てまり》の模様の着物を着て、信子が舞台に現れた時は、客席からほうっと声が上がったものだ。

「私はお腹が空《す》いてもひもじくはありません」

歌舞伎の「先代萩」をもじったものだ。信子がこの台詞《せりふ》を口にした時、源二郎はふと身震いのようなものを感じた。満映のスタジオの片隅で、甘粕と交わした会話を思い出したからだ。

「信子ちゃんは今にすごい美人になりますよ。きっと女優にしてください」

が、そんなことはあり得るはずはない。女というものは平凡に生きた方が幸せなのだ。自分の母親を見ていてもわかる。人よりも美しく、才気があったために芸者になった。もちろん貧しさゆえもあったろうが、ふつうの女のような生き方はしたくないと言って自分から芸者に出たのだ。その結果年上の夫と結ばれ、しなくてもいい苦労をさんざんした揚げ句、早死にしてしまった。女の子はごくふつうに育てたいというのが、源二郎の最近の願いであった。娘たちには戦争という運命を背負わせてしまったが、これは万人に等しく来たものだから仕方ない。けれども外地育ちという特殊な環境においてしまったことは事実だ。この戦争が終わったら、娘たちを一刻も早く内地に連れ帰ろう。そしていい女学校に入れる。出来ることなら女子大に入れ、平凡だけれども知的な人生を歩ませるつもりだ……。

そして源二郎のその望みは、思ったよりも早く叶《かな》うことになる。予想していたよりもずっと早く戦争は終わり、彼の愛した満州帝国は音をたてて瓦解《がかい》した。幸運なことにバンコックの日本人たちは、他の国の在留邦人に比べると、ずっと早く帰国することが出来た。

「浅井さん、また一緒に劇団をしましょうよ」

と陽気な二等書記官と舞鶴の港で別れを告げたのは、昭和二十年の暮れのことだ。しかしその後の十年は、源二郎の目論見《もくろみ》とはかなりはずれてしまったといってもいい。かつての満州国官僚というだけで、世間は白い目を向けた。日本帝国主義がつくり上げた傀儡《かいらい》政府の手先をしていた者など、新生民主主義国家の敵だといわんばかりだ。要領よく立ちまわればもっとよい就職口があったかもしれないが、源二郎には到底無理な話だった。

内地にいた何も知らない人々が、あの満州帝国のことを悪く言うのは勝手だ。けれどもいっときでも夢と理想を持ち、あの国の建設に加わろうとした自分に、どうしてすべてを否定することが出来るだろうか。それは自分の人生をも罵《ののし》ることになるのだ。

いつのまにか五十を前にして、源二郎は陰気な気むずかしい男になっていった。かつて南の国で劇団を結成し、ほがらかに笑っていた彼の姿はどこにもなかった。

ビール会社の工場長をやったこともある。ある大物政治家に気に入られ、その秘書をやった。けれどもどれも長く続かなかった。戦後の日本には、こういう男たちが何人もいた。あまりにも大きなものを見続けた結果、虚脱状態に陥って現実の生活に対応出来ないのだ。こうした男たちの多くはヒロポンや酒に溺《おぼ》れていったけれども、源二郎はどちらにも手を出さなかった。中年を過ぎていても、ひとつの希望がこっそりと彼の中で燃えていて、それは消えることがなかったからだ。

思えば少年の頃からであった。いつも自分の場所を探していた。芸者の息子として生まれ花街《まち》に育っていても、自分の住むところはここではないと信じていた。そしていつしか支那に憧《あこが》れるようになり、東亜同文書院に入学した。そんな時建国されたばかりの満州帝国のことを知ったのだ。軍部がつくったからといってそれが何だったろう。日本帝国の威信にかけて建設された、あの新京の整然とした美しさ。日本の規律と大陸の大らかさが調和していたあの街を見た時、自分が求めていたのはこの場所だと心が震えたものだ。しかもそこは満映という蠱惑《こわく》的な場所を有していたのだ。

今、源二郎はあそこと同じ場所を見つけた。それが昨年製作を再開したばかりの、この日活撮影所なのである。

家族には苦労をかけた。早めに帰国船に乗れたのはいいけれども、その後の生活の再建に少しもめどがつかなかった。帰国した頃は、すべての人が貧しく苦しい思いをしていたが、戦後も六、七年たってくると運のいい者と、悪い者で、あきらかに差が出てきた。源二郎はどう見ても悪い方であった。代議士の秘書をやめた後は、神田のガード下に麻雀《マージャン》屋を出した。ちらりと覗《のぞ》いた代議士の裏の世界は源二郎をすっかり幻滅させた。満州国の大臣秘書として見た秘密は、国家による大がかりな企《たくら》みであったが、日本の代議士のそれはこすっからい金儲《かねもう》けの悪巧みばかりだ。二年の秘書生活で、源二郎はすっかり嫌気がさしてしまった。もう人に使われるのはまっぴらだと、支那で憶《おぼ》えた麻雀を商売にしてみたのだが、妻や娘たちには悪いことをした。このあいだまでは西洋館に住み、使用人にかしずかれていた身が、今は朝から麻雀の牌《パイ》を磨いている。日本に帰ってから年子で娘二人が生まれ、文字どおり貧乏人の子だくさんになっていった。その中にあっても、信子の﨟《ろう》たけた雰囲気は少しも変わらない。

「信子ちゃんだけ、よそから貰《もら》われてきたのかもしれない。お父さんと顔がそっくりだから、おそらく他で産ませた子なのだろう」

と近所で噂する者さえいた。

信子は中学に入った年に、突然歌を習いたいと言い出した。同じくらいの年頃の童謡歌手が次々とデビューしていたので、おそらくそれに影響されたのだろう。近所に音大を出た奥さんがいて、そこに週に一度習いに行くようになった。その費用について、源二郎もちょうども苦にしたことはない。他の娘たちの着る物を切りつめても、信子がしたいことをするのは当然という思いが、姉妹たちの間にもあったのだ。

そしてその奥さんが、雑誌「それいゆ」を開いて信子に言った。

「ほら、この映画の主役募集って、信子ちゃんにぴったりじゃないの」

大人気の画家である中原淳一が創刊した「それいゆ」や「ひまわり」は、日本中の女の子が目にしている。源二郎から見れば、少々病的なほど瞳《ひとみ》の大きい、手足の細い少女たちの絵は、便箋《びんせん》やノート、下敷にもなっていた。

「映画に出る子を、今探しているの。アメリカ語でオーディションっていうのをするんですって。ねえ、信子ちゃん、応募してみなさいよ」

そうしたいのだけれども、着ていく服がないと信子は少しふくれた。日本に引き揚げてからは、ずっと姉のお下がりばかりだ。ところどころ擦り切れたものや色の褪《あ》せたものは、もう十五歳になろうとしている少女にはつらいものであった。

服を買ってやりたいのは山々であったが、源二郎にはそんな余裕はない。小さな麻雀屋の儲けなどしれたもので、最近は大きくて新しい店に客を持っていかれている。

「だったら友だちの服を借りるからいい」

信子は言い、オーディションの日にセーラー服を着た。信子の通う中学校には制服がない。だからそのセーラー服は本当におしゃれ用だ。仕立ても生地もよかった。

源二郎は彼がかつて見た東洋英和や白百合の少女たちを思った。信子たちもああいう学校に通わせるつもりであったが、それも叶わぬこととなった。信子の姉澄子を、帰国後すぐに旧制の女学校に進ませる時、どれほど苦労しただろう。

信子は初めて着るセーラー服に興奮し、髪も自分で工夫していた。おさげにしたものをまたくるりと輪にして結んだのだ。そうすると信子は、本当に中原淳一の絵の少女だった。親の欲目ではない。オーディションの会場で、中原淳一も叫んだという。

「僕の絵から抜け出してきたみたいじゃないか」

あっけないほど早く、信子は映画のヒロインに選ばれたのである。

「だけど名前を変えなくちゃね」

宣伝部の男たちに言われた。満州帝国の大臣秘書官をしていた頃、源二郎は「信義」という言葉を何よりも大切にしていた。信子はそこから取ったのである。

「ルリちゃんでいいよ」

あっさりと言ったのは井上監督だ。

「映画の浅丘ルリ子を、そのまま芸名にすればいいじゃないか」

それを聞いた時、満州の風景がひとつ消えたような気がした。淋《さび》しいのではない。ただあの大陸の夕陽を見て誓ったことは、もう守らなくていいのだという安堵《あんど》感がわいてきただけだ。

「浅丘ルリ子……。いい名前ですね。ハイカラで明るい」

白井は心の底からそう思った。

「そうでしょう。私もそう思っているのですよ。あの子はもともと信子ではなく、ルリ子という名前だったのではないかと思うくらいです。女は平凡に生きるのがいいと思っていましたが、なぜかこういうことになってしまいました」

信子がオーディションに受かった時、源二郎は運命という言葉を思った。まるで甘粕が冥府《めいふ》から女優になるべく導いているかのようだ。しかしそんなことを、目の前の男に告げることはない。あの日、甘粕と喋《しゃべ》ったことは、信子以外の人間に話すつもりはなかった。

「どうかいい女優さんになってください。私もいずれ撮らせてもらいたいものです」

「そうですね。満映組の白井さんに撮ってもらえれば、こんなに嬉《うれ》しいことはない」

その時同時に二人は、甘粕の顔を思い浮かべた。

3

日活の調布撮影所は、京王線布田《ふだ》駅で降りて田んぼの中を歩く。あたりには何もない。昔からの農村だ。建物ひとつないため、撮影所は遠くからでもよく見える。「東洋一の白亜の殿堂」と、会社は印刷物にもうたっているけれども、あながち嘘ではないらしい。なにしろ全館が冷暖房完備なのだ。

「まるで天国みたいなとこだよなあ。真夏の京都の暑さときたら、話にならねえ。それにライトが加わるんだから、本当に地獄の底みたいなとこだったよなあ」

というのは、大映太秦《うずまさ》撮影所からやってきた照明マンだ。

昭和二十九年、日活映画は再び活動を始めた。とりあえず人材が必要ということで、各映画会社から多くの人々が集められた。給料がいいこともあったが、何よりも、

「新しい会社で新しい映画をつくる」

という思いが、映画人たちの心を駆り立てたに違いない。

これに焦った松竹や大映といった大手がすぐに「五社協定」をつくり、人や器材を貸さないということになったのだが、その危機感が、この撮影所をさらに活気あるものにしている。

信子はここに通うのが楽しくてたまらない。撮影所は大好きな学校だ。ここには素敵な先生や同級生たちがいくらでもいる。だから会社が紹介してくれた私立高校などすぐに通うのをや

めてしまった。

考えてみれば、日本の学校に楽しい思い出はほとんどない。バンコックから引き揚げて日本で通った小学校や中学校では、かなり陰湿ないじめに遭った。信子の貧しい服装や麻雀屋の仕事をからかわれたりしたのだ。意地悪をしたのは女の子たちばかりであったから、おそらくその頃から学校中の評判になっていた、信子の美貌《びぼう》が気にくわなかったに違いない。

ところがどうだろう、この学校での同級生たちはみんな美しかった。男たちは凜々《りり》しく、女たちはため息が出るような透きとおる肌と大きな瞳《ひとみ》を持っている。

日活では再開と共に第一回のニューフェイスを募集し、なんと八千人が応募してきたのだ。合格した十人ほどの中に大学生が何人かいる。日大芸術学部演劇学科の二年生だという宍戸錠《ししどじょう》は、戦争中ずっと東北にいたというのに大層人懐こくて明るい性格だ。彼を中心にすぐグループが出来た。

怖くなるほど美しい顔立ちの葉山良二は、彼に比べるとずっとおとなしい。信子は堀恭子、芦川いづみといった若い女優ともたちまち仲よくなった。

この新しい撮影所は、年功序列による個室というものがない。あるのは大部屋だけだ。が、そこにいることはあまりなく、信子たちはたいてい食堂へ行き、出番がない時はずっとそこでお喋りしている。天気がいい時は、クローバーの拡がる前庭で寝ころがり、女だけの内緒話をする。

「君たちは、どうしてそんなに朝から晩まで喋ることが出来るんだ」

と通りかかった井上梅次監督に呆《あき》れられたことがある。

　この井上監督が撮ってくれた信子のデビュー作「緑はるかに」は、日活初のカラー作品で、有島一郎、フランキー堺といった人気者を傍《わき》に配してくれたのだが、これといった評判にならず、収益もそこそこであった。仕方ない、少女小説のような北条誠の原作がよくなかったとみんなが言う。しかし主役を演じた信子は、上層部の目にとまったようで、契約もし、こうしてスター予備軍のひとりとして遇されているのだ。

「ねえ、ねえ、井上監督の話、知ってる」

　恭子が、さっき摘んだ四つ葉をかざしながら言った。

「あの監督、月丘夢路さんが恋人なのよ。このあいだもランデブーしているところを見られているのよ」

「え、本当」

　信子も他の三人の少女たちもいっせいに叫んだ。月丘夢路は、新人ばかりの日活俳優の中で、数少ない、

「すぐに稼げる女優」

である。北原三枝、南田《みなみだ》洋子、新珠《あらたま》三千代らと共に、引き抜かれて日活専属女優となった。端整な美貌のうえに宝塚出身で歌って踊れることで重宝がられている。このあいだ公開された映画の中でも「大江戸風流むすめ」という主題歌を歌っているほどだ。

「でもね、スターさんが、男の人とつき合ったりしていいのかしら……」

　今年のニューフェイスで入ってきた真砂子は十八歳だから、そんな風に大人びたことを言う。信子は去っていく井上監督の背の高さを目で追いながら、

「男の人とつき合う」

という言葉を思い出し、頰が熱くなった。三十五歳の月丘夢路は既に、成熟した女の色香をたっぷりと持っている。あの人と監督とが肩を寄せ合って歩くところを想像すると、やはり顔が火照ってくる。

「北原さんも好きな人がいるのかしら」

北原三枝は信子の憧《あこが》れの人だ。「緑はるかに」の中で、ほんの小さな役であるが特別出演してくれた。三枝を初めて見た時、

「まるで外国の人みたい」

と信子は思った。抜群のスタイルで顔がとても小さい。長い髪を後ろにたらし、ハイヒールでさっそうと歩くさまは、信子でなくても撮影所の人々が振りかえる。まだ二十三歳の若さだが、松竹大船時代のキャリアは充分にあった。信子は神田の映画館で観た「君の名は」の第二部を思い出す。

主演の岸惠子も美しかったが、アイヌ娘役の三枝の魅力的なことといったらない。北原三枝は背が高い分、大輪の花を見ているようだ。

スクリーンに三枝の横顔が映り、そしてこちらを向く。大きなきりりとした目、ああ、なんて綺麗《きれい》な人だろうと信子はため息をついた。今、その人の近くにいられるなんて夢のようだ。おまけに三枝はやさしい性格で、自分を慕ってくる信子を大層可愛がってくれる。このあいだの日曜日は、銀座に連れ出してくれた。和光のあたりを歩いていたら、すぐに人々は「北原三枝だ」と騒いだけれども、そう気にする風もない。

「信子ちゃん、今度お洋服を一緒につくりに行きましょうよ、とても上手な洋装店があるのよ」

三枝が着ているのは、ふわりとひろがる水玉のスカートに、体にぴったりとした白いブラウスだ。評判になった映画「ローマの休日」の中で、オードリー・ヘップバーンが着ているような形で、腰が高く脚が長い三枝にそれはとてもよく似合った。信子は自分の子どもじみたワンピースが、とてもみすぼらしくはずかしいものに思えてきたほどだ。

給料のことは、父の源二郎から詳しく聞いたことはないけれど、たぶんニューフェイスと同じくらいだろう。スターで専属女優の三枝とは比べものにならない。それほど贅沢《ぜいたく》をしたいとは思わないけれども、いつか素敵な洋服を着て、銀座を歩くようになりたい。そして三枝のように美しく洗練された女になることが出来たらといつも考えている。

信子がそう言うと、三枝は笑ったものだ。

「そんなこと大丈夫よ。信子ちゃんはとっても可愛いんですもの。特にこの目がいいわ」

三枝は細く長い指で、そっと信子の瞼《まぶた》を撫《な》でた。

「信子ちゃんの目は素晴らしいもの。こんな大きな綺麗な目をした女の子を見たことがないわ。中原淳一先生は、まるで黒ダイヤのような目っておっしゃったそうだけど、これは女優の目よ」

「女優の目」

「そう、私も人に言われて知ったの。女優っていうのは顔立ちじゃないの。スクリーンっていうとてつもなく大きなものの中で、目がどれだけ強く、どれだけ光るかっていうことよ。そこへいくと、この信子ちゃんの目はすごいもの。スクリーンで信子ちゃんの目を見た人はきっと忘れないと思う。きっと信子ちゃんは、いい女優さんになるはずよ」

信子は父、源二郎から聞いた話を思い出した。それは三千人の中から「緑はるかに」の主役に選ばれた日のことだ。

「ずっと昔、信子ちゃんがずっと小さかった時の話だ」

父は語り始めた。あの頃住んでいた満州というところに、とてもえらい男の人がいた。どのくらいえらいかというと、その人の言葉ひとつで、関東軍も官僚たちも震え上がると言われていたほどだ。

「だけどその人は、映画をつくっていたんだよ」

映画をつくっていたにもかかわらず、その人は軍人よりもずっとえらい人だったのだ。その人が幼い信子を大層可愛がってくれた。そして別れの時にこう言ったのだ。

「信子ちゃんをどうか女優にしてください」

その人との約束を守ろうとしているの、と信子は尋ねた。

いや約束ではない。その人は希望したのだ。希望というのは、約束のように人を縛らないけれども、もっと強い力を持つこともある。そしてこれは大切なことだけれども、その人の希望は、私の希望でもあった。

「重なったのね」

信子は言った。

「そうだ。そのとおりだよ。信子ちゃんに女優になってほしい、という希望を、いつかお父さんも持つようになったんだ」

　源二郎は信子に従《つ》いてよく撮影所にやってくる。俳優たちは直接日活と契約しているために、マネージャーというものを持たない。付き人がいるのは、もう若くないスターだけだ。だから常に娘の仕事場にやってくる源二郎に、何かしら嫌みな声が聞こえてきても不思議ではなかったのに、そうならなかったのは彼の人柄のせいだろう。娘の仕事には決して口を出さない。いつも片隅にひとりたたずみ、柔和な微笑みを浮かべている初老の品のいい男性に、誰もが好感を抱いた。

「ひばりのおっかさんとは大違いだよ」

　天才歌手として人気を集めていた美空ひばりは、最近スクリーンでも大スターの地位を得ようとしている。昨年公開された「伊豆の踊子」は大層評判がいい。しかし彼女にはたえず母親がつき添い、多くの要求と傲慢《ごうまん》さとで人々を辟易《へきえき》させているのだ。

　源二郎はここに来るのがただ好きなのだ。そのいちばん大きな理由は、日活撮影所の清新な空気だった。「御大《おんたい》」と呼ばれるようなスターもいないし、老獪《ろうかい》なプロデューサーも存在しない。新人と、各社から飛び出してきた、少々へそ曲がりの職人たちがいるこの撮影所は、エネルギーが横溢《おういつ》して、まさに青年期を迎えようとしていた。戦争でいったん死んだはずの日本が、また生き返っての少年期だとしたら、この撮影所は青年期だ。世間よりも十年早く成熟に向かっていこうとしている。ステージと映画人が呼ぶスタジオの増築工事が、毎日行われている。日ごとに人が増えているのがわかる。お姫さま役のニューフェイスの後を、何人かの仕出しの男たちがついていく。あちらで煙草を吸っているのは、劇団民藝から駆り出された老優だ——。

源二郎はこうした喧噪《けんそう》が好きでたまらない。ずっと昔からこの場所にいたような気さえする。もしかしてふつうの家に生まれていたら、この道を志していたのではないだろうか。芸者の子どもという生まれへの反ぱつが、いつしか不自然なほど堅い道を選ばせてしまった。しかもそれは終戦によってあっけなく瓦解《がかい》してしまった。

しかし源二郎はやっと見つけたのである。この場所だ。撮影所のスタジオの片隅、煌々《こうこう》とライトが掲げられ、せわしげに人が行き交う。やがてカチンコが鳴ると、みんないっせいに虚の世界に入っていく。それを少し離れたところで源二郎はながめる。ああ、なんといいのだろう。そして十年ほど前、彼は似た場所にいたことに気づく。底冷えのする満映のスタジオ。あそこもどれほど彼を眩惑《げんわく》しただろうか。本当にあそこに行くのが待ち遠しかった。が、あの満映もここの比ではない。なぜならこのライトの下には、彼の娘がいるのだ。まだそれほどうまいとはいえないが、虚の言葉を喋《しゃべ》り、虚の動きをしている。確かに虚の世界の住民となっているのだ。源二郎はそれが、たまらなく嬉《うれ》しく好ましい。

そしていつのまにか、娘と同じ言葉をつぶやいている。あたり前だ。昨夜ずっと台詞《せりふ》を憶《おぼ》えるのにつき合っていた。

ああ、俺があそこに立っているのだと源二郎は思う。この場所にいる限り、私の娘は私自身になる。虚の世界ではそれが可能なのだ。

ああ、なんていいんだろうと源二郎は再び思う。

調布撮影所の食堂の、親子丼はなかなかいけるという評判だ。しかし半分以上残してしまった。そっと食器を下げる時に、賄いのおばさんに怒鳴られるだろう。

「ついこのあいだまで、お米一升手に入れるのに、どれだけ苦労したと思っているんだい。全くこの頃の若い子ときたら……」

が、仕方ない。昔から信子は食が細く、いっぺんにたくさんの量が食べられない。あの戦後の食料難の時でさえ、信子はそれほどの飢餓を感じたことがなかった。

「ルリちゃんたら、本当に小鳥がついばむようにしか食べないんだね」

信子を芸名で呼ぶのは、同じテーブルに座っている安田祥子だ。きつねうどんを汁まで綺麗に飲み干している。

「それだけしか食べないで、よくこんな仕事をやっていられるわよね」

安田祥子は、昨今の童謡ブームをつくり上げた立役者といわれている。美しい透きとおった声をしていて、彼女の歌った童謡はどれも大ヒットした。その祥子とどうして一緒に食事をしているかというと、信子の二作目に安田祥子も出演しているからだ。「歌くらべ三羽烏」というミュージカルは、今大人気の三人の歌手、小畑実、青木光一、近江俊郎の三人が主役だ。信子と安田祥子はほんの添えもの、ということになる。主役だった前作に比べ、台詞もずっと少ない。けれども信子は、

「所詮《しょせん》これは大人の映画だ」

ともはや割り切ることが出来るようになっている。それにずっと憧れていた安田祥子に会えてとても嬉しい。もともと歌手志望だった信子は、何枚か祥子のレコードを持っている。両親のやっている麻雀《マージャン》屋でかけたところ、

いうのだ。

「こんな辛気くさいのやめといてくれ。牌《パイ》持つ手が震えるじゃないか」

と常連のひとりに文句を言われた。子どもの歌声を聞きながら、とても麻雀など打てないと
つい昨年まで信子は、祥子の歌が大好きなふつうの少女だった。それがきっかけで自分も歌手に憧《あこが》れ、映画のオーディションを受けることになったのだ。その祥子とこうして仲よく昼食をとっているのが、信子は嬉しくてたまらない。信子よりひとつ年下の祥子は、利発な顔をした育ちのよさそうな少女だ。今、きちんとした歌のレッスンを受けていること、いずれはクラシックの歌手になりたい、などということをはきはきと話す。

「ルリ子ちゃんは何になりたいの」

「私?」

信子は言葉に詰まる。このまま映画に出続けることに何の疑問も持っていなかったからだ。

「うちのお母さんはいつも言ってるわ。童謡歌手や子役っていうのは、長く続けるものじゃないって。大人になると、もう人は忘れてしまうんだから、ちゃんと将来の道を見つけなきゃいけないんですって」

信子は思う。私は子役と見られているんだろうか。確かに小柄な信子は年よりもずっと若く見られ、少女役ばかりだ。今撮っている映画も、歌が大好きな少女として、ちらりと登場するだけだ。けれども自分のことを子役だなどと考えたことは一度もなかった。

「私は子役……」

そうつぶやいたとたん、小さな棘《とげ》のようなものが心に突き刺さる。ということは、この大好

きな場所から、いつかは拒否されていくのだろうか。いや、そんなことはない。自分もきっと三枝のような、はつらつと光った肢体を持つ大人になって、この撮影所で暮らしていくのだ。そんなことは祥子に告げられないまま、信子は無口になる。その時だ。

「ねえ、あの人、誰かしら」

突然祥子がささやく。

「あの人、ねえ、見て、見て」

信子は振り向く。見たこともない男が、食堂の入り口近いところに立っている。空気の色がそこだけ変わっているようだ。信子はそれまでこれほど背の高い男を見たことがなかった。単に長身なのではない。青い上着のすぐ下からまっすぐな脚が伸びている。まるで進駐軍のアメリカ兵士が髪を黒く変えて立っているようだ。

テーブルで食事をとっていた人々も、いつのまにかこの青年に視線を送っている。美男が珍しくないこの場所で、みながこれほど不躾《ぶしつけ》に人を見ることなどめったにない。

何がおかしいのか青年は笑う。歯並びがあまりよくなく、よく見るとそう美男子というのではなかった。しかし、信子も食堂にいた人々も、彼から目を離すことは出来ない。

いったい誰なんだろうか。

若手の俳優ならみんな知っている。今年入った助監督さんだろうか。いや、監督を目ざす青年たちはたいてい貧しく、もっさりとした恰好《かっこう》をしている。その青年は青い上着といい、折り目のついたズボンといい、最新流行の質のいいものだ。都会の選ばれた人だけが出来る、やや崩したおしゃれをしている。脚と同じように手も長く、それをもてあますように、時々右手を上着のポケットに入れる。すると彼全体のシルエットが少し変わって見え、それをまたいつのまにか食事中の人々が見つめているのである。

傍にいるのはプロデューサーの水の江瀧子《たきこ》だ。信子は知らないけれども、その昔、松竹歌劇団で大スターだったという。今でも撮影所で、敬意を込めて「ターキー」と呼ぶ人は多い。

水の江瀧子は男のように髪を短くし、これまた男のようなズボンをはいている。よく知らない人が遠くから見たら、中年の男と青年が立っているように思っただろう。水の江瀧子は、そのテーブルに座っていた何人かに、青年を紹介しているようだ。驚いたことに、話しかけられたすべての人が立ち上がる。もし彼が新人の俳優だとしたら、こんなことはあり得ないはずだった。

あの人は照明の上野さんだ。松竹から引き抜かれたベテランで、偏屈なことではこの撮影所でも三本の指に入る。

スタッフの中で、監督がいちばん気を遣うのは音声さんでも、大道具さんでもなかった。照明さんの手加減ひとつで、出演者の顔はまるで違ってくる。だからどんな大監督や大物俳優も、照明さんには頭が上がらない。もちろんぺこぺこするようなことはないが、照明さんを怒らせるような馬鹿なことをする者は撮影所では誰もいないだろう。

それをいいことに、照明さんはかなりへそ曲がりな人が多いので気をつけるようにと、信子はここに来てすぐに教わった。その上野さんが、定食を食べていた箸《はし》をおき、すっと立ち上がったのである。自分よりはるかに背の高い青年に少しでも近づこうとするように、上野さんは直立不動といってもいいほどにしっかりと立った。

それに対して青年は、全く恐縮したり、気を遣うそぶりはない。ただ白い歯を見せて微笑んでいるだけだ。時折、ああ、そうですか、という風に頷《うなず》いてみせる。傲慢《ごうまん》というのでもない。ただ自然に笑みがもれているだけなのだ。

いったい誰なのだろうか。

それは食堂に居合わせた人々すべての疑問だったに違いない。青年の身元は、あっという間に撮影所中に伝わることになった。

「石原慎太郎の弟やて」

教えてくれたのは結髪部のみどりだ。こういう時は、やはり結髪部がいちばん早い。京都太秦から来たみどりは、四十代後半で、俳優たちの髪をつくるのが大層速く、そして同じような早口で、この撮影所で起こったことをすべて伝えてくれるのである。

「ほら、今度うちで『太陽の季節』撮るの、知ってるやろ。だけどなあ、いうたら何やけど、主役の長門《ながと》裕之《ひろゆき》はんは、沢村はんの息子やから、そりゃあ芝居がうまい。だけどどう見たって、太陽族って柄じゃないわなあ。それでな、ターキーはんがほんまの太陽族連れてきて、いろいろ喋り方やしぐさを教えてもらうんやて。それがあのぼんや。えらい背が高くて恰好いいなあ。いかにもええとこのぼんぼんやと思うて見てたら、やっぱり慶應の学生さんやて」

本物の太陽族かと、信子はおととい見た青年のことを思い出す。ほんの少し怖れがわく。なぜなら世間では、太陽族というのは、とんでもない無軌道な青年たちだと思われているからだ。

一橋大学学生の石原慎太郎が、「太陽の季節」という本で芥川賞をとったのは今年の初めのことだ。本好きの源二郎が、

「これはまだ君が読まなくてもいい本だよ」

と判断を下したので、信子は手にとったこともない。けれども「明星《みようじよう》」や「平凡」という雑誌をめくれば、いったいどういうものか嫌でも伝わってくる。

信子が神田のガード下で、麻雀牌を磨いていた頃、戦後いち早く立ち上がった人々が、あっという間に富裕層をつくり出していたらしい。彼らの息子や娘たちは、湘南《しようなん》に繰り出してヨットで遊び、夜は誰かの家でパーティーを楽しむ。そしてモラルなどどこかへ吹きとばしたような生活をおくっているのだ。雑誌や人の話によると、「太陽の季節」に出てくる主人公は、まだ高校生のくせに酒を飲み、女性を何人も知っている。そしてあろうことか、年上の女性を誘惑して妊娠させてしまうのだ。

いくら戦後十年たち、人々の規律や道徳心が崩れたといっても、これはとんでもない話だ。人々が「太陽族」と呼ぶ口調には、憧れと共に軽蔑《けいべつ》と怖れとが込められている。

しかし日活はいち早くこの「太陽の季節」の映画化権を手に入れた。大船調メロドラマであたりにあたっている松竹が、この小説を料理出来るかどうか考えあぐねている間に、新興の日活がさっと手を挙げたのだ。この映画には原作者の石原慎太郎も出演するらしい。写真で見るだけであるが、慎太郎もやや神経質そうな顔をした細面の美青年だ。スクリーンで見てもそう違和感はないだろう。

「じゃ、あの弟さんの方も映画に出るの?」

「どうやろなあ……。ターキーさんはえらい乗り気みたいやけど、本人がまるきり映画俳優なんかに興味ないみたいやなあ。なにしろ、金持ちのええとこのぼんみたいやからなァ……」

が、みどりの予想とは別に、その裕次郎という名の青年は、撮影所でちらほらと姿を見かけるようになった。なんでも水の江瀧子が強引に説得して、ほんの数カットであるが映画に出ることになったようだ。そのために脚本家は急きょシーンを書き換えることになったという。

こうして「太陽の季節」は完成したのであるが、信子は社内試写に行っていない。ただ観てきた人の話によると、

「あれじゃ、長門裕之が怒るわけだ。完全に喰《く》われているからな」

ということであった。ボクシング場に裕次郎がすうっと現れた時、関係者だけの試写室に大きなざわめきが起こったという。演技がうまいとか、役柄に合っている、という次元の話ではなく、そこに原作に描かれたとおりの青年が立っていたからだ。もはや戦後の記憶は遠いものになっているけれども、その鬱屈《うっくつ》した気分はすべての人々の中に未《いま》だ残っている。それに反して、体は伸びやかで、もはや日本人本来の暗さをみじんも持っていないかに見える青年、それが石原裕次郎であった。

「こりゃあ、いけるね。こりゃあすごいよ」

日活ですべての決定権を持つ専務の江守が大声で叫んだという。

こうして一ヶ月もたたない間に、裕次郎を主役に据えた企画が進められた。やはり慎太郎の原作で「狂った果実」だという。

「なんでもやっぱり、アプレゲールの生活を書いたもんらしいで」

みどりは言う。

「会社はこれで裕次郎をいっきに売り出すつもりや。そら、顔だったら、葉山の良ちゃんやフ

ァンファンの方がずっといいで。けど、あの裕次郎はええなあ。私みたいなおばさんでもスカッとするわ。このあいだもな、私が髪をいじったらな、さっと立ち上がって、みどりさん、サンキューって、じっと目を見るんや。どんな男前の俳優さん見てもどうってことなかったこの私がな、くらくらってきたで。こんなこと初めてや。なんかなあ、今までとまるっきり違う男はんが現れたっちゅう感じやなァ」

こういう話を聞くと、信子は自分の頬が火照ってくるのがわかる。たった一度だけ、しかも遠くで見ただけの青年のことが、どうしてこれほど気になるのだろうかと思う。言葉も交わしたことがないのだ。それなのに結髪部や美術部で聞き耳をたてている自分がいる。食堂であの青年を探している。もはや「狂った果実」はクランクインしているのに、ロケが多い映画のためか裕次郎の姿を撮影所で見ることはなかった。

そして夏が近づこうとしていたある日、信子はやっとめあてのものに会うことが出来た。ポスター撮りの打ち合わせのため、宣伝部のドアを開けた。まず目に飛び込んできたのは、ソファの前の白い長い脚だった。裕次郎だ。今日の彼はエンブレムのついた紺色のブレザーに、真っ白いズボンを組み合わせている。信子の頭に遠い日、バンコックで暮らしていた日のことがふと甦《よみがえ》る。ドイツ人か、それともロシア人なのか幼い信子にはよくわからなかったが、白人が何人かあの街で暮らしていた。戦時中にもかかわらず、休みとなると彼らはこんな風な紺と白の服を着てテニスに興じるのだ。王宮の近くにあったあのテニスコート。姉は時々ボールを打ちに行ったのではなかったろうか。白い服に白い靴を履いていたのを憶《おぼ》えている。もし戦争に負けることなく、あのままの日が続いていたら、信子もみどりいうところの、

「ええとこのお嬢」

として、この青年の前に立っていたのではないだろうか。

「あ、ルリ子ちゃん、こっち、こっち」

宣伝部の木下が手招きした。青年がいたずらっぽい笑いを浮かべてこちらを見ている。歯並びはよくない、と皆が言う。八重歯が少し前に出ている。が、そのために青年は、やんちゃな少年の趣を充分に残していた。

「こちら浅丘ルリ子ちゃん、うちのホープだよ。井上さんでもう一本主役を撮ったんだよ」

青年は、そんなことは充分知っているよ、とでもいう風に笑いを濃くした。

「こっち、いま話題の石原裕次郎さんだよ」

よろしく、と青年は言った。

「可愛いね、いくつ」

「十六歳です」

「ふうーん、年よりもずっと若く見えるよね」

信子は落胆した。裕次郎の視線や口調は、信子を中学生くらいに想定していたものとわかったからだ。それが証拠に、裕次郎はすぐに信子を無視して若い木下に向かって世間話を始めた。

「雑誌の取材なんて、緊張しちゃうよな、どうも苦手なんだよな」

彼の声は思っていたよりも低く通る声であった。語尾の〝な〟に、何ともいえない甘い響きがあった。

「裕ちゃんに緊張なんてあるのかなあ」

裕次郎と同じ慶應出身の木下もまるで友人のような口ぶりだ。二人は傍に信子がいないかのように話し続けた。

「このあいだは、どこかのインタビューの最中にビール飲んだって評判だよ」

「仕方ないさ。あんまりくだらないことばっかり聞くからさあ。今日の取材、本当に何でも言っていいんだろ」

「もちろんだよ。専務からも裕ちゃんの取材は、本人の思うままにやらせてやってくれって言われてるからな」

「そんなこと言ってもさ、後で宣伝部の細かい直しが入るんじゃないか」

「ま、我慢してよ。今度の映画は何といっても裕ちゃんが主役なんだからね。だけどのびのびやってよ」

「本当にのびのびさせてもらうよ」

そこで裕次郎は長い脚を組み直し、ああーあと大きく伸びをした。

「どうして映画界に入ったんですかって聞かれたら、そりゃあ北原三枝とキッスをしたかったからですって言うぜ。記者にさ、あんただって北原三枝とキッスシーン出来るんだったら、映画俳優になりたいでしょうって、反対に聞いてやろうかな」

「おい、おい、冗談にもそんなことは言わないでくれよ。記者の恰好《かっこう》のカモにされるよ」

二人の男の笑い声を聞きながら、この人は北原三枝のファンだったのだと、信子は青年の横顔を見つめる。

あたり前だ。あんな綺麗《きれい》な人だったら誰でも憧《あこが》れるだろう。顔が美しいだけではない。長身で素晴らしいスタイルの三枝は、今度の映画で裕次郎の相手役を演じるのだ。

「ルリちゃん、惜しかったな」

みどりはしきりに言ったものだ。

「会社側はな、あんたを売り出したくて、相手役に使いたかったらしいけどなァ、ルリちゃんはまだ小っちゃいからなぁ、キッスやらしたらかわいそう、っていうことになったんやて。あと一、二年の辛抱やろなぁ。そうしたら娘役もばんばん出来て、裕次郎やら良ちゃんやらの相手役はなんぼでも出来るわ」

目の前の二人の青年を眺めながら、信子は早く大人になりたいと思った。今まで二つの映画に出て、徐々に人気が上がっているというものの、演じたのは少女の役ばかりだ。

いつか男と女が愛し合う役をやってみたい。男と女が愛し合うというのはどういうことかよくわからないが、映画の上ではラブシーンを演じることだ。

戦後すぐ日本で初めてキスをする男と女の姿がスクリーンに映し出された時は、どよめきが起こって大変な騒ぎになったそうだが、今はもう珍しくない。俳優たちはごく当然のことのように唇を合わす。恋人役を演じるということは、いつかそれをするということなのだろう。

「ルリちゃん、もしそんな役がまわってきたら、好きな人つくってその前に本物のキッスをしようね。初めてのキッスが、仕事だなんてそりゃあ悲しいわ」

と祥子は言う。けれどもと、信子は考える。その相手役が本当に好きな人だったらどうなんだろう。映画の中とはいえ、その人に抱き締められてキスをされたら、やはり幸せな気分がするだろうか……。

やがて女事務員が入ってきて、記者とカメラマンの到着を告げた。じゃあまた、ルリちゃん、とドアを開け、裕次郎は振り向く。

「そうだよ、ルリちゃん、カメラマンがいるんだったら、一枚撮ってもらおうよ、二人の写真」

「えっ、そんな」

いいんじゃないの、と木下も同意した。

「どうせ何枚か載せるっていってたから、ルリちゃんと一緒の写真も撮ってもらったらいい宣伝になるよ」

三人は応接室へ行き、カメラマンに求められるままにポーズをとった。裕次郎はごく自然に手をまわして信子の肩を抱いた。

「恋人っぽく撮ってね」

カメラマンと記者を笑わせる。

「だったらもっと寄り添って、見つめ合ってくださいよ」

目の前に裕次郎の顔があった。髭剃《ひげそ》り後の黒い粒々が見える。やっぱり歯並びはよくない。八重歯が出ている。でもなんていい笑顔なんだろう。この世の人たちはみんな俺のことが好きだろ、な、とその目は語っている。確かにそのとおりだと信子は思った。やがてフラッシュが焚《た》かれる。そして雑誌に載ったその一枚は、信子の宝物となった。

それからすぐに、「狂った果実」が封切られた。そしてポスターを見て、撮影所の人々も度肝を抜かれた。水着の男女が抱き合っている写真だったからだ。

アスファルトの石段があり、その前の壁に裕次郎がもたれている。なぜか虚無的な目は遠いところを見ている。その裕次郎にすがるように腕をからめている北原三枝の髪は濡《ぬ》れていて、そのなまめかしさといったらない。

プロポーションのよさで知られる女優だから、黒い水着の横から見た線は見事である。胸は裕次郎に押しつけているため、つぶれてよくわからないが、背中のくびれから尻《しり》の流れが、コンクリートを背景に半円を描いている。が、裕次郎はそのやわらかい肉体に触れてはいない。両の腕は拒否するように後ろにまわされ、コンクリートの壁をつかんでいる。いかにも大胆なカメラアングルで知られる、中平康《こう》監督ならではのスチール写真であった。

裸体ではなく、二人とも水着をつけているが、まるでセックスの直後のようなぬれぬれとした空気が漂っている。

「世の中、変わったものだなあ」

それを見た父の源二郎がしみじみと言った。

「今、大変な勢いで世の中が変わっているんだなと、この写真を見ればはっきりとわかるよ」

「それは……、こんな風に大胆だから？」

言葉を選びながら信子は言う。「大胆だなあ」というのが、このポスターを見たまわりの人たちの第一声だったからだ。

「いや、それだけじゃない」

源二郎も十六歳の娘にどう言っていいか、考えあぐねているようだ。

「日本にも、こんなに恰好のいい男と女が出てきたのかと思って。北原三枝さんも綺麗だが、裕次郎さんは本当に素晴らしいね。五年前に、日本の俳優にこれと同じ恰好をさせても、たぶん陳腐なだけだったろう。この二人を見てごらん。まるで風を切り取ってきたかのようじゃないか」

信子は時々父の使う詩的な言葉がわからなくなる。昔から本ばかり読んでいた源二郎は、自分だけの表現を使おうとするのだ。

信子はそのポスターを見る。何度見てもせつなくなる。もし三枝の代わりに、自分が裕次郎を抱き締めていたらどうだろう。貧弱な胸と尻で、とてもこんな迫力は出ない。それゆえに裕次郎は苦悩の末に、相手を拒否することもないはずだ。それどころか、ルリちゃん、可愛いねと、笑って抱き締めてくれそうな気さえする。

「早く大人になりたい……」

心の中でつぶやく。あと二年、あと二年たったら、自分も三枝のような肢体を持ち、どんな役でもこなせるだろう。

が、その年のうちに、信子は、三枝と裕次郎とが愛し合っているという噂を聞くことになる。

4

同時に撮影所では大変なことが起こっていた。

石原裕次郎の人気が、尋常ではない大きさで爆発したのだ。

「狂った果実」「乳母車」と、主に文芸路線に出演させられていた裕次郎であったが、正月映画で会社はいっきに勝負に出た。井上梅次監督に娯楽映画を撮らせたのである。今売り出し中のバンドマン渡辺晋《しん》と、その妻でマネージャーの渡辺美佐夫妻をモデルにした「嵐を呼ぶ男」は、暮れに公開されるやいなや大ヒットとなり、客が映画館に押し寄せた。多くの映画館で客がさばききれず、洋画専門の館に頼み込んで、合間に上映させてもらったほどだ。

超満員どころか、次の回を待って長蛇の列が出来ている。映画館の切符売場ではミカン箱にも百円札をおさめきれず、ぎゅうぎゅう上から踏みつけている、という新聞記事も載って人気に拍車をかけた。

裕次郎人気は、もはや社会現象といっていい。ブロマイドも記録的な売り上げを見せ、どこの雑誌も裕次郎の特集を組む。これによって日活は息を吹き返した、というのは誰もが言うことだ。それまで給料の遅配などしょっちゅうだったのに、夏にはボーナスまで支給されたのである。

今や裕次郎は日活の救世主だ。裕次郎の車が到着するやいなや守衛が最敬礼し、課長、部長クラスはわざわざ出迎えに行く。何かと俳優に厳しい江守専務でさえ、

「裕ちゃん、裕ちゃん」

と機嫌をとるほどだ。

急に大スターになった者に陰口はつきものであるが、裕次郎には全くそれがなかった。育ちのよさからくる屈託のなさ、誰にでも分けへだてない態度が好感を持たれているのだ。大スターになったという自覚もないようで、小道具さんたちと小金を賭《か》けてトランプをしていたかと

思うと、うどんをたいらげながら、食堂のおばちゃんをからかったりしている。

が、この自覚がないということが会社にとっては頭痛のたねをつくった。あまりにも大っぴらに北原三枝と会い続け、隠そうともしないからだ。裕次郎が下宿している成城のターキー宅に、北原三枝が足繁く通っているのは誰もが知るところとなっている。

日本人離れした肢体と美貌《びぼう》を持つ北原三枝と裕次郎が、お似合いの二人だというのは誰もが認めている。けれどもスター同士の恋愛は、この業界で許されることではなかった。しかも、裕次郎は、日活どころか映画界を変えたと言われる大スターなのだ。

「今は記者連中も協定を結んでいるが、いつ何を書かれるかわからない」

と撮影所中がひやひやしながら、見守っているところだ。

こうした中、信子は十七歳になろうとしていた。子役から娘役へうまく橋を渡れたという自覚は自分にもある。あまりにも痩《や》せ過ぎていると多くの人にいわれたけれど、昨年あたりから胸が恥ずかしいほど大きくなった。そのくせウエストははっきりとくびれてきて、流行《りゅうこう》の形のドレスを着るともはや自分が大人の女の曲線を持っていることがわかる。そのためだろうか、信子の全身をなめまわすように撮られることが多くなった。

丸顔と評されていたけれども、今はそのように言う人はいない。カメラの視線というのは、女に特別の成長をもたらすのだろうか。「美少女」から「美女」と書かれるようになっていった。気がつくと極めて短期間に頬がそがれていって面長の顔立ちになっている。

そしてこの三、四ヶ月というもの主役がやたら増えた。どうやら会社側は信子が「美女」になるのを冷静に見守っていたらしい。

これは宣伝部の人から聞いた話であるが、子役として大活躍し、どんな美人になるかまわりが楽しみにしていたのに、あえなく希望がついえてしまった女優は何人もいるという。

「高峰秀子なんか珍しい例だろうなあ」

幼児の時から「母もの」に出て大人気を博していた高峰秀子は、今や日本一の人気女優だ。人によってはそう美人ではないといわれもするが、丸い顔に大きな目という愛らしさと親しみやすさは、やはり日本人好みなのだろう。月刊「明星」や「平凡」による人気投票でも、たいてい美空ひばりと一位を争っている。二年前に助監督の松山善三と結婚したが、その人気は衰えることがない。

高峰秀子ほどではないが、信子も子役から娘役という中途半端な時期をうまくのりきったのだ。人気は徐々に上がっているし、仕事の予定もぎっしりと詰まっている。

が、まだはじけるところまでいっていない。その原因を、

「うちは今、裕ちゃんを中心にまわっているから」

と宣伝部の男は分析する。

信子が演じるのはたいていヒロインだが、それは二本立ての一本だ。まず裕次郎出演の映画があり、その抱き合わせとしてもう一本が大急ぎでつくられる。企画から脚本が仕上がるまで二週間の、ギャング映画や青春映画ばかりだ。話題にもならず、「キネマ旬報」などで批評の対象になることもない。

日活撮影所という工場の、オートメーションにのって、ほぼひと月おきに信子は出演している。が、それほど不満に思っているわけではなかった。仕事は面白いし、給料も大幅に上がっ

ていた。信子は自分の給料を正確に把握しているわけではなかったが、父の源二郎はよく言っている。

「十七歳の娘が、四十代の勤め人の何倍ものお金を貰《もら》っているんだよ。申しわけない、なんて思うことはないけれども、あたり前、だなんて思っちゃいけないよ」

源二郎は入社以来の信子の給料を大切に保管してくれていて、今年撮影所の近くに家を買った。そう大きくはないけれども、一階には広い居間がある。どうやら源二郎は、この部屋を客を招き入れるための場と考えて設計したらしい。

「信《のぶ》ちゃんがお世話になった人は、いつでも誰でも来てもらいなさい。そのためにつくった家なんだからね」

信子以上に源二郎が誘った。

「何もありませんが、いつでもお寄りください。お腹が空《す》いていたらいってください。お茶漬けぐらいはすぐ出せますよ」

気づくと調布の家は、若いスタッフや俳優たちの溜《た》まり場になっていた。信子がいなくても毎晩誰かれとなく集まり、源二郎相手に夕飯を食べ、酒を飲んでいく。母のちょうが、

「毎日お米を二升炊くうちってあるかしら」

とこぼしたぐらいだ。

ビールの他に珍しい舶来のウイスキーも並べてある。時々は誰かが持ってきてくれるが、たいていは源二郎が用意したものだ。その高級な酒を水のようにあおる若い照明の男と、源二郎はグラスを重ねる。自分もかなり飲むうえ、こうして若い連中と酒を酌み交わすのが楽しくて

たまらないのだ。

父と同じくらいに金には無頓着《むとんちゃく》な信子であるが、時々はこんなことを受け売りで言ったりする。

「みんなに言われるの。ルリちゃんのお給料は、みんな撮影所の若い人たちのお腹の中に入っちゃうんじゃないかって」

「それでいいじゃないか」

眼鏡の奥の目が、やさしげにしばたたいた。

「信ちゃんがスターになるために、一生懸命やってくださる方々じゃないか」

「私ってスターになるの」

「そうだよ」

源二郎が言った。

「今だってスターだけれども、こんなもんじゃない。時代を変えるような本物のスターになるんだ」

「ちょっと無理のような気がするわ。私、今のところ、とっても便利に使われているだけだもの。日活じゃね、男の人の方がずっと大切で、女優はその相手役をするためにいるだけですもの」

「それでも信ちゃんはスターになるんだ。誰も見たことのないようなすごい女優になるんだよ」

「満州のあのえらい人が言ったんでしょう」

「ああ、そうだ」

「満州って、本当は日本が勝手につくったよくないところだったんでしょう。そこで日本人はみんな悪いことばかりしてたんでしょう」

「それはすべてあたっているとはいえないよ。いいかい信ちゃん、歴史の本当のことは、絶対に表には出てこないんだよ。いいかい、思い出してごらん……」

源二郎は乾いた掌《てのひら》を、信子の掌に重ねた。

「信ちゃんが小さい頃住んでいた新京の街を憶《おぼ》えているだろう。本当に綺麗《きれい》で素敵な街だったはずだ」

四歳までいた街のことをはっきりと記憶しているわけではないが、父の饒舌《じょうぜつ》の重みにつられるようにして、信子は頷《うなず》く。

「信ちゃんのうちがあった日本人街は、まるでヨーロッパのようだったよ。春になると並木の木が芽吹いて、やがて桜が咲く。日本から運んできた桜だ。だけどね今、中国のあの街は懐かしんではいけないんだ。美しい、なんて絶対に言っちゃいけない。日本人が占領して、勝手に作った醜悪な街ということになっている。だけどね、信ちゃんはいろんなものを見てきたはずだ。信ちゃんのこの目は……」

父と娘は強く見つめ合った。誰もが認める同じ形をした大きな目だ。

「新京のあの街並みも、バンコックの寺院も宮殿もみんな見ている。だからね、他の女優さんとはまるで違った目になるはずなんだよ」

父の言葉をそれから数年後に信子は思い出すことになる。時代が女の目を大げさに飾り始めた。太いアイライン、つけ睫毛《まつげ》、信子はそうしたゴージャスな目の化粧が誰よりも似合う女と言われるようになる。

次の年も裕次郎の人気はとどまるところを知らない。

彼がアロハシャツを着ればアロハシャツが流行《はや》り、彼がサングラスをかければ、似た型のものが飛ぶように売れる。

映画はどれも大入り満員だ。そしていつのまにか相手役は北原三枝と決められている。三枝はますます美しくなっていった。肌は白く艶《つや》やかに光り、目はいつも濡《ぬ》れたような光を宿している。

「裕ちゃんともうしたらしい」

と撮影所の人々はささやき始めた。日劇ダンシングチームから映画界入りした北原三枝は、その華やかな経歴にもかかわらず、裕次郎が初めての相手だったというのだ。それに心を打たれた裕次郎が結婚を誓い、もう指輪も贈ったというのがもっぱらの噂だ。

信子はそれを初めて聞いた時、心臓が大きく波うって、しばらく声が出なかった。

この世界に入る時、女の純潔というものがどれほど大切か、源二郎からさんざん言い聞かされた。

「世間では映画に出たりする人間は、男女関係がとても乱れているように思われているけれども、信ちゃんはそんなことはないと信じているからね」

日本の女だったら、結婚するまで処女でいることがどれほど大切か、ということを知っているはずだと源二郎は言った。

「こんな話はしたくないけれども、あのまま新京にいたら、私たちはどうなっていたかわからないのだからね」

役人や満映関係者の大半は無事に帰国出来たが、そうでない民間人の中に、行方不明になった者は何人もいる。それどころか満州の奥地に入っていた開拓団は、敗戦の地獄の中に叩《たた》き込まれたのだ。女たちがソ連兵に襲われ、それを恥じて自害した者は跡を絶たなかったという。いくら時代が変わっても、女にとって処女であることくらい大切なものはない。しかし三枝はその大切なものを、もう裕次郎に与えたという。だから二人が結婚するのはあたり前なのだ……。

そう何度も自分に言い聞かせようとするのであるが、信子の心は波打ったままだ。自分の十八歳という年齢が恨めしくて仕方ない。いくら胸がふくらんできたとはいえ、三枝の成熟した肢体と比べものになるはずもなかった。

裕次郎の新作を観るため、初めてひとりで映画館に入った。映画館はほぼ席が埋まっている。女同士の客が多い。天才ボクサーで、今はレストランを経営している裕次郎は、ある日自殺しかけた娘、北原三枝を救う。裕次郎が黙って濡れた服を着替えさせるシーンでは、三枝のふくよかな胸に水に濡れた服がぴったりと貼りついている。裕次郎がそちらの方に思わず目をやると、女たちの間から、「イヤ、やめて」という声が上がった。信子ははっと息を呑《の》む。今の声は自分が発した声ではなかったかと思ったのだ。

三枝は相変わらず美しい。黒く長い髪が濡れて額にかかっているのがなんともなまめかしかった。

「この女《ひと》は、裕ちゃんに愛されているのだ」

と張りさけそうな心で、信子は確信する。そして裕次郎の唇の感触をまざまざと思い出した。

昨年のこと、「嵐を呼ぶ男」でブームが起こる少し前、裕次郎と共演した。一番手のヒロインは月丘夢路で妖艶《ようえん》な酒場女だ。そして信子は、船員の裕次郎をひたすら慕う若い娘の役となっていた。

裕次郎は信子の前で、低い声で歌う。あの頃からいい声だと思っていたが、今のように歌う主題歌すべてが大ヒットするとは誰も予想していなかったに違いない。

たぶん裕次郎の声の魅力に、いちばん早くとりつかれたのは信子だったろう。

「うっとりと歌に聞き惚《ほ》れる」

と脚本に書かれていたが、そんなものがなくても信子は裕次郎の歌に酔っていたのだ。そしてそんな信子の表情に気をよくして、裕次郎は強引に近づきキスをする。この隙に裕次郎は、少し悪戯《いたずら》をしかけてきた。監督やスタッフにわからぬように、ほんのかすかに舌を入れてきたのである。

既に演技で初キスは済ませていたけれども、そのキスの衝撃はあまりにも大きかった。「カット」という声をどこか遠いところで聞いたような気がする。

唇を離しても、まだ茫然《ぼうぜん》としている信子に、裕次郎はニコッと笑いかけてきた。八重歯がこぼれ出るあの笑い方だ。そしてあたりに聞こえぬようにささやいた。

「ルリちゃん、大人になったね」

あの時の羞恥《しゅうち》と屈辱は今も憶えている。大人になったね、などといいながら、信子をまるで子ども扱いしているのだ。からかわれたと思った。北原三枝という美しい恋人がいるのに、どうして自分にこんな悪さをするのだろう。遊びなれた大人の余裕で、実生活でキスの経験もない自分を、こんな風にからかった裕次郎を許せないと思った。

許せないと思いながら、撮影所のステージで、裕次郎とすれ違わないか、そのことばかり考えている。会社から新企画が発表されるたびに、裕次郎との共演がないだろうかと胸をときめかせている。

しかし裕次郎は公私共に三枝のものだ。「嵐を呼ぶ男」から、裕次郎の相手役は北原三枝とほぼ決められている。この二人がいちばん客を呼べるのだということになっているが、実は裕次郎がそれを望んでいるのだ。

噂が立ち始めた頃、会社側は何とか二人を遠ざけようとしていたのであるが、それを素直に聞くような裕次郎ではなかった。今では大っぴらに二人は会い続け、二人はいつ結婚するのか、という記事さえ出ている。

「私は捨てられたのだ」

映画館の暗闇の中で、二人のラブシーンを見ながら、いつのまにか信子は泣いているのだった。捨てられたも何も、裕次郎が恋人だったことは一度もない。最初に会った時から子どもとしてしか見られていないことは知っている。それでも裕次郎は確かに自分を抱きすくめ、強烈な接吻《せっぷん》をした。演技の上とはいわせない。十七歳の自分の唇の上に確かな刻印を押したのである。

そして今、役の上でも、実生活でも裕次郎のキスを受け続ける三枝を、心の底から羨《うらや》ましいと思った。

このところ信子の忙しさは尋常ではない。プログラムピクチャーと呼ばれる量産品の映画をこなすためには、ほぼふた月に一度の割合で映画に出演しなくてはならない。共演はたいてい小林旭《あきら》だ。

旭はすらりとした長身に甘い顔立ちという、いかにも日活スターらしい容姿を持っている。それもそのはずで、第三期のニューフェイスという生え抜きだ。

しかしその割には苦労もしていて、三年間ほど大部屋暮らしも経験している。他の映画会社を渡り歩いてきた、五十、六十の男たちに交じっての大部屋俳優はかなりきつかったらしい。生意気だといって、本番中に蹴《け》りを入れられたこともあったという。

薄い綺麗な唇が、この男のきかん気を語っているようだ。

本来ならば「狂った果実」で、裕次郎の弟役として抜てきされるはずだったのだが、津川雅彦に役をさらわれてしまった。その運のなさが、ずっと旭についてまわっているようだ。その美貌《びぼう》と演技力とでやっと主役を張れるようになった時には、大裕次郎ブームが起こっていた。よって旭にまわってくるのは、いつも裕次郎主演映画の抱き合わせの一本、製作費もキャストも著しく落ちる映画の主役だ。

彼の翳《かげ》りのある美貌は、裕次郎の顔を見た後では別の意味を持ってしまう。都会的であることが、裕次郎のバリエーションのひとつ、悪く言うとまがいもののように見えてしまうのである。

確かに裕次郎の存在はあまりにも大きく輝かしく、他の若い俳優たちを萎縮《いしゅく》させていた。川地民夫、沢本忠雄たちは、はなから、

「裕ちゃんと自分とは違う」

と思いこんでいるようだ。

旭は裕次郎に立ち向かっていこうとするただひとりの男であった。

「裕ちゃんは確かにすごいよ。だけど俺は裕ちゃんよりずっと前から、この商売をやっているんだから」

と旭は信子に言ったことがある。日活に入社したのも一年早く、大部屋暮らしも味わっている。それだけではない。俳優という仕事に強く興味を持ち、小学校の頃から劇団に入っていたのだ。演技力の勘はそこで出来ていると旭ははっきりと言った。

「ガキの頃から役者になろうと思った人間はさ、ずうっとそういう風に生きてきたんだ。友だちが泣いたり、笑ったりするのをこう見てさ、俺だったらこういう風に泣いてみせる、なんて思うひねたガキになるんだ。まあ、根性はちったあ違うと思うよね」

裕次郎のようなずぶのシロウトとは違うということのようだ。

確かに旭の演技は、監督たちの間でも評判が高い。特に年上の女を愛する若い男を演じると、彼はぞくっとするほどの色気を見せる。が、そこから火がつく、ということはなかった。

「旭ちゃんは、ほんまに惜しいわ。もうちょいやけどなあ」

と、結髪のみどりが言った。

「旭ちゃんは顔がいい。背だって裕ちゃんと同じぐらいはあるわ。芝居かてうまいのにナア……。うちの俳優さんはみんな可哀想や。裕ちゃんがいるばっかになあ、津川の雅彦ちゃんも、宍戸の錠ちゃんもなあ、ほんまなら大スターになる人たちが、なんかついてへんわなあ……」

みどりに指摘されるまでもなく、今、会社は確かに裕次郎を中心にまわっている。まず彼のための企画があり、大々的に宣伝計画が練られるのだ。

裕次郎個人は反感を持たれないものの、会社のやり方に不満を持つ者は多いに違いない。というものの再開の年から四年、日活の映画人は確実に育っていた。

昨年はフランキー堺が主演した「幕末太陽傳」が「キネマ旬報」などで高い評価を得、三島由紀夫の「美徳のよろめき」も、月丘夢路、三國連太郎のコンビで大きな話題となった。

石坂洋次郎原作の青春文芸路線といわれるものも確実にヒットを重ねている。この石坂作品に欠かせないのは芦川いづみで、清楚《せいそ》で品のいい彼女を、原作者も大層気に入っているという話だ。今年になってからは、人気女流作家有吉佐和子の原作「美しい庵主さん」で、主役を演じている。この時信子は傍《わき》にまわり、庵《いおり》を訪ねる現代娘を演じたのであるが、五歳年上のいづみとは、以前から仲がいい。

庵主に扮《ふん》したいづみは、特殊なメイクで髪を坊主にしているのであるが、それが大層愛らしかった。芦川いづみ、中原早苗、左幸子、そして浅丘ルリ子が、日活が主力として抱える若手女優たちだ。が、人気と忙しさということでは、信子が頭ひとつ抜き出ている。

五月公開の「美しい庵主さん」を撮った後は、今度はすぐに「明日を賭ける男」の撮影だ。これはとんでもない早撮りをし、同じ月にはやはり主演する別の映画に入っている。これは今年の芸術祭に出品することがあらかじめ決められている作品なので、スタッフの意気込みも違う。撮り終わったばかりのアクション映画の倍は、製作費もかかっているに違いない。

戦前の大地主の息子と、娘との純愛を描いたもので、松本でロケが続いた。相手役は旭だ。

山陰の大地主という設定なので、信子は絣《かすり》の着物に、三ツ編みをしている。このところアクション映画の娘役が多く、女っぽい体の線がはっきり出るようなものばかり着せられていた。三ツ編みは大層恥ずかしい。

「この年で、こんな恰好《かっこう》をするとは思わなかったわ」

と肩をすくめると、

「そんなことはないさ。ものすごく似合ってるよ」

と旭は微笑んだ。そういう彼も学生服がぴったりと板についている。考えてみると三年前に入社した後も、旭はしばらく明治大学の学生だったのだ。学生服が似合っていても何の不思議もなかった。

白い花が咲いている林檎《りんご》園の中、絣の信子と学生服の旭は向かい合う。照明、音声の最終チェックがなされた。

「よーい、スタート」

カチンコが鳴る。

「若さま、うちなんかアホやし、寝てる時はイビキもかきます……」

「僕はそんな小雪が好きなんだ」

俳優というのは不思議な職業だ。他人が考え記した言葉を、何ら照れることもなく口にする。

そして多くの人の前で抱き合い接吻をする。が、この時に仕事は仕事として、全く無感動に黙々とこなしているかといえばそういうこともない。男と抱き合っている時は、お互いに熱いものを沸き立たせ、それを相手に流し込もうとする。そんな感情を抱けなくて、どうして観客を魅了するラブシーンなど撮れるだろうか。けれどもその熱いものは、

「カット」

というひと言で消えてしまう不思議なものだ。一瞬のうちにただの共演者に戻り、助監督の持ってきてくれた熱い飲み物をすすったりする。

この映画は大作ということもあり、旭はいつもよりも気合いを入れているのがわかる。監督の指示も注意深く聞き、休憩時間も脚本《ほん》を手にあれこれ自分なりに工夫をしようとしているようだ。

儲《もう》け頭《がしら》ということを差し引いても、裕次郎がすべての撮影所の人々から愛されているのに比べると、旭は毀誉褒貶《きよほうへん》が激しい。

「天才的な俳優だ」

と誉めそやす者も多いが、反対に悪口もよく聞く。あまりに気まぐれで、仕事にもむらが多いというのだ。気に入った仕事でないと、あきらかに投げる時がある。二週間ほどで荒っぽく仕上げる映画を撮っている最中、たびたび遅刻をしたという。若いし、あのとおりの美男子で、もてるのは仕方ないとしても、女の家から酒くさい息をさせて現場に来るのは許さないという者もいた。

けれども今度の映画では、旭はいつになく殊勝な態度だ。おそらくこの作品に期するものが

あるのだろう。ロケの最中は酒も慎んでいる。

そして松本市の旧家を借りての、クライマックスのシーンが撮影された。出征して帰ってきたものの、恋人の小雪はもうこの世の人ではない。お坊ちゃんを待ち続けながら息をひき取ったのだ。

死んだばかりの小雪に花嫁衣装を着せ、婚礼が行われる。このシーンでは、旭はしばらく信子を抱いて夜道を歩かなくてはならない。

「ごめんね、旭ちゃん、私重いかもしれない」

「十貫もないんだろ。どうってことないさ」

旭は信子をひょいと抱き上げる。男にしてはきゃしゃな、といってもいい体つきであるが、意外なほど力があった。監督に言われるまま山道を何度か歩かせられても平気な顔をしている。

「今度はおんぶしてもらおうかな」

「やめてくれよ。結構必死なんだから。惚《ほ》れた女を抱きかかえて、ハーハーゼーゼー言ってられないだろう」

二人でそんな軽口を叩《たた》いた。

やがて再び、信子は死人を演じる。目を閉じ、息を止める。意識を集中させた時、信子は裕次郎とのキスシーンを思い浮かべた。腹立たしく口惜しい思い出のはずなのに、それを頭に浮かべる時に、いつも同じほどの甘美さがつのる。

自分にまた、裕次郎とキスをする日は来るのだろうか。

今のところ、裕次郎の相手は三枝と決まっている。二人はみなが認めるゴールデンコンビで、誰も割り込むことは出来ない。それでもと信子は考える。そう遠くない日、大人の女優となった自分は、裕次郎の相手役になれるのか。その時、二人は激しいキスシーンを交わすのだろうか。

女優という仕事は本当に不思議だと信子は思う。現実の自分は、裕次郎に愛されてはいない。それでもキスを交わすことはある。

「愛しているよ。心から」

とささやかれることもあるのだ。虚の中でだけ愛し合う恋人同士がいてもいいのではないだろうか。いや、映画俳優などというものはみんなそうだ。現に自分と旭とて、冗談を交わした直後、このようにいとおしげに見つめられるのだ。

「カット」という声で信子は目を開けた。

すぐ目の前に旭の顔がある。信子が目を開けたのを見届けるように静かに微笑んでいる。なんて綺麗《きれい》な顔だろう。なんてやさしい男だろうか。

信子はまだ映画から醒《さ》めていない。

映画の夢から醒めることの出来ない俳優たちは、そのまま恋をすることがある。

それまでも旭と共演したことは何回もある。映画の中でキスも交わした。それなのに今回の映画はまるで違っているのだ。ほとんどがロケということも大きかった。晩秋の信州は朝晩かなりの寒さで、撮影隊はよく焚《た》き火をした。出番を待つ間、信子と旭はじっと火にあたっている。赤い炎があがるのを見つめながら、二人でいろいろな話をした。火を見ているうちに、時代が次第にさかのぼっていく。昨日の撮影の話が、いつのまにか子ども時代のことになっている。

「ふぅーん、ルリちゃんは満州生まれなんだ」

「そうなの。四歳まで新京にいて、後はバンコック、終戦までいたわ」

「へえー、バンコックっていえばタイだろう、象なんかうようよいそうだな」

「私は市内にいたから、象なんて見なかったわよ」

信子は笑った。タイと聞いてすぐに象を連想する旭の幼さがおかしかった。

「旭ちゃんはずっと東京なの」

「いや、うちは世田谷のはずれだったんだけどさ、あんな田舎でも空襲にやられるっていうんで、親父の故郷の新潟へ疎開したよ。あの頃の東京の子ってみんなそうなんだけど、すぐに土地の子にやられて、たんこぶだらけになる。だけどこのままやられっぱなしでたまるかよーって思って次の日は向かってくんだよな。お袋が嘆いていたよ。新潟行く前は東京のお坊ちゃんだったのに、帰ってきた時は悪餓鬼になってたってさ」

その話の続きをしたくて、東京へ帰ってからも毎晩のように電話をし合った。そして電話ではまだるっこしくなり、可能な限り会うようになった。といっても売り出し中のスター二人が外でお茶を飲むことなど出来るわけもなく、会うとなるとどちらかの自宅だ。

信子の家は相変わらず人が溢《あふ》れている。旭は立場上手ぶらということもなく、来るたびに舶来のウイスキーを持ってくる。その栓を抜き、源二郎は旭と二人で楽しそうに飲んだ。

「本当にいい青年だね。映画で見るよりもずっと美男子だ」

　スタッフの男たちは、酒に酔うとよく旭に歌をねだった。どうやら彼の歌は撮影所でも有名なものらしい。誰かが置いていったギターをぽろんと鳴らす。ジャズっぽく「私の青空」を歌う時もあれば、島倉千代子の「からたち日記」を情感たっぷりに聞かせることもあった。

　旭の声は決して美声ではないが、空にカラリと抜けるような明るさがあった。ロカビリーでも民謡でも旭が歌うと、独特の節まわしが出てくる。

「どうして会社は、旭ちゃんに歌わせないのかなあ」

　大道具の若者が言い出した。

「裕ちゃんみたいに、映画の主題歌歌えばいいのになあ。きっと売れると思うなァ」

「仕方ないよ。裕ちゃんの歌は、今出せばどれも大ヒットだ。余計なことはしなくってもいいって、会社は思っているんだろうさ」

「だけどもうじきだよ。旭ちゃんが主題歌歌うの」

「サンキュー」

　旭はもうこの話は切り上げてくれ、という風にギターをまた鳴らす。

　信子は目で合図した。二階の自分の部屋に来てくれということなのだ。

　この家を買った時、二階に八畳の座敷があった。前の持ち主が茶の湯をしていたらしく炉が切ってあったのだが、そこに絨毯《じゅうたん》を敷いて信子の部屋にした。襖《ふすま》のせいで安っぽい和洋折衷になってしまったので、大工に入ってもらい壁に変えたのは昨年のことだ。白いベッドと三面鏡を置き、窓にはレースのカーテンをつけた。人気商売の証《あかし》である、ファンからのプレゼントの人形やぬいぐるみが所せましと置いてあるが、とにかく人に見せられるほどにはなった。

このあいだも「月刊平凡」の、

「ルリちゃんのお部屋拝見」

という記事で出たばかりだ。

雑誌のカメラマンはこの部屋に入ることが出来ても、下に集《つど》う青年たちはここに足を踏み入れることは出来ない。家の客であって信子の客ではないからだ。

が、旭はこの部屋に招き入れた初めての客だ。十日前のこと、階段を上がる信子に旭が声をかけてきた。

「ルリちゃんの部屋、見せてよ」

「いいわよ」

信子は酒を飲んでいない。未成年だからでなく、一滴も受けつけないのだ。四人姉妹のうち、父の源二郎に似たのが姉で、ビールも日本酒もいける。顔立ちがうりふたつと言われる信子だが、父の酒好きの体質を受け継がなかったようだ。

酒も飲んでいない信子なのにうきうきと旭を部屋に誘った。おそらく階下には、父も母も、撮影所の仲間もいるという安心感があったに違いない。

「何だか女くさい部屋だなあ」

入ってくるなり旭は顔をしかめた。が、本気でない証拠に、唇の端が上がっている。女のように薄く美しい形の唇だ。

「香水のにおいがぷんぷんすらあ」

「うそよ、香水なんか使っていないもの」

舶来の香水の瓶は何本も飾ってあるが、封は切っていない。どれもファンからの贈り物である。

「旭ちゃんの恋人の部屋と比較しないで頂戴《ちょうだい》」

「よせやい、俺に恋人なんかいるわけないじゃないか」

「そうなの。撮影所の人はよく言ってるわ、旭ちゃんが遅刻してくると、きっと女の所から朝帰りしてるんだって」

「出鱈目《でたらめ》言わないでくれよ」

「出鱈目なんか言ってないわよ」

一瞬信子は奇妙な思いにとらわれた。今の会話のリズムのテンポは、つい、このあいだの映画と同じだったではないか。都会に生きる男と女の恋物語。二人はこんな風に他愛ない喧嘩《けんか》をした後、キスをする……と思ったら旭は本当にそうした。

カチンコの音がしないキスを初めてした。全く同じようだし、どこか違っているような気もする。ただひとつ全く違っていることは、

「ルリちゃん、好きだよ」

と、唇を離した後で旭が言ったことだ。

「小夜子」でも「加代子」でも「ナナ」でも「小雪」でもない。彼が呼びかけたのは芸名であるけれども、もはや信子の本名のようになっているルリ子という名だ。

信子もささやく。

「私も、旭ちゃんのことが好き」

そしてふと考える。旭の本名はいったいどんな名前だったのだろうか。昭和十三年生まれの彼は、強くいかめしい名前がついていたような気がするが思い出せない。

「ルリちゃん……」

旭はゆっくりと信子の髪を撫《な》でる。その馴《な》れた手つきは、映画の経験によるものなのか、それとも実体験によるものか信子にはわからない。

「ルリちゃん、またこの部屋に来てもいいだろう。下じゃゆっくり話が出来ないよ」

「でもあんまり長い時間は駄目よ、みんなにへんに思われるわ」

「わかったよ」

あれから十日たち記憶は薄れるどころか、濃度を増したような気がする。旭の息づかいや唇の感触が、突然何の脈絡もなく甦《よみがえ》るのだ。リハーサルの最中、あるいは雑誌の記者に、

「ルリちゃんのおしゃれの秘訣《ひけつ》は」

と尋ねられている最中、「ルリちゃん、好きだよ……」という旭の低い声が聞こえてくる。

昨日も旭は電話で脅すように言ったものだ。

「明日もルリちゃんの部屋に行くからね。わかってるよね」

そして今日、二人は部屋に入るなり固く抱き合う。

「ルリちゃん、会いたかった」

「私も」

旭は何度も何度も信子の唇を求めてくる。化粧をしていなくて本当によかったと信子は思った。

長いキスの後、余裕をとり戻したのか旭は長椅子に腰かける。中古品を売る店で見つけたアールデコ風の飾りのついたものだ。タケノコ生活をおくっている華族の家から出たものだと店主は言ったが本当だろうか。

「だけどさ、今度の映画《しゃしん》のタイトル、ふざけてると思わないか」

唐突に仕事の話になった。

「『嵐を呼ぶ友情』だってさ。誰が見たって『嵐を呼ぶ男』の二番煎《にばんせん》じじゃないか。監督も井上さんだぜ、笑っちゃうよ」

これはもちろん裕次郎主演で企画されたのであるが、あまりの過密スケジュールが続いたため、裕次郎が少々へばり気味と会社側が判断を下したのだ。裕次郎の役が旭に、北原三枝が演じるはずだったヒロインは、信子にまわってきた。

「俺たちって、二番煎じコンビってことになるのかよ」

「そんなことないってば。旭ちゃんのファンはいっぱいいるし、このあいだの映画だって賞をもらっているじゃないの」

日活若手スターのひとりとして注目され、演技力も認められている。が、旭はまだはじけていない。

「け、よく言うよ。ルリちゃんだって裕ちゃんのことを好きなくせに」

「え、そんなこと……」

「最初に来た時、そこに裕ちゃんと一緒に写した写真があったじゃないか。今日は俺が来るっていうんで、どこかに隠したみたいだけどさ」

すべてお見通しだった。信子は初めての恋人のために、たくさんの言いわけを必死に考える。

「好きっていうよりも、私は裕ちゃんのファンなのよ。ファンとして憧《あこが》れているの。だってそうでしょう。あんな素敵な男の人、女だったら誰でも惚《ほ》れるでしょう」

それには答えず、旭は窓の前に立つ。そう遠くないところに日活調布撮影所の屋根が見える。

「そりゃあ、裕ちゃんにかなわないのはわかってるさ。だけどずうっとそう思ったままで俳優やって映画に出ていくのは癪《しゃく》じゃないか。口惜しいじゃないか。俺は嫌だぜ。絶対に嫌だ」

「旭ちゃん……」

信子は何か慰めの言葉を口にしようとしたが、無駄なことだとすぐに悟った。何かに耐えている男の背中を初めて見た。それはすぐそこにある。裕次郎とそう違わないほどの身長があるというのに、旭の背は細く狭い。自分とたった二つしか違わないというのに、こんな苦悩を背負えるほどに旭は大人なのだ。

「好きよ……」

今はそれがいちばん正確な言葉だと思うのだけれども、空に放つとなんと空々しいのだろうか。そしてほんの一年前、全く同じ言葉を、映画の中で信子は裕次郎に向かってつぶやいたような気がした。

自分の言葉が心に向かってどれほど誠実なのか、ふつうの者でもわからなくなる。ましてや自分たちは俳優なのだ。発した言葉が、かつて憶《おぼ》えていたセリフの切れ端なのか、本当に今、心から出たものなのかわからなくなってしまう。

そして旭に対する今のこの恋心も、映画のあのシーンから続いているものではないかと信子は思い一瞬ぞっとする。

　予想されていたことではあるが、「嵐を呼ぶ友情」は、何ら話題になることもなかった。二本立てのもう一本、安井昌二《しょうじ》と渡辺美佐子らが出演している殺し屋の映画と同じだ。すぐに人々の記憶から消えさる二流の娯楽映画になるだろう。旭はまだはじけてはいない。

　年が明けてすぐ二人は高知に来ている。いわゆる「ご当地ソング映画」をつくるためだ。まずはりまや橋の上でのロケから始まる。旭と信子をひと目見ようと、たくさんの見物人が集まっている。若い助監督が人々を整理しようと必死だ。

「旭だよ。やっぱりいい男だよねー」

　信子は見物人から歓声が上がるのを聞いた。その声が日増しに強くなっていくような気がする。

　旭は確かに変わった。肩が筋肉のせいでぐっと広くなっているのがわかる。ジャンパーの衿《えり》からのぞく首も太くたくましくなっている。

　実はこのところボクシングジムに通っているのだと彼は信子に打ちあけた。赤坂に進駐軍相手のスポーツジムがあった。兵隊がいなくなった今は、こぢんまりとしたボクシングジムになっている。そこに通い初歩の手ほどきを受けているというのだ。

「よーい、スタート」

　カチンコが鳴る。

　土佐電の向こうから、刑務所を出所したばかりの主人公が歩いてくるシーンだ。

うつむき加減で旭は橋を渡ってくる。その落とした視線で、旭は刑務所帰りの男の人生を表そうとしているようだ。たくましくなった体とは正反対の厳しく激しい表情。そこにはこのあいだまでの甘い美男スターとは違う旭がいた。それは誰もが気づいたことだったらしい。

「今日の旭ちゃん見てて、俺は撮り方を変えてみようと思ってるんだ」

夕食の席で監督が言い出した。

「遠くからバンバン撮るつもりだ。もうはりまや橋も桂浜《かつらはま》も関係ないよ。旭ちゃんをこう、ずうっとロングで狙うだろう。もうどこの橋か浜辺だかわかんない。高知で撮ってんだか、アメリカでロケしてるかわかんない、そういう風にやっていこうよ」

部屋に戻った後、旭は苦笑した。

「あの人さ、この高知市から全面協力取りつけてるの忘れてるわけじゃないよねえ。この旅館だってロケ隊ご一行、うんと安くしてもらってるんでしょう。明日は市長が現場に来て記念写真だ。それなのにさあ、高知だかアメリカだかわかんなくしたら、すっごくまずいんじゃないのォ」

しかし旭が高揚しているのがわかる。新しく得た肉体によって、いつもとは違う手ごたえが確かにあったのだ。

「ルリちゃん、こっちへおいでよ」

手招きする。二人の間でキスはもはや日常となっている。こうしてロケに出た時、二人はかなり大っぴらにどちらかの部屋へ行く。主演の二人の部屋は、たいていの場合離れか特別の個室だ。だから気づかれることはない。もしかするとスタッフは気づいているだろうが見て見ぬふりをしてくれている。

「ルリちゃん、好きだよ、本当だよ」

旭の手が信子の浴衣《ゆかた》のしごきをほどく。信子が彼に処女を与えたのは、この映画の最初のロケ地だった。虚と実の間をさまよっているような自分の心にケリをつけたい、ということが大きい。

まず案じたことはカメラの視線だ。酒に酔った時の、スタッフの男たちの猥談《わいだん》でさんざん聞かされてきた。つまり処女を失った女優はすぐにわかるという風聞である。もし明日誰かが気づいたらどうしたらいいのだろう。

そして次は父のことを思った。

「映画に出ているからといってふしだらなことをしてはいけない。女は結婚するまで大切に持っていかなければならないものがあるんだよ」

しかし実際に旭に抱かれたら、そんなことはどうでもよくなってしまった。裸の胸と胸を合わせて、男と女は初めてお互いのことがわかるというのは真実であった。そして多くのシーンの謎がやっと解けた。

「ルリちゃん、これは女の子から、女になる場面なんだから、もっとせつなげに」

「ほら、昨日の晩、二人の間でどういうことがあったか、鏡の前でその表情をつくってみせて」

あの監督たちの言葉は、こういうことをさしていたのかと信子は、初めて納得した。

そして信子が初めての経験をしたその映画は、旭の運命を大きく変えることになる。その「ご当地ソング映画」が空前のヒットを遂げたのだ。

人気というものは気まぐれで、軟体動物のようにたえず伸び縮みする。天にも届けとばかりに、ぐーんと伸びる時もあれば、地べたにぺしゃりと叩《たた》きつけられる時もある。とどまるところを知らず、社会現象にさえなった石原裕次郎人気が、ここに来て足踏みし始めた、というのは撮影所の誰もが認めざるを得ない。

きっかけとなる、さまざまな事件があった。その第一は彼のすっぽかしであろう。いくらいい家の息子といっても、次第に金のことは気になってきたらしい。これほど働かせて、一ヶ月二万円の給料はあまりにも安いと、裕次郎は言い始めたのである。

「これっぽっちしかもらっていないんだから、いつだって映画やめてやるぜ」

と裕次郎が言ったとか、言わないとかいう噂が信子のところにも伝わってきた。

反抗の形が、すっぽかしとなり、

「大学の講義に出るから」

と理由をつけ、撮影所に出てこない。

旭は言ったものだ。

「裕ちゃんは俺みたいな、子飼いの叩き上げとは違うもんな。裕ちゃんは日活っていう会社が頭を下げて、どうしても映画に出てください、って頼んだんだ。だから我儘《わがまま》だって言うさ。仕方ないじゃないか」

そんなある日、スポーツ新聞に、

「裕次郎、東宝に移籍か」

という大きな見出しが躍った。それによると、東宝の顧問をしている兄、芥川賞作家の石原慎太郎の紹介で、裕次郎は今度東宝へ移るという。給料はおそらく何十倍もにはね上がるだろうと記事は結ばれていた。しかし結局は東宝と同額の給料を日活が提示し、ことなきを得たのであるが、白けた空気が撮影所に流れたのは事実だ。

今まで裕次郎は裏方に人気があり、年配の照明さんや小道具さんの中には、彼を息子のように可愛がる者さえいた。が、彼らの胸の中に、

「裕ちゃんもやっぱりスターさんだ。金のことを言い出す」

という思いが芽生えたようである。

そして彼らより激しく怒っているのは幹部たちで、堀社長などは移籍に関して、

「うちで育ててやった恩を忘れたのか」

と怒鳴ったという。もともと社長は、裕次郎のことをよく思っていない。撮影中にケンカをしたり酒を飲んだりする裕次郎について、

「あんなもんは早くクビにしろ」

と怒鳴ったという話はあまりにも有名だ。

けれども裕次郎の映画が次々と大ヒットしたので口をつぐんでしまった。その口惜しさが、今度の移籍問題で少しずつ噴き出しているようだ。会社側は、北原三枝との結婚を断固認めないと公言している。

こんな空気は作品にも影響していて、裕次郎の映画は以前ほどの力がない。封切られるたび

に映画館の前に必ず出来ていた長い行列は、もう消えている。

「だけどさあ、会社も冷たいよなあ、東宝へ移籍っていうのも、兄貴の慎太郎が勝手に進めたことで、裕ちゃんは何も知らなかったっていうぜ。新聞がすっぱ抜いて、それにあわてた会社が給料を上げたんだろ。だからって会社が裕ちゃんを恨んだり怒ったりするのはお門違いってもんじゃないか」

旭が余裕を持って裕次郎を庇《かば》うのには理由がある。裕次郎ひとりだけに激しく吹いていた風が、ある日突然旭に向きを変えてきたのだ。

今まで線の細い二枚目というイメージだった旭が、ジムで鍛えた肉体を持つようになった。それをすばやく察した監督は、不思議な映画の撮り方をした。高知県の桂浜やはりまや橋を、どこか遠い国の世界のように仕立てたのである。旭の役も「ダイスのジョージ」という、さすらいのギャンブラーだ。凝り性の旭は、吹き替えを嫌って毎晩のようにダイスの特訓をした。その甲斐《かい》あって、本番の際、ダイスは五個、見事に並んで立ったのである。

信子はその現場にいなかったのであるが、プロでもなかなか出来ないような技に、その場にいた共演者たちは声を失ったという。あの芸達者の西村晃《こう》でさえ、台詞《せりふ》を口にするのを忘れ、ただ目を見張っていたというのが旭の自慢だ。

「あの時にさ、監督も俺も、この映画《しゃしん》いけると思ったんじゃないかな」

もともとはペギー葉山という、ジャズ出身の歌手が歌って大ヒットした曲だ。

♪南国土佐を　後にして

都へきてから　幾歳《いくとせ》ぞ
思い出します　故郷の友が
門出に歌った　よさこい節を
土佐の高知の　播磨屋《はりまや》橋で
坊《ぼん》さんかんざし　買うをみた
よさこい　よさこい

これもいつもの、気軽に見られる「ご当地映画」になるはずであった。ところが封切られるやいなや、どこの映画館も大入り満員となったのである。

この成功に気をよくして、齋藤監督は一ヶ月もしないうちにまた一本つくり上げた。ジョージをさらに発展させた、さすらいのヒーローにギターを持たせたのだ。「ギターを持った渡り鳥」という映画は、これまた記録的な大ヒットとなり、どこの直営館も扉が閉まらないと悲鳴を上げた。

やり手の江守専務はこう叫んだという。

「これからは旭でいけ。旭の時代だ」

あっという間に旭を中心にプロジェクトが組まれ、映画の企画はもちろんのこと、レコーディングも電光石火の早業で行われた。美声ということだったら、旭は裕次郎にとてもかなわないが、どこか抜けるような明るい声を持っていた。その声で歌を歌うと、たちまちレコードは、数十万枚売れていくのだ。

旭は恋人の前で得意さを隠そうとしない。しかし自分のことを解説する聡明《そうめい》さを持っていた。

「会社《うち》にしてみれば、本当にひょうたんから駒だったろうさ。裕ちゃんの勢いがなくなったら、俺が出てきたんだからさ。ここはこき使うだけこき使おうっていう腹じゃないの。もうこれからは、旭の時代だって、社長はじめみんなわめいているらしいけどさ」

しかし会社は旭が考えているよりもはるかにしたたかだ。完璧《かんぺき》に裕次郎から旭へと乗り替えたりはしない。裕次郎の映画の観客が多少減ったとしても、それは上ついたブームが落ち着いたと解釈出来る。彼が大スターの道を歩いていくだろうことは、誰の目にもあきらかだった。

会社は決定を下す。

「裕次郎と旭の二枚看板でいけ」

雑誌の人気投票では、裕次郎と旭とがかわるがわる一位の座につくようになった。会社側は二人の個性の違いを強く打ち出し、二人を競わせるようにした。裕次郎がピンクのフィアットに乗れば旭は黒のキャデラックだ。「平凡」が裕次郎を応援すれば、「明星」は旭につく。「映画ファン」は裕次郎派で、「近代映画」は旭派だ。会社もマスコミも、二人をよきライバルに仕立てようとしたのであるが、やがて気づく。どれほど映画や歌がヒットしても、やはり旭は二番手なのだ。誰が決めたわけでもない。人気投票はいつも五分五分だ。けれども、その真実は旭の「渡り鳥」シリーズがヒットするにつれ、さらに濃厚となった。そしてそのことをいちばんわかっていたのは、旭自身だったろう。

今までも忙しかったが、このところの忙しさは尋常ではないと信子は思う。信子は第一作以来、このシリーズのヒロインになっている。旭演じるさすらいの男が旅した町で、つかの間の恋をする女の役だ。

一年中どこかに旅していた。ある時は南の海沿いでロケをし、次は北の荒野にいる。会社はロケを安く上げる素敵な方法を思いついた。それは各観光地とタイアップすればいいのだ。人気映画のロケとあれば、どこの町も全面的に協力してくれた。本来なら真夏の祭りも、こちらが望めば冬にやってくれる。ロケ地となる駅前広場には、薄い衣装を着た人々が何百人も集まり、地方に伝わる踊りを見せてくれる。が、それ以上の見物人が集まった。

ある地方都市では、ロケの見物場所を確保しようと屋根にのぼる人々で、出来たばかりの商店街のアーケードが壊れてしまったほどだ。信子はこの映画によって、初めて「恐怖」ということを味わった。

車を運転するシーンで、群衆が二人の乗った白いトヨタを取り囲んだことがある。

「旭がいる」

「本物のルリ子だ」

「ドアを開けろよ」

「出てこいよ」

男たちが車を揺さぶり始めた。途中で誰かが止めてくれるだろうと思ったが、そんなことはなかった。車は右に左に大きく揺れた。ひっくり返されると、信子は怖ろしさのあまり目の前が暗くなった。奥歯と脚が同じリズムでガタガタ音をたて始める。あの後パトカーが駆けつけてくれなければどうなっていたかわからない。

どこへ行っても町ぐるみの歓迎を受け、市長やその他有力者たちがやってくる。町の施設や観光地も好き放題使わせてくれる。エキストラが欲しいといえば、それこそ千人単位で協力してくれる。

旭は自嘲《じちょう》とも自慢ともつかない口調でよくこう言う。

「裕ちゃんの映画は、一本五千万かかるんだぜ。だけど俺の映画は三千万で済む。二千万円分は、田舎の奴らに協力させて、うかせようっていうのが会社の魂胆さ。それで大入り満員だから、全く会社もいい商売してるよなあ」

しかしその二千万円分のおかげで、自分たちは毎回どれほどのわずらわしさを味わっているだろうかと信子は思う。今まででは考えられないほど、出演者とロケ地とが接近していく。握手を求められる数は半端ではない。彼らはファンではなく群衆だ。群衆は限りなく図々《ずうずう》しく凶暴だった。身の危険を感じたことは一度や二度ではない。

だからたいていの場合、信子も旭も宿泊先に閉じ籠《こも》る。ロケ以外は一歩も出ることはない。泊まるところは、町いちばんの旅館やホテルだ。女将《おかみ》や板前が張り切って、毎夜大変なご馳走《ちそう》を出してくれる。しかし外には全く出られない。北の魚が出てくればここは北の地だと思い、南の果実が出てくればここは南の地だと思う。そんな毎日だ。旭はたくさんの酒を飲み、気分によっては信子の部屋に来ることがある。信子を抱かない時は、次の日に激しいアクションがある時だ。旭は裕次郎と同じ殺陣師《たてし》を嫌った。そして別の専門家とアメリカ映画を研究し始めたのだ。スタントマンを使わず、ガラスの窓を転がり落ちたりする。その派手な動きは、今までの日本映画にはなかったもので、「渡り鳥」シリーズの人気の原因となっている。

「明日はきついシーン撮るから、酒もルリ子もやめとくわ」

　という旭の言葉に、信子はわざとむくれてみせた。

「そうか、私って、やっぱりお酒と同列に思われてるわけね」

「だって、どっちも俺にとって必需品じゃん」

　もはや二人の仲は、公然のものとなっている。あれほど裕次郎と三枝の恋にこうるさい会社側が、信子と旭については寛大なのである。おそらく二人が二十一歳と十九歳という若さで、結婚など遠いものと考えているせいだろう。

　堀社長はこう命じている。

「裕次郎には、大人の恋をさせろ。旭には恋人をつくらせるな」

　映画の中でのことだ。だから裕次郎は毎回、大人のしゃれた恋をし、旭は旅先で出会った美しい娘、信子を救い出してもすぐに別れることになっている。

だが、旅先で本物の恋人たちは、ますます絆《きずな》を深くすることになった。閉じ込められた旅館やホテルで、二人はいつも一緒だ。スタッフも見て見ぬふりをしてくれている。

　真夜中、目ざめると旭が健康な寝息をたててすぐ傍にいる。日本中の女が渇仰する肉体は、今、信子のものなのだ。それは相手にしても同じことかもしれない。信子もまた、日本中の男たちの憧《あこが》れの的となっている。

　このあいだまで美女といえば、みな高峰三枝子や原節子の名を挙げたけれども、現代の美女なら浅丘ルリ子というだろう。しなやかな肢体に、ふっくらとした唇。それよりもあの目のすごさといったらどうだ。信じられない大きさでキラキラと輝いている。ああ、いっぺんでいいから、あんないい女を抱いてみたい……と、たいていの男が夢想する女優を、旭はもはや自分のものにしている。激しい口づけをし、服を脱がせていく。映画では肩までしか露出しないけれども、本物の床の上では、信子はすべてをさらけ出していく。

けれども旭は、格別の賞賛は口にしない。信子の美しさは当然のことと思っているからだ。信子もそうだ。旭の肉体はスクリーンで見るよりもはるかにたくましい。それに観客の女たちは知らないことだろうが、彼の肌はまるで女のようになめらかだ。

先月号の「近代映画」は、「旭ちゃんのサマータイム」と称して、旭のグラビアを組んでいる。海水パンツ一枚の旭が、ややおどけた表情でビーチボールで遊んでいる。まあ、素敵、がっちりした肩と、女たちは喰《く》いいるようにグラビアを眺めるだろう。しかし海水パンツに覆われたものの下に、本当の彼の魅力が隠されているのだ。しかし信子もそのことを讃《たた》えはしない。自分を抱く男が、最高の肉体を持っているのは不思議ではなかった。

二人は、自分たちがどれほど美について傲慢《ごうまん》になっているか気づかないまま、毎晩のように愛し合う。が、それは人気者の宿命であった。

やがてそんな夜に飽いた旭が提案する。

「ルリ子、ドライブしようよ」

何でも昨夜の宴会に出てきた、土地の商工会議所会頭だか副会頭に、車を貸してくれないかと頼んだというのである。旭の外車だと目立つので、トヨタのキイを持ってきてもらったという。

「毎晩、旅館の料理ばっかりだと、魚くさくなっちまうよ。どっかにパーッと飛ばして焼き肉でも食おうよ」

食事の後二人で抜け出して、車に乗り込んだ。目立つといけないというので、旭はサングラスをかけ、信子はスカーフを深く巻いた。が、そんな心配はまるでなく、四国の山中は全く車とすれ違わない。

「ねえ、このあいだのレコーディング、どうだった」

「もう、最高だったんじゃないのオ」

旭はそれが癖で、機嫌がいい時、鼻に抜けるような声を出す。

「星野先生の詞も最高だしさァ、コロムビアの連中も、これでまたいっぱい売らせてもらいます、って感じでホクホクよ」

「へえー、よかったわねえ」

信子も現に何枚かシングルを出しているが、映画と違って大スターの売り上げというわけにはいかなかった。

しかし仕方ない。俳優と違い、女優の歌はそう売れないものと相場が決まっている。大ヒットを飛ばしたといえば、昔の李香蘭や高峰三枝子くらいだろう。

「女っていうのは、歌う時も二の線を崩せないから駄目なんじゃないのオ。そう、そう、このあいだ、コロムビアの本社で美空ひばりとすれ違ったよ」

美空ひばりは大ヒット曲を数々出しながら、女優としても映画にひっぱりだこだ。このあいだは「伊豆の踊子」に出て、こちらも大変な数の客を集めた。

「それが、お付きの人数がすごいんだ。あの有名なおっかさんはいなかったけど、いろんな奴がぞろぞろ十人以上はいたんじゃないかなァ」

「それで何か話したの」

「まさか、こちらがちょっと会釈したんだけど、あんた、誰、っていう感じでツンとしてたよなあ。あんだけの大スターさまになると、あんだけお高くふるまえるんだと、俺はかえって感心しちまったね」

「ふふ……」

　信子は思わず笑みが漏れた。

「何だよ、何がおかしいんだよ」

「だって、旭ちゃんだって充分に大スターじゃないの。それなのに、そんな言い方するんだもの」

「そりゃあ、俺は大スターですよ」

　旭は急カーブを切った。ふだん大げさな車のシーンを撮ることが多いので、こうしたテクニックが大層うまい。

「だけどさ、やっぱりひばりには勝てるわけがないと素直に思うね。裕ちゃんにもそうだ……」

　しばらく車の中に沈黙があった。いったい今夜の旭はどうしたのだろう。彼がこれほど謙虚になるのは珍しい。特に裕次郎とは、今や人気を二分するとさえ言われている。もうじき旭が天下を取るだろうという者さえ、撮影所の中には増えているほどだ。

「そりゃあ、この頃は俺の方が映画は入るよ。人気投票だって上になることはしょっちゅうだ。だけどさ、ひばりとか裕ちゃん見ていると、なぜかこの人たちには絶対に勝てないなって思うんだよなあ。なんだかわからないけどさ、何かに選ばれているっていうか、特別っていうか、なんかこう、人間の質が違う、っていう感じがしないか」

向こうからトラックが近づいてくる。そのヘッドライトをいっしんに旭は見つめている。

「俺はさ、きっとこれからも裕ちゃんに勝つ時があると思う。だけどやっぱり勝てないんだよな。この気持ちわかるかな」

「わかんない」

「そうかな、ルリ子ならわかるはずだぜ」

トラックとすれ違う。まるで映画のようなライトに二人が照らし出される。

「だってさルリ子、ずっと裕ちゃんに惚《ほ》れてるじゃないか」

映画の決め台詞《ぜりふ》のようだ。クライマックス近く、旭のアップがあり、そして彼は深く鋭い言葉を残すのだ。

「ずっと前から、ルリ子は裕ちゃん好きだもんな。俺、気づいてたぜ」

「やめてよ」

信子も定石どおり、小さな悲鳴を上げる。

「私、何度も言っていたはずよ。まだ子どもみたいな時に会って、それで裕ちゃんには憧れているの。それだけのことよ。だって裕ちゃんには、三枝さんっていう人がいるじゃないの」

「そうかなあ、俺は信じないぞ」

「信じるも信じないも、どうして私のそんな気持ち、旭ちゃんにわかるのよ。自分でもそんなこと考えたこともないような気持ち……」

「わかるっていったらわかるんだよ」

不意にアクセルを踏んだので、車は下りの山道をまるで奈落《ならく》のように降りていく。そして急ブレーキで止まった。

「怖いじゃないの、やめてよ」

「だってそうだろ、会社は俺に毎月一本撮らせてんだぜ。いくら客が入るからってめちゃくちゃな使い方じゃないか。それでよ、裕ちゃんの方は石坂洋次郎大先生に原作書かせて、大物ぶらせてる。おまけに俺の女は裕ちゃんに惚れてる、ときたら、それこそ立つ瀬がないだろう」

「だから言ってるでしょう。私、裕ちゃんのこと、ちょっと憧れているだけなんだってば」

「だったら一緒になってくれるんだろうな」

「えっ」

「今すぐとは言わないからさ、いずれは一緒になってくれるんだろうな」

煙草をゆるくくわえたまま言うのは、旭の照れ隠しなのだろう。信子は混乱している。一緒になってくれ、というのは結婚してくれという意味なのか。そうに違いない。が、ことをそれほど簡単に決めていいのだろうか。自分はまだ十九歳になったばかりだし、だいいち人気女優なのだ。芸能人というのは安易に結婚しない。結婚したとたんに人気が下がるのがわかっているからだ。だから今のプロポーズに、すぐに返事をしてはいけなかった。しかし同時に別の羞《しゅう》恥《ち》が信子を襲う。この男は自分の処女を与えた男なのである。女というのは、結婚まで純潔を守る、というのは世のならいである。これに背いた場合は、初めての相手と結婚するのが普通だ。だから自分も旭と結婚するのは当然のことなのだろう。

「たぶんね」

と信子は口にしたが、旭はその答えが気に入らなかったようだ。

「たぶん、なんて言うな、こら」

信子の顎《あご》をつまみ、

「絶対にします、って言え」

「たぶんだけど、絶対にします」

「こいつ」

その瞬間、激しく唇を吸われた。誰も見ていない山中の月の下で、人気俳優と人気女優は美しいラブシーンを始める。


朝起きて、信子は顎の下に吹き出物を見つけた。少女の頃のニキビのように、白い脂がとび出してきたりしない。何かが詰まっている赤い腫《は》れ物だ。理由はわかっている。久しぶりに東京に帰ってきたというのに、昨夜は遅くまで野外のロケに出ていた。平均すると、このところ睡眠時間は三、四時間といったところだろうか。この忙しさは尋常ではなかった。年にして十二本から十三本の映画に出ているのだ。脚本を渡されるやいなや、すぐに本読みが始まりリハーサルに入る。そして、あっという間に本番だ。わずかな間に台詞を憶《おぼ》えなくてはならないのが信子には苦痛だった。憶えるのがつらいのではない。台詞はすぐに記憶することが出来る。

三回口にして読めば、細かい言いまわしまで頭に入れることも可能だった。けれども、信子がつらいのは、脚本を読んで、じっくりその役割について考えたり、計画を立てたりすることが出来ないことだ。

日活は民藝と提携していたので、新劇の俳優たちがよく傍役《わきやく》で出演していた。映画で得た出演料が、そう豊かではない劇団の資金源となっていると聞いたことがある。彼らは演技の確かさで、すぐにスクリーンで光る存在になった。ほんのわずかな役でも脚本をよく読み込んでいて、自分なりのプランを立ててくる。監督に何か言われると、全く違うタイプの演技をすぐに見せることが出来る。

それに引き替え、自分は何をしてきたのだろうか。この台詞を言う時の女は、いったいどんなことを考え、どんな性格の女なのだろうかと想像をめぐらしてみるのであるが、答えが出ないままに本番になってしまう。しかも演じるのは、無国籍のいつも同じように旭にからむ女ばかりだ。

「待ってるなんて言いやしない。ただ私はここにいるわ。あんたが帰ってくるまでここにいるだけ。だったらいいでしょう」

カットという声で、信子の盛り上がっていたものはただちに切られる。映画というのは、細かいワンシーンをつなげてつくられていく。どれだけの熱を各シーンで保ち、配分するかが勝負どころだ。しかし熱を最高潮に高めた時、〝カット〟という声がかかることが多い。だからいつも不満が残っていく。その不満が、うまく燃焼出来ない不満なのか、役に対する不満なのか信子にはわからない。わからないまま日にちがたち、こうして吹き出物が出来ていくばかりなのだ。

「信子ちゃん、ちょっと」

階下で、母のちょうの声が聞こえた。

「今ね、テレビで何か言っていたのよ。あまりにもびっくりするようなことだったんで、お芝居なのか、本当なのかよくわからないの」

要領を得ないことを言う。

茶の間に行って、布のカバーを上げたままのテレビをつけた。二年前に買ったこのテレビはナショナル製で、大層高価なものだ。あまりの高さにたじろいでいると、

「信子ちゃんも女優さんなのだから、こういうものを買っておきなさい」

と父の源二郎が勧めてくれたのである。その時、映画女優がテレビに出るわけがないではないかと、少々鼻白んだのを憶えているが、観ていると結構面白い。いちばん喜んだのがちょうで、どうしてもっと放送時間を多くしてくれないのかと、最初の頃は画面に向かって文句を言ったぐらいだ。

「本当にこんなことってあるのかしら」

ちょうはまだ興奮しているのだが、しかしもうテレビは邦楽番組に替わっている。

「だからお母さん、どんなことを言っていたの。皇太子さまのご婚礼はもう終わっちゃったし、いったい何にびっくりしたの」

「それがね、今、アナウンサーの人が、石原裕次郎さんがアメリカに行ってしまったって言ったのよ」

「何だ、そんなことか」

信子は笑った。話は聞いたことがなかったけれども、たぶん仕事でアメリカへロケに出かけたのだろう。現に昨年には「裕次郎の欧州駆けある記」というドキュメンタリー映画がつくられたぐらいだ。これは会社に大儲《おおもう》けさせてくれてありがとう、お礼のつもりです、という意味の映画だろうと撮影所の人々は噂している。いずれにしても一般人がまだ自由に行き来出来ないヨーロッパやアメリカに、毎年行けるとは、何とも豪勢なことである。

「きっと何かの仕事なんでしょう」

「いいえ、そんなことじゃなくてね、裕次郎さん、北原三枝さんと一緒で、結婚式挙げるために突然二人でアメリカに行ったんですって」

「何ですって」

大声を上げたが、それほどの衝撃はない。いつか来ることだと思っていたからだ。

この二年来、裕次郎と北原三枝とが、いつ結婚するのか、いや出来るのか、というのは日本中の関心の的といってもいい。裕次郎ほど隠し立てすることなく恋人とつき合うスターは初めてだったので、会社としては面目丸潰《まるつぶ》れとなった。

「当分結婚はさせない」

と堀社長が公の席で言えば、

「堀社長と結婚するわけじゃないだろ」

と裕次郎が応戦するので、みんな大喜びだ。

気を遣う三枝が間に立って、おろおろしていると聞いたことがある。

「でもまさか、アメリカだなんて。いくら何でもそんな無茶なことを……」

と言いかけて、いかにも裕次郎らしいという気もしてきた。結婚させてくれないならば既成事実をつくろうとしたのだろうが、アメリカへ逃避行などとは、いかにも裕次郎が考えつきそうなスケールだ。

とにかく事情を聞こうと、会社の宣伝部に電話をかけた。が、取材が殺到しているらしくてなかなか繋《つな》がらない。三回かけて、やっと男の声がした。

「もしもし」

おそろしく不機嫌な声だ。おそらくもう取材攻勢が始まっているのだろう。

「私です。浅丘ルリ子です」

「ああ、ルリ子さん。野上ですが」

顔見知りの古手社員である。

「ねえ、今テレビで言っていたらしいんだけれど、裕ちゃんが三枝さんとアメリカへ行ったって本当なの」

「ええ、それがこちらもよくわからないんですけれど、どうやら二人、昨日のパンナム機でアメリカへ向かったらしいんですよ」

「まあ……」

「本当に僕らも詳しいことは何も知らないんです」

「それで裕ちゃんと三枝さん、仕事の方は大丈夫なの」

「それは平気です。三日前に正月映画を撮り終えて、その次の日に羽田に向かって……」

そこで彼は受話器を手でふさいだ。おーい、そっちの電話を取ってくれ、と怒鳴る声が聞こえた。再びこちらに話しかける。

「二人でアメリカへ飛んだらしいんですが、本当に僕らも何も聞かされてなくって」

「そうですか、何かわかったら教えて頂戴《ちょうだい》ね」

電話を切った後、ふと淋《さび》しさがこみ上げてきた。完全に裕次郎が三枝のものになってしまったという事実を知ったからではない。自分が、機械的に脚本を渡され、それを憶え、カメラの前で発音する、という作業を繰り返しているうちに、二人は遠いキラキラした世界へと行ってしまったのである。アメリカがどういうところかよくわからない。日本とはまだ自由に行き来することは出来ない、とても遠いところだ。けれども戦後多くの映画によって、日本人はアメリカがどれほど豊かで楽しげな国かということを知っている。裕次郎と三枝は、手を取り合いスキップするようにあちらの国へ行ってしまったのだ。まさか逃避行ということはあるまい。いずれは帰ってくるであろうが、その時にもう以前の二人と違っているはずだ。

自分だけが取り残されているような気がした。たとえ旭がこちら側にいたとしても、やはり自分はひとりなのだ……。

いつのまにか父の源二郎が、信子の後ろに立っていた。正月のお飾りをはずしていた最中なのだろう。手には門の注連《しめ》飾りの一部が握られていた。

「裕次郎さんと三枝さんが、アメリカへ行ったそうだね」

「知っていたの」

「ああ、ラジオでも言っていた。えらい騒ぎだ。逃避行とか失踪《しっそう》とか騒いでいたけれども単なる旅行だろう」

「そうよね。きっと帰ってくるわよね」

父と娘は縁側に座った。信子が家でこんな風にのんびりと過ごすのはめったにないことだ。このところロケが続いて、たまに自分の家に帰っても、倒れるように寝て早朝出て行く生活が続いている。この家を建てる時、ヒーターを入れていたので居間はとても暖かい。縁側のガラス戸からも、やわらかい冬の陽ざしが射し込んでくる。

「ねえ、お父さん」

信子は言った。

「私、新劇に入って、もう一度勉強し直したいと思うの」

「そんな必要はないさ。お父さんは先週、信ちゃんの映画を観たけれどもとてもよかった。何とかという双子の姉妹が突然歌い出すのには、ちょっと驚いたがね」

「ああ、こまどり姉妹でしょ。今、とっても人気があるのよ」

「そうか。ちょっと古くさいような気がしたが」

「あれがいいの。わざと古めかしい着物を着て、三味線をひいてるの。とにかく流行《はやり》ものなら何でも出るのよ。そういう映画なのよ」

「だけど面白かったよ」

源二郎はいつもそうだ。信子が出ている映画ならば、どれも面白く素晴らしいのだ。

「でも私、本当にどこかの劇団に入って勉強し直したいの。それとも外国へ行きたいわ。留学っていうものをしてみたいの」

源二郎はつぶやいた。茶色と黒の縞《しま》のセーターを着ている。それは昨年のクリスマス、信子が三越で買って贈ったものだ。イギリス製と書いてあった。

「外国か」

「外国はいい。私は若い頃、ドイツとイタリアへ行ったけれども、ヨーロッパの街は本当に綺《き》麗《れい》だ。日本人が想像しているのよりもはるかに美しいんだな」

遠いところを見る目つきになる。信子はふとこの脈絡のない、ゆったりとした会話を壊したくなった。何を言っても穏やかさを保っているこの父の胸に、大きな石を投げ込みたくなったのだ。

「それともいっそ結婚しようかしら」

「何だって」

「そうよ、結婚なの」

父が驚いたので、信子はすっかり嬉《うれ》しくなってしまった。

「もちろん相手は旭ちゃんよ。私たち、もう将来を約束し合っているのよ。何だったら今年中にしてもいいかしら」

もしかすると、裕次郎たちの結婚よりも早く出来るかもしれない。

「旭君はいい青年だし、お父さんは反対はしないよ。信《のぶ》ちゃんが本当に結婚したいんだったら反対はしないよ。だけど……」

「だけど、何なの」

「信ちゃんは、どうしても旭君と結婚したいようには思えない」

信子は眼鏡の向こう側にある源二郎の目を見る。よく似ているといわれる父と娘の目だ。大きな二重の目。睫毛《まつげ》が長い。あまりにも似ているために、こちらの心を見透かしている、という以上に、心まで共通しているとしか思えない。だから信子は口ごもってしまう。

「私が……旭ちゃんと本気で結婚する気がない、なんて、どうしてそんなことを思うのかしら……」

「そりゃあ、信ちゃんを見ればわかるよ」

源二郎は微笑んだ。

「信ちゃんは今の生活を変えたいだけなんだよ。だから結婚なんてことを考えつくんだ」

ねえ信ちゃん、もうちょっとお待ちと彼は続けた。

「信ちゃんは今、自分のことを添えもののように思っているだろう。アクション映画の、単なる相手役だって。だけどね、本当は映画は女優のものなんだよ」

「そうなの」

「ああ、そうだとも。お父さんは昔から映画をたくさん観ていたからよくわかる。映画館というのは、男が美しい女を見に行くところなんだ。そしてそこで夢を見るところなんだ」

「昔の山口淑子《よしこ》のことでしょう」

「ああ、そうだ。あの頃の李香蘭の美しさといったら、天女が降りてきたようだったよ。嘘じゃない。今、あの人のことを悪く言う人がいるけれども、李香蘭だって好きで中国人のふりをしていたわけじゃないだろう。戦争中、日本人はあの人に熱狂したよ。わずかな間でもつらいことを忘れさせてくれた夢の女だった」

父が「夢の女」と発言した時、信子は母親のちょうの言葉を思い出した。お父さんは前の奥さんだった私の姉さんのことが、どうしても忘れられないのよ。私と違って、姉さんは本当に綺麗な人だった。お姉さんがお父さんと結婚した時は、お似合いの美男美女だと、みんなが振り返ってみたものよ。姉さんが肺を患って死んだ時、お父さんは何日も何日も泣いていたっけ。でもお姉さんは幸せだったかもしれない。死んだことで、ずっとお父さんに思われているのだから。そこへいくと妹の私は可哀想だ。その後お父さんと結婚して、四人も娘を産んだのに、やっぱりお父さんの心はあっちの方にあるのよ……。

不意に軽い反ぱつがわく。

「でも私、きっと旭ちゃんと結婚すると思う」

「信ちゃんが、真剣にそう思うようになればきっとそうなるさ。が、それは今じゃない」

実はもう既に、旭のさまざまな噂が信子の耳に入ってくるようになっていた。念願のスターになり、今や旭の手元に入ってくる金の額は半端ではない。一本百五十万、二百万と映画の出演料はつり上がるばかりだ。また映画の主題歌も次々とヒットして、旭は莫大《ばくだい》なレコード印税を手にするようになった。二十一歳の青年に、舞い上がるな、と言っても無理な話だ。旭は東京にいる限り、毎晩のように銀座に出かけるようになった。たくさんの取り巻きをひきつれて、舶来の洋酒を浴びるように飲むという。その後は赤坂だ。そこには「ニューラテンクォーター」や「コパカバーナ」という、贅沢《ぜいたく》なナイトクラブがあるのだ。旭が特に気に入っているのは「コパカバーナ」で、ここは以前からよく通っていた。この店のホステスは美人揃いで踊りも大層うまい。中でもナンバーワンを競っていた、エキゾティックな美女がいたのだが、昨年から姿を消してしまった。何でも女好きで有名な、インドネシアのスカルノ大統領に乞《こ》われて、ジャカルタへ渡ったようだ。送り込んだのは、インドネシアへの政府賠償金にたかろうとしている日商岩井と児玉誉士夫《こだまよしお》というのが専らの噂だ。が、こんな噂もいかにも赤坂らしい華やかさで旭の好むところだ。

ミラーボールの下、髪をアップにし、光るドレスを着た美しい女たちと旭は踊る。恰好《かっこ》よさでは、フロアの外国人たちにもひけはとらない。毎夜のように彼は踊る。女たちの耳飾りも揺れる。汗ばんだ首すじに旭は唇をはわせ、そうしながら踊り続ける。そこにはもう信子の入っていく隙はない。いつのまにか信子は、カメラがまわっている時だけの恋人になっていく。

5

世間では人気女優といえば、信じられないような大金を稼ぎ、綺麗な服を着て、たくさんのお付きの者たちに囲まれて、アメリカ車に乗っていると思っている。

確かに多くの収入はあり、有名デザイナーの服を着る。乗っているのも外国車だ。しかしこれらの特典が、どれほど過酷な労働と引き替えに支えられているか、知っている者は同業者以外にはいないに違いない。

今や信子は日活のトップ女優である。芦川いづみや笹森《ささもり》礼子にいくら人気があるといっても、信子とは格が違う。ファンレターや人気投票の数値も、信子にはとても及ばない。信子は最近「日活のヒロイン」と呼ばれている。が、このヒロインはヒーローの相手をするために存在している。年に十六本撮る映画で、信子の名前が真っ先に出ることはない。すべて旭の名が最初である。一応主演映画ということになっているが、それは「女として」の主演ということになる。スクリーンを観に来るお客のほとんどは、旭の「渡り鳥」シリーズを見たくて来ているのだ。信子に寄せられる人気と喝采《かっさい》は、旭というヒーローを支えてくれたことに対する賞賛なのだ。

そんな自分の立場に、信子は不満を持ったことはない。ギターを抱えてさすらいの旅を続ける男を、精いっぱい愛するという役割はとても得で、信子には「ひたむきで可憐《かれん》な」女のイメージがついてまわる。和風カウボーイ映画のように、男ばかりの映画の中で、信子の美しさはひときわ輝くのだ。誰に教えられなくても、信子は「男を立てる」演技をしている。それは、ことさら美しく愛らしくふるまうことだから、そうむずかしくはなかった。ましてや旭は、実生活でも本物の恋人である。

この頃裕次郎と共演することは全くない。裕次郎、北原三枝というコンビが組まれているように、「ルリ子と旭」という二人も、もはや揺るぎないものになっているのだ。そして裕次郎と三枝は、この暮れに結婚することが決まっている。アメリカに堂々と婚前旅行をし、既成事実をつくってしまったのだ。

世間は裕次郎の大胆さに驚き、そして拍手をした。今度の結婚によって、彼はそう人気を失くすことはないだろう、というのがおおかたの予想だ。それに安堵《あんど》したのか、二人の結婚にさんざん反対していた堀社長が仲人《なこうど》をするという。場所は日比谷の日活ホテル、招待客は四百人ほどで、ひとり六千円もする料理が出るはずだと週刊誌は書き立てている。

信子は自分の幸運を神に感謝したくなった。ちょうどその頃は海外ロケの最中だ。だから披露宴に出席しなくても、何の不思議もなかった。いくら自分とは関係がないことと割り切っていても、三枝の花嫁姿を見るのはつらいだろう。日本人離れした肢体を持つ三枝はウエディングドレスがさぞかし似合うに違いなかった。二人の人生が、自分が立っているところとは、全く別の場所で始まろうとしていることを信子はひしひしと感じている。二人の熱愛ぶりはあまりにも有名で、それまで女を知らなかったはずもない裕次郎が、年上の三枝に夢中になっており、それを三枝が母のような包容力でくるんでいるというのがもっぱらの噂だ。それに今、撮影所の中でしきりにささやかれているのが、三枝が結婚を機に引退するのではないかということだ。信子にヒロインの座を譲ったとはいえ、北原三枝が日活を支える人気女優であることは間違いない。特に裕次郎とのコンビは、今でも会社に莫大な利益をもたらしているのだ。

「だけど、夫婦になって映画でラブシーンが出来るわけもないさ。ここは三枝を引退させて、裕次郎は男の意地を見せるのではないか」

と撮影所雀は言い立てている。

裕次郎の結婚のニュースを、信子はロケ地のバンコックで聞いた。あらかじめ電報は打っておいた。信子のものは、

「お二人のご結婚、心からお祝い申し上げます。末長くお幸せに」

という平凡なものであるが、旭は違う。おそらく週刊誌などに載るであろうことを予想して気取ったものだ。

「いまバンコックのトンブリ丘の頂上にいる。幸福の頂上にいる新郎新婦バンザイだ」

真冬だというのに、バンコックは焼けつくような暑さだ。寺院の屋根がひときわ強く黄金に輝いている。

「綺麗《きれい》なとこだよなァ。どこをとっても絵になるって、こういうことをいうんだろうなァ」

旭は上機嫌だ。今度の海外ロケは、「渡り鳥」シリーズの大ヒットに報いるためといってもいい。そのために大急ぎで六作目「波涛を越える渡り鳥」という企画が組まれたのだ。とはいうものの裕次郎と三枝の二人は、ついこのあいだスペインロケから帰ってきたばかりである。

「どうして俺は東南アジアなのだ」

と最初は不満げであったのだが、

「『渡り鳥』シリーズをヨーロッパやアメリカでやるのは飛躍し過ぎる。まずはアジアの風景の中で」

とまわりに説得されてしまった。まだ海外旅行は自由化されていない。初めての渡航ということで旭の気分は次第に浮き立ってきたようだ。

「梅干しと正露丸は必ず持っていった方がいいらしいぜ。それからあっちの米は、日本のものとは違うらしいから俺は少し持っていくつもりだけど、どうする?」

などと、信子のところへしょっちゅう電話がかかってきたほどだ。

十一月二十五日、一行は羽田を発《た》って給油のために台北《タイペイ》へ向かった。驚いたことに空港で待っていたのは、たくさんの報道陣とファンである。台湾は親日的と聞いていたが、「渡り鳥」シリーズはここでも公開され大層な人気を博していたのだ。これに感激屋の旭が、記者会見で言葉を詰まらせる場面もあった。

そして香港のロケも順調に終わり、バンコック入りしたのは、裕次郎の結婚式の四日前のことだ。バンコックは、終戦をはさんで信子が幼い頃住んでいたところである。たくさん思い出が押し寄せてくると思ったがそんなこともない。信子はロケに同行してきた宣伝部部員に、こんなコメントを寄せ、それは後に映画のパンフレットに使われることになった。

「バンコックは私にとって第二のふるさと。そのため今度のロケは出発前からすごく楽しみでした。私たちが住んでいたところは、バンコックに近いメナム河にのぞむバンバートンという小さな街で、二年間をそこで過ごし日本人の幼稚園にも通いました。あの美しい東洋的な寺院やメナム河の流れは昔のまま……。それにホテルや街で食べたドリアンやパイナップルの味はやはりなつかしい故郷の味でした」

遠景を撮るために、台詞《せりふ》なしの川下りをしながら、思い出というのは何とつかみどころのないものだろうかと信子は考える。空に向かってためらいがちに建つ、暁の寺のシルエットの美しさといったらどうだろう。これは幼い日に自分が本当に目にしたものなのだろうか。それとも出発直前に読み漁《あさ》った、資料の中の写真にあったものなのだろうか。そのあたりが曖昧《あいまい》なのだ。ただひとつはっきりと憶《おぼ》えていることは、とても暑い夏のある日、両親がやってきて娘たちをぎゅっと抱き締めてくれたことだ。

「今日、日本は戦争に負けてしまったのだよ。これから日本へ無事に帰るために、みんなで力を合わせて頑張ろう」

その後荷物をまとめ、みなであの白い大きな邸《やしき》を出て収容所へ向かった。ピアノは持っていけるはずがなく、姉が最後に立ったまま片手でポロンと何かメロディを弾いた。その時の姉の白いスカートの柄ははっきりと憶えているのに、そのメロディはどうしても思い出すことが出来ない。信子はまだ幼くて、ピアノを習っていなかったためだ。そしてその後、帰国してから貧しい暮らしが続き、信子はついにピアノを習得することが出来なかった。

ふと三枝はピアノを弾くことが出来るのだろうかという考えがわき起こる。裕次郎と結婚するのは、ピアノが上手《うま》い、令嬢と呼ばれる女だとずっと思っていた。が、裕次郎が選んだのは、信子と同じ女優と呼ばれる女だった。

あの時もう少し自分の年が上だったら、会社が自分とコンビを組ませてくれたら……。〝たら〟と〝もし〟で考えるなどということは、信子のいちばん嫌いなことだったはずだ。それなのにさっきからこの二つの言葉が、泡のように次々と信子の頭の中に湧いてくるのだ。

「おい、何考えてんだよ」

傍の旭が言う。

「別に……。やっぱり懐かしいなあ、と思ってるだけよ」

「嘘つき。あんまり子どもの頃のことで、何も憶えてないって、さっき言ってたばかりじゃないか」

「そう……でもやっぱり思い出すことはあるわよ」

「相変わらず嘘つきの女だなァ。裕ちゃんの結婚式のこと考えて、センチになっているんだろう」

「まさか」

「おい、キッスしようぜ」

舟の中にいるのは、船員のタイ人ひとりだが信子はあわてた。

「やめてよ。脚本《ほん》読んだでしょう。旭ちゃんと私、まだ恋人にはなってないの。今日は兄さんの手がかりを見つけるために、バンコックを探すってシーンなんだから、キッスをするはずがないでしょう。ほら、もっと思い詰めた厳しい顔で」

「顔までは映っちゃいねえよ」

旭はぐいと信子の体を引き寄せた。

「いったい、俺たちどうなるんだよ」

「その話は、ゆっくりしましょう。このロケの間に結論を出そう、っていうことだったんだから」

一時は結婚話まで出た二人であったが、今のところ足踏み状態が続いている。大スターになった旭の許《もと》には、美しい女たちが群がるようになった。

それに信子が嫉妬《しっと》するようだったら、まだ話が違っていたのかもしれないが、いつもどこか醒《さ》めた目で見ているところがある。

「それは、お前が本当は裕ちゃんのことを好きだからだ」

と旭は言うのであるが、そんなわけではない。旭のことは大好きで、愛しているかと問われれば、愛していると答えるだろう。しかし思い出と同じように、男と女の愛というのもうまく境界線を引けないところがある。

この愛情というのは心の底から自然にわき起こってきた自発的なものなのか。それとも相手の強い愛情に応《こた》えているうちに育っていったものなのか、今のところよくわからない。旭の女遊びが激しくなった。あきらかに旭の心は少し信子から離れている。するとそれに呼応して、信子の心も冷めていったようなのだ。

「本気なのはお前だけなのだから、待っていてくれ」

と旭は虫のいいことを口にするが、そういうこともあるだろう、と素直になる日もあれば、冗談ではない、きっぱりと別れようと憤る日もある。いずれにしても、このロケの間中に結論を出そうというのが、二人の約束であった。

それにしてもはじめての海外ロケは大層きつい。ドルが三百六十円のうえに、持ち出せる額も限られているのだ。スタッフは、ぎりぎりの人数しか連れてくることが出来なかった。だからロケの最中は、俳優たちもスタッフの手伝いをすることになる。何事も器用な藤村有弘などは、光をいい具合に演技者の顔にあてるレフ板の係を申し出、それがすっかりうまくなった。

「もうカメラマンに転向しようか」

などと言って皆を笑わせる。日本では考えられないことであるが、次の場所に機材を移動する時は、スターたちも一緒になって運んだ。最後には音声さんのマイクを、出番のない旭がずっと支えていたほどだ。おかげで撮影隊の空気は、日に日に親密になっていく。

昔から日活は、各社からの寄り合い所帯だったのが幸いし、上下の隔たりがなく仲のいい撮影所として知られていた。ニューフェイスや若い俳優たちは、撮影の合間にはカメラや音声さんたちと寛《くつろ》ぎ、煙草を分け合ったりしていたものだ。それでもこの数年の間には、日活の機構も整い、スターも何人か生まれた。社員は今や三千人となり、すれ違うほとんどの顔を知らない。齋藤組と呼ばれる、監督の名をつけたレギュラーのチームは、今回全員顔を揃えることが出来なかったが、その分結束力は驚くほどだ。

明日で帰国という日、バンコック市内のレストランで打ち上げパーティーが開かれた。最初はどうなるかと思っていた、こちらの香辛料やトウガラシをたっぷり使った料理も慣れるとうまい。エビや魚のすり身を揚げた料理に、シンハービールで何度も乾杯をする。そのうちに日本大使館からいなり鮨《ずし》の差し入れが届き、みんな大喜びだ。

やがて日本ではあまり見たこともない、舶来のウイスキーも次々と栓を開けられていく。どうやら持ってきたドルを使いきってしまおうということらしい。

信子は酒は一滴も飲めないが、こうした宴会が嫌いではなかった。今まで苦労を共にしてきた仲間たちの親睦《しんぼく》と慰労の場なのだから、大切にしなくてはいけないと、常々父からも言われている。が、中盤を過ぎ、人々が酩酊《めいてい》し始める頃にはそっと席をはずすようにしている。根が単純な映画人たちは、高揚した気分をもてあまして、たいてい喧嘩《けんか》を始めるからだ。時にはとっくみあいになったりもする。そろそろ帰った方がいいかもしれないと信子は、化粧担当のめぐみに目くばせをした。今度のロケで、彼女は出演者全員の化粧と共に、信子の付き人のような役割もしているのだ。彼女とは途中で一緒に帰ろうと約束していたのである。その時、近くにいた男が声をかけてきた。

「僕も帰るから、ルリちゃん、送ってくよ」

スチールカメラマンの太田であった。彼は初期の頃から裕次郎のポスター広告用のスナップを撮り続け、ブームに大貢献したひとりと言われている。裕次郎と同じスタッフを嫌う旭が、今度のロケにも名ざしで頼んだのは、彼以上のスチールカメラマンがいないからだ。時間と場所に制約がある中、瞬時に決定的な一枚を撮らなくてはいけないのだが、太田ほど映画の内容を理解しているスチールカメラマンはいないと言われている。本番の、

「はい、カット」

というOKのサインが出た瞬間に、

「スチール入ります」

と割り込んでいくわけであるが、太田の実力を知っている俳優たちは、誰ひとり嫌な顔をせずに同じ演技をする。最近はライティングの具合を見るために、太田にとりあえず一枚撮らせてみる監督もいるほどだ。

背は低いが、自分が映画俳優のような容貌《ようぼう》をしている太田と、信子はたわむれにキスをしたことがある。それはたった一度だけのことで、彼はその後も馴《な》れ馴れしいそぶりを見せたことは一度もない。

「めぐみちゃんは、もうちょっと飲んでいたいだろう。ルリちゃん、よかったらおじさんが送っていくよ」

おじさんといっても、太田は三十六歳である。別の映画会社にいた時に知り合ったスクリプターの妻との間に、子どもが二人いると聞いたことがある。

「それじゃ、めぐみちゃん、もうちょっといなよ。私、太田さんに送っていってもらうから」

店が呼んでくれたタクシーに乗った。鼻が曲がるほど強く、香辛料と体臭がシートにしみついている車だ。たまらず窓を開けると、熱風が吹き込んできた。

「ともかく、日本の正月に間に合ってよかった。こんな暑いところで、雑煮は食いたくないよ。

は、夜空に切り絵のような影をつくっていた。


もっとも雑煮なんかはないだろうけど」

「本当、やっぱりお正月はうんと寒くって、雪が降ってくれなくっちゃね」

車がバンコックの屋台街を抜けると、深い闇が拡がっていた。昼間太陽の光を浴びていた寺は、夜空に切り絵のような影をつくっていた。

「ルリちゃんは、旭と結婚するのかい」

不意に太田が尋ねた。

「そんなこと、わからないわ。約束しているわけでもないし」

「彼とは結婚しない方がいいと思うよ」

「あら、なぜ」

あまりにも断定的に言われたので、瞬間的にむっとしてしまう。

「どうしてそんなこと言うの。旭ちゃんが若過ぎるから？　それともこういう仕事をしてるから？　彼に女の人がいるから？」

「そんなことよりも、彼はルリちゃんみたいな女とは一緒に暮らせるはずがないからだよ」

「あら、太田さん、そんなことどうしてわかるの。私がとんでもない女みたいな言い方じゃないの」

「いや、そんなんじゃない。旭はスターっていわれる女の人とは絶対に暮らせないよ。そもそもスターはスターと結婚するもんじゃないんだ」

「そうかしら」

信子は裕次郎の名を注意深く口に出した。

「だって裕ちゃんは、三枝さんと結婚したじゃないの」

「三枝ちゃんはたぶん女優をやめるはずだよ。僕にはそう言っていた。家に入って裕ちゃんの世話だけをしたいそうだ。三枝ちゃんは頭がいい子だから、裕ちゃんみたいな大スターと暮すには、ふつうの女にならなくちゃいけないってわかっているんだろう」

「じゃ、私だって、好きな人が出来たら仕事をやめればいいんでしょう」

「そんなこと出来るわけないさ」

太田は笑って、信子の手の甲を軽く叩《たた》いた。やはり酒を飲めない彼の手も冷たいままで、そこから誠実さが伝わってくるようだ。

「ルリちゃんは三枝ちゃんとは違う。根っからの女優なんだ。女優っていうのはさ、死ぬまで女優の人のことを言うんだ」

「ふうーん」

死ぬまでというのは、老婆になるまでということなのだろうか。二十歳の信子は、自分が年老いていくことなど想像が出来ない。だから老いてまで女優をすることなどまるで実感がなかった。

「ルリちゃんは、とてもいい女優さんだよ」

太田が発する言葉は心にしみていく。本当にそうだと自分でも思う。

「だけど今度の映画《しゃしん》の出来はいいとは思えない。だいいち脚本《ほん》がやっつけ仕事のひどいもんさ」

ビルマで行方不明になった兄を捜し出そうとする旭と、行方不明の恋人を捜す信子とが、命を狙われながらも東南アジアを旅する、いつものアクション映画である。すぐに殺し屋が現れ、実は兄である宍戸錠は、いきなり敵役で出てくるという荒っぽさである。

「ルリちゃんは本当にいい女優だ。もうじききっと必ず、すごい女優になる。それなのに……」

ここで彼は言葉を声に出すのを少しためらった。

「それなのに、今のルリちゃんは旭の添えものだ。日活っていうところはすべてそうなんだ。ルリちゃんは映画でも添えものなのに、実生活でも添えものになることはないだろう」

信子はしばらく声が出ない。それほど「添えもの」という言葉に衝撃を受けたのだ。確かに今の日活では、男性が主役の映画ばかりだ。信子はいつも彼らの恋人役になる。ある時はひたすら無償の愛を捧《ささ》げ、ある時は反ぱつしながらも惹《ひ》かれていく女の役だ。旭の個性が一作ごとに強固なものになっていくのに比べ、信子は少しずつ映画によって違っている。それはたとえば、焼いた肉塊に添えられる野菜が、季節によって変わっていくようなものかもしれない。

私は本当に添えものになるのだろうか。旭という男にとって添えものの女、旭という俳優にとって添えものの女優。

「私、そんなの嫌だわ……」

思わず声が漏れた。

「嫌だと思うなら、自分で決めた方がいい。ごめん、余計なことを言っちまったかな。ただね、ずっとロケにつき合っていたら、なんかちょっと嫌な気分になってね。この映画は、お客はみんな旭を見にくるんだ。旭がカッコよく暴れて、それでバックの風景が外国だったらみんな大喜びだ。だけどルリちゃんの映画は、もっと別にある。そう思ったら、なんかせつなくなってね」

ありがとうと信子は言った。闇の中にまた寺院の屋根が見える。日本とは違う丸みを帯びた形だ。遠くへ来たものだと思い、初めてその時、疲労がじんわりと襲ってきた。

その後日本に帰ってから、二人は別れを決めた。もう二度と恋人のような行為をすまいと誓い合ったのだ。

思えば、なんと子どもっぽいことをしたのだろうかと、今二十二歳になった信子は微笑をもって思い出すことがある。別れた、といっても二人は映画の中で抱き合い、何度もキスを交わす。「愛している」「惚《ほ》れているんだ」と言い合うことがある。違っているのは、それをカメラの前でだけするか、二人きりの部屋でするか、ということだ。

あれから二年たち、信子はますます美しさを増した、と誰もが言う。ひと頃流行《はや》ったトランジスタ・グラマーというのとは違うが、きゃしゃな体ながら胸が豊かに張り出してきた。といっても、ウエストは細く、脚は長く美しい。日本人でこれほど脚が綺麗《きれい》な女は珍しいと、有名な写真家秋山庄太郎も絶賛したほどだ。

旭の顔立ちも、さらに男らしさを増している。少し頰のあたりがそげて大人の陰影をつくり上げ、人気は相変わらず高い。

このところ撮影所の雰囲気も変わってきて、山内賢、和泉雅子、高橋英樹といった十代のスターたちがあちこちを走りまわっている。かつての信子もそうだったように、彼らも食堂や宣伝部、結髪部のあちこちに集まっては、お喋《しゃべ》りに興じ、何がおかしいのかしょっちゅう笑い声が起こる。同じ頃入社した吉永小百合という新人は品のある美少女で、将来を期待されているが、少々暗いという評判だ。大部屋の片隅で勉強ばかりしているという。

ややや兄さん、姉さん格となった旭と信子は相変わらずコンビを組み、映画はヒットしていた。熱い抱擁をし、唇を重ねるのもしょっちゅうだ。以前よりも、旭の唾液《だえき》は粘り気を持つようになったと信子は感じる。すると「カット」という声がかかり、ややあって二人は唇を離す。瞬時にしないのが、かつて愛し合ったなごりというものかもしれない。

が、時々旭はたわむれとも本気ともつかないことをつぶやく。

「ルリ子、この続きは今夜俺の部屋でしようぜ」

「いいえ、続きはシーン九十六でね」

二人はちょっと笑い合う。こんなしゃれた大人の関係は、映画の世界では珍しくない。このあいだまでこっそりと同棲《どうせい》していた二人が、ただの共演者としてベッドシーンさえ演じているのだ。

そして信子はこんな自分にとても満足している。映画では相変わらず添えものかもしれないが、プライベートでは少なくとも自分は旭と離れることに成功したのだ。しかもとてもいい形でだ。

時たまであるが、旭は信子のところに電話をかけてくる。信子は自分の部屋に切り替えられる電話を持っていたので、家族に気がねなく長い会話を楽しむことが出来た。

「今日、美空ひばりと会ったぜ」

「へえー、すごいじゃないの」

美空ひばりは大人気歌手であるばかりでなく、映画にも主演する女優である。雪村いづみ、江利チエミと三人娘を結成してコミカルな青春映画をつくっていたこともあった。とはいうものの、ひばりの本業は歌手で映画会社も違うために、信子は一度も会ったことがない。それでも大スターに対する畏敬《いけい》の思いはあって、「ねえ、どんな人。やっぱりたくさんのお付きの人がいるんでしょうね」

と、矢継ぎ早に質問せずにはいられないのだ。

空前のヒットを次々と出す美空ひばりには伝説がたくさんあり、城のような家の中には女中が十人いる、こわい母親がついていて、誰も娘に近づけないようにしている、そしてその母親の指にはうずらの卵のようなダイヤが光っているなどと、週刊誌も、信子のまわりの人たちも無責任な噂をしている。

「前にすれ違った時と同じで、あのおっかさんはいなかったけど、ぞろぞろ四人ぐらいは来たかもしれないなァ。ピンク色の羽織着てて、年よりは老けて見える女だなァ」

「月刊平凡」の人気投票で、男性一位の旭と、女性一位のひばりとが対談する企画だったという。昨年の一位は裕次郎だったそうだ。

「天下の美空ひばりだから、どんなにふんぞり返った女かと思ってたけど、会ってみたら意外とおとなしかったぜ。旭さんの映画、よく観てます、なんてお世辞も言ってくれるしさ」

「そりゃあ、よかったじゃないの」

「それどころじゃないぜ。帰りぎわにさ、こう言うんだ。旭さんって、決まった女性いらっしゃるんですかって」

「銀座や赤坂の方にいっぱいいます、って言えばよかったじゃないの」

「馬鹿言え。誰もいません、って答えたぜ。ルリ子にふられたのは本当だからな」

「もう昔のことよ」

「冷たい言い方だな。ま、いいや。そうしたら驚くじゃないか、あの美空ひばりがな、じゃあ、私とお友だちになってくださいよ、なんて上目遣いで言うんだぜ。腰ぬかすぐらいびっくりしたよ」

まあと信子も声をあげた。ひばりの素朴さに心をうたれたのである。戦後が生んだ大スター、若き歌の女王などと人はあがめてくれても、おそらくひばりは孤独な日々をおくっていたのだろう。娘のプロデューサーとしてらつ腕をふるう母親の目が光っていて、外の世界を知らないまま大人になった。そして目の前にあらわれた美男子に、またたく間に心を奪われたのだろう。

それにしても、二十五歳のひばりの、何とうぶなことか。今どきのすれた若い女なら、初対面の男に向かって、

「友だちになってください」

などと言ったりはしない。バンドマンと婚約をしていたという噂だが、ひばりという女は駆け引きの出来ない純な女なのだろう。

「それでさァ、俺はうちの電話番号を教えたよ。そうしたらひばりもさ、『平凡』の岡村さんにメモ用紙貰《もら》って、万年筆借りて、自分の電話番号書くんだぜ。加藤和枝って、丁寧な綺麗な字でさ。岡村さんもさァ、旭さん、このサイン、お宝になりますねえなんて言ってんの」

旭の興奮は、単に大スターに会ったということだけらしい。信子はひばりの少しえらの張った顔を思い出す。決して不器量な女ではないが、美しさということでは、自分や他の女優と呼ばれる女に及ぶはずもなかった。おそらくひばりの恋は、片思いということになるのだろう。しかもその片思いの相手は、自分が別れた男なのである。信子は少々の優越感と意地の悪さをもって言った。

「でも旭ちゃん、ひばりと仲よくしてあげなさいよ。何たって、あの大スターの美空ひばりなのよ。浮名が立ったって、旭ちゃんの男が上がるだけよ」

「嫌なこと言うなよ。俺はそんなにせこい男じゃないからな」

あきらかに機嫌を損ねた風に電話が切られた。

そして信子はそれきり、このことをすっかり忘れてしまった。なぜならば、次の映画の企画が、信子の心をとらえたからである。

「ルリ子ちゃん、ヌーヴェル・ヴァーグっていうの、知ってるよね」

プロデューサーの水の江瀧子に、いきなり言われた。

「ええ、もちろん知っています」

フランスで生まれた新しい映画の手法は、日本にも大きな影響を与えようとしていた。小型カメラを使って、まるで八ミリのような画面を撮る。多少ぶれても、雑音が入っても構わない。フレームの中に入る、決まりきった映像ではなく、人が自然に呼吸しているのがわかる映画。まるでドキュメンタリーのような映画を、松竹の鬼才と言われる大島渚《なぎさ》がつくり始め大きな話題になっている。

「それでな、クラさんが今度、ちょっと冒険的な映画をつくりたいそうだ。男と女がね、ジープに乗って、日本を縦断するっていう映画なんだよね。それでね、クラさんは、裕ちゃんとルリちゃんでぜひやってみたいって。今までの日活の流れを変えるようなものにしたいって」

「えっ、裕ちゃんとですか」

世評どおり、北原三枝は結婚と同時に引退を表明した。その後、裕次郎とルリ子は、軽いアクションものを一本撮ったきりで、共演の機会はなかった。

「裕ちゃんからも、ぜひルリ子ちゃんでやりたいって。このあいだも試写を観ててね、ルリちゃん、いい女になったなあ、すっかり大人じゃないか、これじゃ、ずうっと旭に独占させるのはもったいないなあ、ってね」

体がカッと熱くなった。いつも自分のことを子ども扱いしていた裕次郎が、そんなことを言っていたとはにわかに信じられない。

しかし自分でも、スクリーンに映っている女性が、時々大人びた表情をすることに驚かされることがある。信子は左側の顔の方が好きで、それを知っているカメラマンは、みんなその方向から狙ってくれる。そして髪がやや乱れたまま、流し目で相手役を見つめる時、信子は自分のことを何と美しい女だろうと思う。妖艶《ようえん》という言葉を雑誌のコラムで知ったが、アイラインの濃い目をじっと見据えるようにすると、そこには小さな炎が立つようである。おそらく「妖艶」というのは、この炎のことを言うのだろう。

信子は決定稿を大事に抱えて家に帰った。表紙には「憎いあンちくしょう」と書かれていた。なんて変わったタイトルだろう。あンちくしょう、などという言葉が、映画のタイトルに使われるなどとは、考えてみたこともなかった。

ページをめくる。半分読んだ時、これは今まで自分が演じてきた女とはまるで違う、ということがわかった。まるで正体がつかめないのだ。

都会に住む働く女。タレントのマネージャーという特殊な職業だ。ラジオの人気DJで、時代の寵児《ちょうじ》である裕次郎。信子はその彼の恋人であるが、二人は、取り決めを交わしている。それは、

「セックスしない、キスをしない」

という奇妙なものだ。都会の最先端にいる彼らは、こうして自分たちの恋をありきたりでない、特別なものにしようとしているのだ。

それなのにこのマネージャーは、旅に出る裕次郎をひたすら追っていくことになる。まるでものにとりつかれたように、執拗《しつよう》に彼を探し求める姿は、異様でもある。

「大変なものを引き受けてしまった……」

ため息が出たが、決して嫌なものではない。毎月毎月、映画を撮ってきた。脚本は機械的に渡され、簡単な打ち合わせがある。それだけだ。リハーサルもない。セリフを間違ったら撮り直しとなるが、信子は撮影の日までには完全に憶《おぼ》えていた。職業の慣れというのはすごいもので、どんな長台詞《ぜりふ》であろうと三回声に出して言えば憶えることが出来た。それに「渡り鳥」シリーズならば、もう女がどんなことを言うかもたいてい想像出来る。

「お願い、帰ってきて。私、ずっと待っているのよ」

といった類《たぐい》のことだ。原健三郎という脚本家が、一日ぐらいのスピードで書いていくセリフ

を、また同じ速さで信子は憶えていく。

が、この「憎いあンちくしょう」の台詞は、口に出して読んでも、女の像が浮かび上がってこないのだ。

「大変なことになった」

信子は唇を嚙《か》みしめたが、これは自分なりの武者ぶるいというものであった。もうじき自分は、裕次郎の前で、この台詞を口にするのである。

6

「さあ、ルリ子さん、今度はワンちゃんたちを抱いて、にっこり笑ってくださいよ」

「月刊平凡」の記者がカメラマンの傍でしきりと手をふる。

巨人軍の長嶋茂雄や石原裕次郎といったスターが次々と家を新築し、この頃雑誌でも「お宅拝見」といった企画が多い。

信子の買った調布の家は、決して豪邸というのではないが、庭が広く桜の木が二本育っている。そこに芝生を敷きつめ花壇をこしらえたのは、父の源二郎の趣味である。この頃は撮影所にもついてきてくれることがなくなった源二郎は、庭いじりが趣味となった。ひまさえあれば麦わら帽をかぶり、雑草を抜いたりしている。それと最近飼い始めたばかりの、二匹のヨークシャーテリアが源二郎の生き甲斐《がい》だ。手に入れたのは信子であるが、世話は専ら源二郎の係となり、だからこうして今日も一緒に写真に収まることになったのだ。

こんなことは珍しい。よっぽど二匹の犬が可愛いのだろうと、信子は母や姉妹たちと笑い合った。

犬と一緒にカメラの前に立つ、もうひとりの人物がいる。和田浩治だ。十八歳になる彼は、三年前にその容貌《ようぼう》から「裕次郎二世」として売り出された。確かに目のあたりがそっくりであるが、体も、漂わせている空気も、本物に比べるとはるかにひよわな感じがする。が、それが繊細さや甘さといえないこともなく徐々に人気が出始めた。会社側は裕次郎、旭、赤木圭一郎と続く〝ダイヤモンドライン〟として売り出している。

今日の「ルリ子ちゃんのおたく拝見」という企画も、会社側が望んで和田浩治とセッティングさせたのだ。

「みなさん、ご苦労さまでした。あちらにビールの用意がしてありますので、どうぞ一杯やってください」

撮影所に顔を出さなくなったといっても、相変わらず客好きの源二郎は言った。

「といっても、浩治君はまだ早いから、ジュースにしておいたよ」

「わあー、ひどいなあ。そんな意地悪をしないでくださいよ」

源二郎は、このやさしい性格の青年が気に入っていて、来るたびにからかうのだ。二人は藤棚のあるテラスから家の中に入り、信子もその後を追おうとした。

「あのさ、ルリ子ちゃん……」

「月刊平凡」の笹本が傍にすっと寄ってきた。彼はいわば「日活番」というべき記者で、俳優たちの信頼も厚い。これは書かないでくれ、といったことは絶対に書かない。それどころか、周囲の目を気にするスター同士の逢《あ》い引きに、取材を装ってついてきてくれることさえあるほどだ。

「あのね、これはあんまりすごい話なんで、とても本当だとは思えないんだよ」

こう断った後で、

「旭ちゃんのことなんだけどね」

と信子の表情を窺《うかが》う。二人の関係はもちろん知っているが、本当に別れたかどうかを探っているのだ。旭と信子の仲はもうとっくに終わったという説と、いや、まだ続いているのだという説とが業界で飛びかっているのを信子本人も知っている。

「いやあ、どこまで噂なのかわからないけれど、旭ちゃんが美空ひばりとつき合っていて、もうすぐ結婚するというんだよ」

「まさか」

思わず声が出た。ひばりが旭に気があって、何かと近づいてきているのは聞いていた。が、ひばりといえば大スターである。旭も今や知らない者がいない大スターであるが、ひばりの方は「国民的」という形容詞がつく。歌を出せば大ヒットし、東映の「べらんめえ」シリーズも大入り満員だ。

しかしひばりほどのスターになればしがらみも多く、バンドマンや中村錦之助《きんのすけ》との仲も、母親とコロムビアの首脳部の意向で別れさせられたと聞いたことがある。まだ若いひばりの肩に家族のみならず、レコード会社の運命がかかっているのだ。とてもふつうの結婚などのぞめない、というのが世間の見方だった。

「このあいだも守屋《もりや》浩クンや水原弘さん、三橋美智也さんなんかが飲んでいるところに、ひばりが旭ちゃんを連れていって、私のダーリンよ、今度結婚するの、って言ったらしいんですよ」

「まさかァ、そんなの冗談としか思えないわ」

決して嫉妬《しっと》でなく言った。天下のひばりが、それほど軽はずみなことをするだろうか。

「でも、来月の二十九日の誕生日に、婚約記者会見をするっていう噂があるんです」

「でも、それは噂でしょう」

「それがねえ、実は旭ちゃん、おたくの堀社長に仲人《なこうど》を頼んでるっていう話なんですよ。それでひばりくらいの大物になると、あっち側の媒酌も立てなきゃならない。あっちは大川東映社長っていうことで、どうもこの話、大川さんの方から流れてきているんで、そうまんざら出鱈《でたら》目《め》のような気もしないんですよね。まあ、旭ちゃんとひばりが本当に結婚するとなったらえらい騒ぎだ。きっと号外も出ますよ」

信子がもう返答しなくなったので、笹本はそそくさと家の中に入っていった。信子はひとり残される。裏切られた、という思いではなく、ただただ驚いていたのだ。

旭からひばりのことを聞いたのは、つい最近のことだ。その時の彼の口調では、大スターの気まぐれにふりまわされたという風であった。ひばりという名に畏怖《いふ》と好奇心を持っていこそすれ、女としての興味はまるで抱いていなかったはずだ。それなのにどうして、いきなり婚約ということになるのだろう。

信子はその夜、等々力《とどろき》の旭の家へ電話をかけた。彼も信子と同じように、家族とは別の電話を自分の部屋に引いている。が、夜、赤坂や銀座を飲み歩いている旭が十二時前に自分の部屋にいたためしはない。ところがまさかと思ってかけたのに、十時には部屋にいたのである。

「どうしたの。随分早いじゃないの」

「ああ、銀座の鮨《すし》屋で飯を食ったら何だか疲れてさ」

「ひばりと一緒だったのね」

一度でも仕事をした人間ならば、〝ちゃん〟や〝さん〟をつけるが、会ったことがないひばりはひばりだ。が、信子ばかりでなくたいていの者は、美空ひばりを呼び捨てにする。石原裕次郎が裕次郎と呼ばれるように、あまりにも大きなスターは、〝ちゃん〟や〝さん〟をつけると空々しくなってしまうのだ。

「ああ、ひばりもいたよ。おっかさんもいたけどね」

驚いたことに、旭もひばりと呼ぶではないか。

「ねえ、今日聞いたんだけど、ひばりともうじき結婚するんですって」

一瞬沈黙があり、次の言葉を信子は待った。

「まさか、そんなこと、あるわけないだろ」

「あのお姫さまの遊び相手になっているだけだよ」

こんなことを言うと思っていたのに、次の言葉が信子の耳を射た。

「だって仕方ないだろオー」

しかもそれは驚いたことに、悲痛な響きさえ含んでいるのである。

「俺にどうしろっていうんだよ。こうなったら仕方ないだろ」

「どうしたの、どうして仕方ないのよ」

「俺がよ、徹夜の撮影の後、うちで寝てたらよー、黒塗りのキャデラックが二台停まってよー、一台目からはひばりのおっかさん、二台目からは田岡さんが降りてくるじゃないか」

「田岡さんって誰のことよ」

「山口組の三代目だよ。日本一の大親分じゃないか」

ひばりがいる古い体質の芸能界では、そういう人々との関係は古くて長い。さまざまな興行を取り仕きっている。ひばりが田岡のことを「父親代わり」と公言しているのを信子も聞いたことがあった。

「あの大親分が、寝起きでぼうっとしてる俺に向かって言ったんだ。おい、天下のひばりがあんたに惚《ほ》れたって言ってる。一緒になってくれ、文句はないだろう……」

「そんな馬鹿馬鹿しい……」

いくら何でも話が荒唐過ぎる。昔から旭は相手を楽しませるために、かなり大げさに言う癖があった。

「いくら大親分の言うことだって、そんな一生の大事、すぐに返事が出来るわけないでしょう」

「それが、わかりました、って言っちゃったんだよなあ……」

終わりの方に、まるで歌うような節がつけられたのを信子は聞き逃さない。あの美空ひばりが自分に夢中で、どうしても添いたいと熱望しているのだ。困惑しているように見せて、内心は得意に違いない。

「じゃ、本当に結婚するの」

信子は自分でも声が高くなったのがわかった。ことの大きさに本当に驚いているのだ。旭が結婚するというだけでも大ニュースなのに、花嫁が美空ひばりとなったら、いったいどんな騒ぎになるのだろう。笹本が言うとおり、号外も出るはずだ。映画館のニュースでもトップになるに違いない。

ふと問うてみたくなる。

「ねえ、旭ちゃん、あなた、美空ひばりと結婚するっていうのが、どういうことかわかってるの」

「そりゃ、わかってるさ」

「こんなこと言って気を悪くするかもしれないけど、結婚の時だって、ひばりの名前が先に出るかもしれない。そういうことって耐えられるの」

ふと信子は、おととし行ったバンコック・ロケの時の、スチールカメラマンの言葉を思い出した。彼は信子と旭は結婚しない方がいいと断言した。

「スターはスターと絶対に結婚出来ないからね」

それなのに旭は、今スターとして頂点を極めている女と本気で一緒になる気でいる。単に映画スター同士の結婚というなら、石原裕次郎と北原三枝、昨年結婚した三橋達也と安西郷子、有馬稲子と中村錦之助といった例は多い。けれども旭の相手は、天才とも、女王とも呼ばれている女なのだ。

「あのひばりの旦那《だんな》って言われるかもしれないのよ。そんなことより何より、あのひばりが、本当に結婚出来るのかしら。料理つくったり、洗濯したり出来るのかしら。ま、料理は女中に任せるにしても、男の人に尽くすってことを知ってると思う？　子どもの頃から世の中に出て、みんなにかしずかれている女なんでしょう」

「仕方ねえだろ。もうおねんねしちゃったんだし……」

旭はそこで何か言いかけたが、それはあまりに品のないことだと気づいたらしい。その代わり、こっそりと声を潜めるようにして言う。

「あいつって可愛いところがあってさ、二人でいる時は絶対に美空ひばりじゃなくて和枝になります、なんて真顔で言うのさ。それから朝ご飯だけはつくりたい、そのために味噌汁《みそしる》のつくり方を習ってます、って手紙くれるしさァ」

「それって惚気《のろけ》っていうもんじゃないの」

「違うよ。美空ひばりっていうのは、世間で言われてるような特別の女じゃない。ごくふつうのおねえちゃんだ、っていうことさ」

「それで旭ちゃんは、本当にひばりのことを好きなの」

愛してるの、と続けて聞きたいところだがそれは呑《の》み込んだ。旭にとって非常にむずかしい質問だろうことは、聞く前からわかっていた。

「そりゃ、死ぬほど惚れてる、っていうわけじゃないよ。だけどこの頃は、可愛い女だな、好きだなあって思ってる。何しろ俺のために一生懸命やってくれるしな」

「ふうーん、好きっていうことだけで、人は結婚出来るものかしら」

これはあきらかに嫉妬というものだと思ったが仕方ない。旭に抱かれた時の記憶が、まるで映画フィルムの早まわしのように、次々と浮かんでくる。あの時、旭は自分のことを愛しているる、と言った。ルリ子ほど美しい女はこの世にいない、とも言った。旭は同じ言葉をあの美空ひばりに向かって口にしたのだろうか。照れで偽悪ぶっているがそうに違いない。

「たぶん出来るんじゃないのォ。人間一緒に暮らせば、情ってものもわいてくるしさ」

この言い方が、信子の何かに触れた。思わず早口になる。

「旭ちゃん、ひばりと結婚するなんて無理よ。日本一の大スターを女房にして得意がったって、そんなの一生続くはずがないわよ。旭ちゃん、すごくへんよ」

「そうかなァ。まあとにかく結婚はするよ。もう後戻りは出来ないもんな。結婚式は出てくれよな」

「行くもんですか」

と電話を切った後、信子は少し泣いた。思いもかけない涙に、信子は狼狽《ろうばい》してしまう。それほど旭のことを愛しているのかと問われたら、そうだと答えることはない。お互いに納得して別れたはずだ。しかし別れたといっても、十七歳の時からずっと共演してきた。物語の中ではいつも恋人となり、激しく抱き合い唇を重ねる、そんな映画を年に十本以上撮ってきたのだ。だから自分のことを、いちばんわかっているのは旭だという思いは強い。旭と別れてから、信子は他の俳優と時々短い恋をすることもあった。その男とのことを時々旭に話すこともある。旭の方も女のことは隠さない。自分からひけらかすことはないが、信子に問われるとめんどうくさげに喋《しゃべ》り始める。二人はもはや異性の親友のような間柄になり、これが昂《こう》じて共犯者になる時もあった。が、旭の結婚によってもうそんな関係も終わりだろう。妻という女がいる場所に電話をかけることもはばかられる。

旭は幾つになったろうかとふと信子は思った。二十四歳だ。自分は二十二歳と確かめ、悲しくなった理由がやっとわかった。もうどちらかが結婚する年齢になったのだ。自分たちの輝かしい青春は、もうこれで終わりとなったらしい。

その脚本《ほん》は、手にした時から今までのものと違っていた。台詞《せりふ》が極端に少ないのだ。ト書きには、「ひたすら車を走らせる」とあるばかりだ。

「ルリ子ちゃん、この映画《しゃしん》は演技をしなくていいからね」

と監督は言った。

「ただこの女になりきって、自然に動いてよ。後は遠くからカメラをまわしていく。そういう映画なんだ」

「演技をしないって、どういうことなのかわかりません」

決して不貞腐《ふてくさ》れて言ったのではない。信子はデビューしてこのかた、監督に、役について説明を受けたこともない。このヒロインはどういう女で、どういう風に生きてきたかと、今まで信子に語ってくれた監督は誰もいなかった。

それどころか、たいていの場合、信子の出る映画はリハーサルも行われない。脚本《ほん》合わせもない。ひたすら台詞を暗記してきた俳優たちがそこで言葉を発する。たぶんこうだろうと考えてきた動きをする。監督が気に入りさえすればそれでOKとなる。

他の映画会社の、名匠と呼ばれる監督たち、たとえば小津安二郎や溝口健二といった人たちは、本当に納得するまで何回も何回も同じシーンを繰り返すらしい。たったひと言の台詞のOKが出ず、何十回と撮り直すことになり、思わず泣き出してしまった女優もいるらしい。が、アクション映画が主流を占める日活で、そういった「芸術至上主義」はまずないといっていいだろう。いちいち役について深く考えていたりしたら、とても信子のように、年間十二本の主演などということは出来ないのだ。

もっとも男たちが演じる激しい乱闘シーンでは、綿密な打ち合わせが行われる。敵役の俳優たちと旭とが、本番前に真剣な面持ちで動きを確認するのだ。けれども信子の場合、そんなことを誰も要求しなかった。

「この街に。あなたみたいな人はいなかったわ……」

「でも私は待っている。どんなことがあっても、あなたがまたここに帰ってくるのを待っている」

前につぶやいたことのある台詞、どこかで聞いたことのある台詞、それを信子は舌にのせる。一字一句正確にだ。

しかしそれが誉められたことはない。ふと手にした「キネマ旬報」に、

「ルリ子がいつもの一本調子のセリフで旭を追いかけていく」

と書かれていたこともある。その時信子はへえーっと思った。自分はどうやら一本調子で台詞を言っているらしい。腹は立たなかった。それよりも自分もきちんと見られていて評価を下されているという安堵《あんど》があっただけだ。

信子は誰からも美しいと讃《たた》えられる。強い光をたたえた大きな瞳《ひとみ》、完璧《かんぺき》な形にそがれた鼻梁《びりょう》、

悩ましい曲線を描く唇。この国では、美しい女というのは薄い小さな唇を持っていることになっているが、信子の場合は違っていた。厚くてたっぷりと艶《つや》を持った唇が、なんとも官能的なのだとファンの男たちは言う。

映画を観る人々は、信子の魅力的な目や唇に熱狂する。顔だけではない。信子は脚が長く均整のとれた体をしている。今では信子の名は、美女の代名詞となっているほどだ。しかしほとんどの者が、信子がどう演技しているかを見ようとしない。信子はスクリーンにただ出ていればそれだけで拍手がわく。そして信子はさすらう男や、不器用な生き方をする男をやさしく受けとめる。時には伝法な口をきいても、いつも男を本気で愛し支えてやる女、それが信子だ。誰もそれ以上のことを信子に求めない。

しかし今度の監督は違っていた。

「今までルリちゃんが、これがお芝居だ、これが映画だ、と思っていたものを捨ててほしいんだ。ただその女に成りきってほしい」

「そんなむずかしいことを言われても……」

「じゃ、ルリちゃんはこの女、どういう女だと思う」

「賢くて、自信に溢《あふ》れていて、それからこの男に惚《ほ》れてるんだけど、あんまりそのことを出さない女かしら」

「そのとおりだ。この恋人たちは、自分たちのことをとんでもなく新しくカッコよくて、都会的な二人だと思い込んでいる。だからキスしたり、寝たりするのをやめてみようと思うわけだ」

「変わってるのね」

信子には理解出来ない。愛し合っている男と女が、そんなことをして何が楽しいのだろうか。

「まるでゲームね」

「そうなんだよ。この二人はずっとゲームを楽しんでいたんだ。けれどもこのゲームが破綻《はたん》する日がくる。それはね、本気で女が男を求めた時なんだ」

時代の寵児《ちょうじ》ともいわれるタレント、ディスクジョッキーをしたりテレビでコメントをしたりする人気者というのが裕次郎が演ずる男の設定だ。信子は最近売れに売れている、渡辺プロのブレーンたち、青島幸男や永六輔といった男たちを思い出した。永六輔が作詞した「上を向いて歩こう」は大ヒットして、今でも日本中の人々がこの歌を口ずさんでいる。きっとあの男たちに俳優の容姿を加えたスターということなのだろうと信子は合点する。

脚本《ほん》によるとその男はちょっとした思いつきから、山奥の村へジープを運ぼうとする。反対するマネージャーの恋人。しかし男はひとりジープでの旅を敢行する。必死でジャガーを運転し、追いかけていく女。

「この、男を追っていくうちに、女の心が変わっていく、どんなことをしてもこの男を離したくない、絶対に完全に自分のものにしたい、っていう気持ちが芽生えていくんだ。いいかい、これはね、東京のおしゃれな女が、次第に狂乱寸前になるまで男を追い求めていく物語なんだ。演技はしなくてもいいんだ。ただルリちゃんは、裕ちゃんのことを本当に心からいとおしいと思って、追っていってほしい。僕はそれを撮っていくだけだよ」

この映画ではカメラを固定して据えるのでなく、出来る限り手に持たせるという。最近は性能のよいものが出てきて、大人の男ならひとりで持ってまわしていくことが出来る。

「もちろんブレるし、とんでもない構図になっていくけれども、それでいいんだよ。ルリちゃん、今まで誰も撮ったことのない映画をつくろう。女の心のブレと揺れと一緒にカメラも揺れていく、素晴らしいことじゃないか」

この監督の言っていることは半分もわからない。よく家《うち》に遊びにやってくるスタッフたちも、酒が入るとすぐに映画論になる。父の源二郎はそれを楽しそうに聞いているのだが、信子はそういう理屈っぽい話がどうも苦手だ。酒を飲めないこともあって、そういう議論が始まるとすぐに自分の部屋に行ってしまう。

前からこむずかしい演技指導をする監督など、こちらからごめんだと思っていた。幸いなことに、男性中心のアクション映画が主流の日活にあって、そんなことを口にする監督はめったにいない。

それなのに、この男の言うことは、半分も理解出来ないものの素直に心にしみていくのである。それはところどころ、自分への讃美《さんび》が込められているからだろう。

「今回よくわかったよ。旭ちゃんや裕ちゃんの映画が大あたりしたのは、彼らのせいだけじゃない。ルリちゃんがいたからだ。そんなことはみんなわかっているはずだったのに、実はわかっていなかった。どの映画もね、旭や裕ちゃんが主役のようでいて、実は主役はルリちゃんなんだ。男たちのアクションっていうのは、ルリちゃんの静を引き出すための仕掛けなんだ。ルリちゃんの美しさは、映画の中では母性となって見る男たちを癒《いや》し、祝福していく。男たちはそれにぼんやりと気づいてたはずだ。ルリちゃんの魅力は母性なんだけれども、それは今までの日本の女優とはまるで違う。ルリちゃんの母性や美しさっていうのは乾いているんだ。フランスの女優なんだ。今度の映画で確信を持ったね。ルリちゃんがいるならば、まるっきり新しい映画が撮れる。今まで誰も見たことのないミューズを、僕の手で出現させることが出来るんだってね」

こうした監督の女優への讃美は、そのまま口説き文句となる。映画がクランク・インして二週間後、博多《はかた》のロケ地で信子はこの監督と結ばれた。

旭の他にも若い俳優と、二、三度短い関係を持ったこともあるが、監督というのは初めてであった。しかも相手には妻子がいる。こういう関係はもとより信子の好みではなかった。

「私は旭とのことで傷ついているんだろうか」

自分に問うてみる。

このあいだの旭の結婚の反響はすさまじく、それは当然信子にも飛び火した。

「旭とルリ子との結婚は、関係者の間でも秒読みとされ、ファンもみんな待ち望んでいることであった。それなのに旭は、長年の恋人ルリ子を捨てて、大スター美空ひばりを選んだのだ」

と書きたてた週刊誌もあり、旭の方へは祝福とはいえない言葉がいくつか投げつけられた。

「ひばりの名声と金に目がくらんだのか」

「男としての誇りはないのか」

信子は多くの人たちから聞くようになった。最初は旭の美男ぶりにぼうっとなったひばりの方から始まった恋かもしれない。けれども途中から、旭は男の面子《メンツ》にかけて、押して押して押しまくったのだ。二十五歳になろうとしている大スターといっても、ひばりは、あのお袋さんが目を光らせている。あちらのことは驚くほどねんねなのだ。男といえば、婚約していたというバンドマンくらいだったろう。中村錦之助とは噂はあったものの、このあいだ才色兼備の誉れ高い有馬稲子と結婚してしまった。あの三人娘も江利チエミ、雪村いづみと続々花嫁となって、残されたのはひばりだけだ。旭はそのひばりめがけて、正攻法で押していったのだ。今や人気絶頂のあの美男子に迫られて、ひばりが夢中になったのも無理はない。何でも、仕事をセーブしてもいい奥さんになりたいと言い出して、まわりもあわてているようだ……。

この話はあながちゴシップとはいえないだろうと信子は思った。旭がどれほど自尊心が強く、誇り高い男かということをよく知っているからだ。おそらく今度の結婚は、彼の男として、俳優としての全存在を賭《か》けたものであったろう。そしてその陰には裕次郎の存在がある。

裕次郎と北原三枝の結婚の時は大変な騒ぎで、記者たちが大勢押しかけた。「世紀の祭典」と書きたてたところもあったけれども、今回の旭とひばりの結婚にはかなうまい。なにしろ花嫁が美空ひばりなのだ。花婿の旭と裕次郎を比べれば勝負は見えているが、花嫁のすごさがすべてをひっくり返した。旭の結婚式の会場は日活ホテルで、仲人《なこうど》は日活の堀社長と裕次郎と同じだ。が、招待客は旭の方がずっと多い。おそらく報道陣の多さも、旭の方が上であろう。旭はこうやって、裕次郎という存在に、一矢むくいたはずだ。スターというのはそういうことをするものなのだ。

おかげでわりを喰《く》ったのが信子である。気がつくといつのまにか信子は、

「ひばりのために、旭に捨てられてしまった女」

ということになってしまったのだ。誰も言わないけれども、その空気は伝わってくる。信子

は本来、他人の評判に頓着《とんちゃく》しない女であるが、それはあまり愉快なものではなかった。

自分と旭とは、納得ずくで別れたはずだ。結婚を約束していた時期もあったけれども、旭の女性関係にすっかり嫌気がさしたし、自分たち二人がこのままうまくいくとは思えなかった。旭と自分との関係は主役スターと、その相手役女優ということで、常にうまく均衡が保たれていたのだ。これが崩れた時に別離がやってくるのは目に見えていた。あのスチールカメラマンの言う、

「スターはスターと結婚出来ない」

の法則は正しいのだ。しかし旭はその法則をこうひっくり返した。

「が、スターは大スターとなら結婚出来るかもしれない」

今のところひばりの大きさは、夫になる旭を萎縮《いしゅく》させていない。それどころか男の自信を誇示することになったのだ。それでいいではないか。旭はそういう男なのだし、それで幸せになるならいいではないか……。

が、信子は自分のこうした心の経過を人に話したりはしない。昔からそうだ。だらだらと、男のことや仕事の相談をする仲間が信子には信じられなかった。ましてや女優同士なのだ。相談したことが外へすぐに伝わるのは目に見えている。だから信子はデビューした時から、自分の心のうちを決して人に打ち明けたりはしない。今度のこともそうだ。それなのにまわりの人たちは、おかしな具合に気を遣い、旭とひばりの結婚というこの大ニュースの話題を避けようとしている。

こんな中、なんの屈託もなく話しかけてくるのはやはり裕次郎その人であった。

現場で初めて顔を合わせた日、彼は声を潜めるというのではなく、が、他の人たちに聞こえない声でこう語りかけた。

「旭はいったい何を考えてるんだか、驚いたぜ。よりによって美空ひばりと結婚なんて。世間を驚かせようと仕組んだこととしか思えないよ。いったいルリちゃんとのことをどう考えてんだか」

「知らない」

信子は微笑んだ。

「終わった人のことなんか知るもんか」

「そりゃ、そうだ」

裕次郎は八重歯を見せて笑った。昨年のスキー場の大ケガ以来、彼は少し痩《や》せたがそれで精《せい》悍《かん》さを増すこととなった。

「それにしても今度の映画はきつそうだな。脚本《ほん》読んだけど、何が何だかよくわからないよ」

「私だってそう」

「とにかく俺はジープをかっとばす。ルリちゃんは俺を追いかける。そういう映画だろう。うちで撮る初めてのヌーヴェル・ヴァーグっていうやつらしいが、あんなに台詞《せりふ》が少ねえと役者はとまどっちゃうよ。ラクなのか、むずかしいのか少しもわからない」

そしてロケに入ってから、この映画がとてもきつくむずかしいのだということを信子は実感した。驚くほど群衆ロケが多いのだ。東京の丸の内で、裕次郎を追っていく信子、やがて彼の意志が固いことを知り、絶望のあまり跪《ひざまず》く。

「何だよ、この女」

「いったいどうしたんだ」

けげんな顔でとり囲む人々。この時はエキストラが多かったのでまだよかった。いちばんとまどったのが、博多山笠でのシーンだ。祭りのただ中に、信子が乗ったジャガーは入り込んでいく。たちまち起こる抗議の声。

「いったい何してんだよォ」

「このバカ女」

人々の非難の声にめげて、信子は車を捨てなくてはならない。人混みをかきわけかきわけ前に進む。途中人にこづかれ、祭りの水もかけられる。信子は倒れる寸前だ。

「『黒いオルフェ』のあのイメージで撮りたいんだ。群衆がいつ牙《きば》を剝《む》いて襲いかかってくるかわからない、という恐怖の中、ひたすら歩いていくんだ」

「黒いオルフェ」という映画は観たことがないからわからない。これは踊りの「お夏狂乱」ではないかと信子は考える。男を追う、ということはそれだけで女を狂わせるのだ。本来ならば、女は愛され、大切にされ、乞《こ》われなければならない。それなのに相手がこちらを愛してくれるよりも、こちらの方がはるかに相手を愛していることに気づいた時、女は少しずつ心をきしませていく。相手を疑い、相手を追い、相手を責めていくのだ……。

そんなことに気づいていく信子に、祭りの男たちは水をかけていく。エキストラとして頼んでいるはずだが、彼らの表情はそんな使命をとうに超えている。

「ルリ子だ」

「本物のルリ子だ」
と彼らの顔は本能のためにたちまちゆがんでくる。この祭りに女と子どもがいなかったら、自分はたちまち彼らに襲われるに違いない。そんな恐怖と水の冷たさのために、信子は今にも倒れそうだ。ふらふらと群衆の波をかきわけて歩く信子を、最新のハンディカメラが追ってい
く。
髪も服も濡《ぬ》れて体に貼りつき、信子のきゃしゃな体からは信じられないほど大きな乳房をき
わだたせる。そして信子から漏れる言葉はもう台詞ではない。
「お願い——さん、行かないで、行っちゃいや」
主人公の男の名をつぶやくのだけれども、その固有名詞は空しい。女優になってからずっと、
多くの架空の男の名を叫び、呼んできたけれども、こんなに嘘っぽちだと思うことは初めてで
あった。
「お願い、行っちゃ、いや、行かないで。行かないで……」
これは今、信子の本心の叫びなのだ。七年間も女優をやっていて、今、本番の最中に初めて
自分の言葉を喋《しゃべ》ってしまった。だから映画の中の男の名前が、これほど空々しく響くのだ。
「お願い、お願い、行かないで……」
それは旭に向かって呼びかけているのだろうか。裕次郎なのか。それとも恋人になったばか
りの、カメラの後ろにいる監督なのだろうか。
信子は歩く。監督の狙いどおり、思うとおりの動きをする。不思議なことが起こった。行か
ないでとつぶやいているうちに、やがて爽快《そうかい》感がこみあげてきたのだ。

屋台の前に今度は女たちの群れがあった。本物の浅丘ルリ子を見る晴れがましさと困惑とが、女たちの表情を鈍いものにしている。みんな照れたように笑っているのだ。

信子は感じる。演じながら、本気になりながら、狂ったふりをしながら、この人々の山を乗り越えていかなければならない。それが、きっと、演技者というものなのだろう。

信子の想像以上に、旭の結婚式の騒ぎはすさまじいものがあった。当日、日比谷の日活ホテルの前には、詰めかけた報道陣とヤジ馬のために、近くの丸の内署から何人もの警官が派遣されたほどだ。

角かくしに白むく姿のひばりは、濃い化粧をほどこされ、どの映画に出演した時よりも美しかった。その傍に紋付袴《はかま》姿の旭がいた。が、「貫禄《かんろく》負け」という感は誰しもが持ったであろう。旭の凛《り》々《り》しい美男ぶりは紋付によってますます引き立っていたが、ひばりの輝くばかりの美しさには誰もが息を呑《の》んだ。まるで新宿コマの舞台で、万雷の拍手を受けているかのようだ。扇を持ちすっくと立っている姿には、気品と自信が溢《あふ》れている。その姿に向かって、パチャパチャと真昼のようにフラッシュが焚《た》かれていく。

「まるでひばりの撮影会みたいだな」

信子の隣にいた、中年のベテラン俳優が話しかけた。

「ひばりは、この白むく姿を撮ってもらったら、もうこれで気が済んだって気がしないか」

信子はふふっと軽く笑う。確かにそのとおりだと思った。旭はといえば、緊張しているのを見られまいとするあまり、かえって体が硬くなっているのがわかる。艶然《えんぜん》と、という言葉がぴったりに微笑むひばりの傍で、ぎこちない笑いが口元に貼り付いている。

招待客は四百五十人、今日は日本中の人気者がここにやってきたといってもいい。日活のスターは長門裕之に信子、そして三橋達也、歌手の方は、三橋美智也、江利チエミ、雪村いづみといった面々だ。

披露宴の席上で、二人がつくったという歌が発表された。このスター二人が結婚にあたって、相聞歌という古式ゆかしいことをしたということに人々は拍手し、そしてかすかに苦笑した。

「まるで皇太子と正田美智子さんみたいだな」

と皮肉屋の俳優はまたささやいたものだ。

ひばりから旭へは、

「我が胸に　人の知らざる泉あり
つぶてをなげて乱したる君」

とあり、旭からひばりへは、

「石を持ち　投げてみつめん水の面
音高き波　立つやたたずや」

結構うまいや、どうせ誰かにつくらせたんだろうと、またくだんの俳優は言ったが信子はそうは思わなかった。ひばりの達筆なことと筆まめさを旭から聞いていたせいもある。「つぶてをなげて乱したる君」というのは、おそらくひばりの実感であったろう。彼女の方の参列者には、片岡千恵蔵、大川橋蔵、大友柳太郎《りゅうたろう》、といった時代劇のスターが並んでいたが、誰もが歌舞伎や旧《ふる》い映画界をひきずっている男たちだ。共演者のひばりのことを「お嬢」と呼び大切に扱っていたに違いない。そこへ突然、長身の美貌《びぼう》の青年が現れたのだ。ふてぶてしく我儘《わがまま》で、何ものにもとらわれない男は、ひばりにとってさぞかし魅力的に見えたはずだ。日活という輝かしく清新な映画会社が生み出したスターは、それまでひばりの知っているどんな役者とも違っていただろう。

来客の祝辞が終わり、最近欠かせないセレモニーとなったケーキカットが始まる。八十八社、三百人を超えるという報道陣がこの会場に入れるわけもなく代表取材だ。けれどもフラッシュが焚かれるたびに、旭の顔はいっそうこわばっていくようだ。裕次郎の披露宴は海外ロケで行けなかったが、後で見るとどの写真も実に嬉《うれ》しげな表情だ。花嫁とは既に同棲《どうせい》していることもあって、二人ともしっとりとした仲睦《なかむつ》まじさだったと誰もが言う。

その裕次郎は今日、仕事のためにこの場にいない。よって外で待つカメラマンのめあては、旭の恋人と目されていた信子ということになる。信子は銀座の洋装店でつくったピンクのカクテルドレスを着ている。髪は高く結い上げ、模造のダイヤをつけた。七月公開されたあの映画は、「新感覚の傑作」「日本で初めて現れた本物のロードムービー」と大変な評判だ。おそらく信子は、今年の映画賞の多くにノミネートされるはずである。

信子はにっこりと微笑みながら、二人のケーキカットを見守る。自分の人生に旭は不要だとはっきりとわかる。それがもう少しも淋《さび》しくはなかった。

7

信子が初めて美空ひばりと会ったのは、彼女が結婚した次の年のことであった。旭との結婚を内々で祝おうと、裕次郎が内輪のパーティーを開いたのである。

正月ということもあり、ひばりは羽織を着ていた。友禅の華やかな柄は、くっきりした目鼻立ちの彼女によく似合っていて、信子はひばりが予想以上に美しいことに驚かされる。肌が綺《き》麗《れい》で、赤く塗った口紅がいかにも新婚の女らしい。

「まあ、ルリ子さんね」

ひばりはまじまじと信子を見つめた。その声は映画で聞いていたとおり、太くて艶《つや》があった。

「私はあなたの大ファンだったのよ。『渡り鳥』シリーズはずっと観ていたし、それよりも『絶唱』は素晴らしかったわ。あの映画を観て、私、何度も泣きましたもの」

「まあ、ありがとうございます」

大スターのあまりにも無邪気な賞賛に、信子はとまどってしまう。何か裏があるのではと思ったほどだ。けれどもひばりの瞳《ひとみ》は大きく見開かれ、自分の崇《あが》めるものに出会った喜びできらきら光っている。天下の美空ひばりがこれほど無防備に人に近づいてくるとは考えたこともなかった。

「こいつってさ……」

傍に立った旭が口をはさむ。

「今日、ルリ子に会うのを本当に楽しみにしていたんだぜ。裕ちゃんの家に行くのも興奮してたけど、本物のルリ子さんに会えるのねって、昨日からそわそわしていてさあ」

「だって私、映画で見るたびに、こんなに綺麗な人がこの世にいるのかしら、って本当にびっくりしてしまったんですもの」

信子は人の心の裏を読むのが大の苦手であるが、この言葉をまっすぐに受け取っていいのかどうか途方にくれる。まさかひばりが、自分と旭との仲を知らなかったわけではあるまい。ただの共演者の域を超えて、二人が恋人同士だったという事実は田舎の小学生でさえ知っていたはずだ。

旭が嘘をついてひばりをうまく丸め込んだ、という風にも思えない。考えられることは、ひばりが夫の過去にまるで頓着《とんちゃく》しない女だということ、あるいは、旭と結婚したという完全勝利によって余裕を見せていること、このどちらかであろう。本能的に、信子はたぶん前者であろうと思った。

「さあ、何もないけれど召し上がって頂戴《ちょうだい》」

まき子が食堂へと招き入れる。まき子は長い髪をばっさり切ってショートカットにしていた。流行《りゅうこう》のセシールカットは、首が長く顔が小さいまき子によく似合っていた。ほとんど化粧をしていないのに、白い肌が内側から照り輝いているようだ。結婚して三年、子どもはまだ出来ないけれども、石原夫婦の幸せな様子は、いろいろなところから伝わってくる。信子は、ひばりにはまるで嫉妬《しっと》せず、別の女を観察し続けている自分に気づいた。女中たちが次々と料理を運んでくる。おせち料理やちらし寿司《ずし》、ローストビーフは、すべてまき子の手づくりだと夫は誇らかに言った。

「マコはさ、やるとなるととことんやるからな。絶対に手抜きっていうことをしない。おととしの看病だってすごかったぜ。医者や看護婦も、ここまでする奥さん見たことない、って驚いていたもの」

アルコールが既に入り、自分の家だということもあって、今夜の裕次郎はいつもよりも饒舌《じょうぜつ》だ。

「俺がさ、ベッドに寝たきりになってただろ。ウンコが出そうになったんだけど、おまるが間に合わない。そうしたらマコ、両手で受け止めてくれてさ、ナイスキャッチ、って言ったんだから、あれにはじーんときたなあ」

「あなた、やめなさいよ、みなさんお食事前よ」

まき子がたしなめた。

「いいじゃないか。夫婦っていうのはそれだけ有難いものだって、新婚の夫婦に教えているんだから」

旭とひばりは、ふふっと顔を見合わせて笑い合った。旭を見る時、ひばりの目がねっとりとした光を帯びる。もう何度も、何十ぺんも体を重ねてきた女の目になっている。

「でもね、私、裕《ゆう》さんって本当にえらいと思うの。あのスキー場で衝突した時、ぶつかってきた女の人に、こう言ったのよ。君はすぐここを立ち去りなさい。もうじき人がきて、大変なことになるからって。あんな大ケガをしても、すぐ裕さんって相手のことを考えるんだから……」

まき子の目はうるんでいる。そして夫の腰に手をやった。

「本当に、どうしようもないくらいいい人なんだから……」

はからずも二組の夫婦が愛情を競い合う場に、信子は居合わせてしまったことになる。

やがて酒が次々と抜かれた。ビールや日本酒の他に、高価な洋酒もどっさりと用意されていた。客は二組の夫婦の他に、信子と三人の俳優と監督。誰もが旭の親しい者ばかりだ。ひばりの側の人間は誰もいない。信子は噂に名高いあの母親を見られないのだと少しがっかりした。

「それじゃ、旭とひばりのために乾杯しよう」

この後、旭がすかさず言った。

「それから石原プロモーションの設立、おめでとうございます」

裕次郎が満足げに頷《うなず》いた。裕次郎は今年、プロダクションを立ち上げ、長年の夢だった映画製作に乗り出すのだ。その第一作として、堀江青年のヨット太平洋横断を描いた「太平洋ひとりぼっち」が企画されていると、先日新聞に発表されたばかりだ。

「おめでとうございます」

ひばりがやや遅れて唱和した。いや、遅れてはいないのかもしれない。彼女の声だけが、他の者と全く違う質を持っているので、ひとりはずれてしまうのだ。

「裕ちゃんが映画をおつくりになるなんて素晴らしいわ。役があったら、私もぜひ出してもらいたいな」

が、妻のこの社交辞令を、旭は激しく否定した。

「バカ、そんなもんがあるわけねえだろう。どうしてヨットの映画に、お姫さんや、三味線持ったねえちゃんの出番があるんだよ。だいいち、五社協定があって、お前が日活の映画に出られるわけないだろ」

「いや、いや、日活じゃなくて、石原プロの映画だったら出られるかもしれない。ひばりちゃんが出てくれたら、いいだろうなァ。お客がどっと入ること間違いなしだ。回想場面で、堀江君の恋人としてひばりちゃんに出てもらおうかな」

裕次郎が冗談めかして言ったので、やっとその場はなごんだ。

旭の見栄っぱりのところが、悪い方に出なければいいのにと信子は思う。ひばりの亭主として肩肘《かたひじ》を張ろうとしているのが、信子には手に取るようにわかる。

日本一の歌手というだけではない。美空ひばりは日本一のスターだろう。日本一はもうひとりいて、それは石原裕次郎だ。この二人が両の王者といっていい。ひばりは歌うが映画にも出る。裕次郎は映画スターだが、歌も歌う。こうして二人は総合的に人々の心をつかんでいくのだ。

ところがあの時期、裕次郎は後からやってきた旭に追い抜かれたことがある。「渡り鳥」シリーズの大ヒットにより、旭は大きく跳躍した。そしていつもは裕次郎が一位の雑誌の人気投票が旭になった。その時、女性の第一位になったのがひばりだ。二人は一位同士の雑誌の対談で知り合ったのだ。あの時、もし、裕次郎がいつものように一位を獲得していたら、旭とひばりの二人の出会いはなかったかもしれない。

信子が見るところ、ひばりはその運命をたっぷりと享受していた。旭を見る顔がいかにも蕩《とろ》けそうだ。彼女が旭に夢中なのはすぐに見てとれた。旭が裕次郎と同じようにベッドで大便をしようとしたら、すかさず手を差し伸べるにちがいない。

「それでさ、ひばりちゃん、いや和枝ちゃんは料理の方はどうなんだ」

まき子がつくったハイボールを片手に、裕次郎はとても機嫌がいい。旭とひばりというカップルを面白がっているようだ。

「結構やってるよ」

と旭はめんどくさげに言った。

「このあいだは、何ていったかな、ビーフストロガノフってやつをつくってくれたな」

「ほう、すごいなあ、西洋料理か」

「もっとも台所に、付き人が二人いて一緒に頑張っていたけどね」

その場にいた人たちはみな笑ったが、それはとても温かいものであった。まき子がその気持ちを代表して言う。

「すごいわ。天下のひばりさんが台所に立ってご飯をつくるなんて、よっぽど旭さんのことが大事なのね」

「やりたいからやってんじゃないのォ」

旭は得意さと照れが入り混じった偽悪的な言い方をする。

「いっぺん人の奥さんっていうのをやってみたかったんだと思うよ。エプロンかけて、台所で包丁をトントンやるっていうやつ。まあ、飽きちゃったらどうするかわかんないけどさァ」

一瞬座が白けたが、それを取りなしたのはやはりまき子であった。

「好きな人の料理をつくるのが、飽きるもんですか。ねえ、和枝さん」

やがて裕次郎が部屋にある最新型のステレオでレコードをかけ始めた。ハリー・ベラフォンテの歌声が流れ始める。さあ、おいでと裕次郎はまき子を手招きした。二人は流れるような自然さでしっかり抱き合い、踊り始めた。

「新婚さんもどうぞ」

「いや、いや、遠慮しとくよ。踊るなんて柄じゃないから」

赤坂のクラブで、ホステス相手に一晩中踊っていた旭があわてて手をふる。人々は酒や料理を口にしながら、裕次郎とまき子の踊る姿を見ることになった。

裕次郎は、大ケガをした右足をまだひきずるようにしている。それを庇《かば》うようにまき子はゆっくりゆっくりとステップを踏む。二人の体はぴったりと密着し、自分たちの世界に入っているのがわかった。

「なんて仲がいい二人なのかしら」

いつのまにかソファに腰かけていた信子の傍《そば》に、ひばりが来て座っていた。

「本当に絵になる二人よね。お互い、好きで好きで仕方ないっていう感じ」

「あら、そちらもそうでしょう」

思わず出た自分の声がとても軽く、空々しいことに信子は少し恥じた。

「あんなにすごい結婚式を挙げて、みなに祝福されて、本当に羨《うらや》ましいわ。私なんか、いつ奥さんになれるかわからないもの」

信子は今のところの恋人である監督のことを思った。もちろん相手には妻と子どもがいる。が、そこから男を奪おうなどと、一度も考えたことはなかった。もう既に人の持ちものになっている男を自分のものにしよう、などという考え方はとてもさもしいことだ。男を奪う時は、その男が独身でなくてはならない。こちらもひとり身で、奪う相手の女もひとり身、すべてが独身であるという条件のもとで、初めて公平な戦いが行われるのではないだろうか。

「ねえ、旭さんってどんな人なのかしら」

ひばりが突然問うてきたので、信子は自分の心の内を見透かされたのかと思ったほどだ。

「どうって、ひばりさんが思っているとおりの人よ。我儘《わがまま》で男っぽくて、そしてやさしいところもあって、まあ、やんちゃ坊主がそのまま大人になったような人ね」

「私、よくわからない時があるの」

ひばりは眉《まゆ》をひそめた。かなり流行後れの太い眉だ。着物には合うかもしれないが、ドレスを着た時は、かなり古めかしい印象になる。江利チエミ、雪村いづみの三人が活躍していた頃、ひばりがいちばん老けた印象を与えたのは、この眉のせいだったかもしれない。

「時々なんだけれども、さっきみたいに、私にとても意地の悪いことを言うような時があるの。それも人がいる時に限ってよ」

「それは仕方ないでしょう。旭ちゃんはね、とにかくプライドが強い男なのよ。みんなに美空ひばりは、自分の女房だ、自分が亭主だ、っていうことを言いたくてたまらないのよ。そのくらいはわかってあげて」

「でもね、料理やお洗濯のことを、あれこれ言われるのはつらいわ。私は子どもの頃からずっと働いてきたから、家のことなんか何も出来ない。だから女中にやらせると、それも気にくわないみたいなの。とにかく私がやらないと気が済まないのよ」

「旭ちゃんらしいわ」

自分たちの別れた原因を教えてやりたいぐらいだ。知り合いのカメラマンに、

「スター同士はうまくいかない。スター同士が結婚出来るはずはない」

と言われたのがきっかけだ。それなのに旭ときたら、とんでもない大スターと結婚したのである。そしてあぶなっかしいながらも結婚生活はスタートし、ひばりは旭のために料理をしているという。が、彼はそれだけでは満足していないようだ。「もっと、もっと」と、ひばりの多くの部分を要求し、空っぽになった彼女の心と体を和枝という女で充《み》たそうとしているかのようだ。

「私もちょっと不安でね。だから籍をまだ入れないでいるの」

「えっ」

信子は驚いた。戸籍などというものは、結婚した瞬間に自動的に入るものだと思っていたからである。

「そんなことってあるの。だってもう式を挙げて二ヶ月じゃないの」

「うちのママもね、そのまま加藤和枝にしておけって。この先、何があるかわからないから、籍をいじらない方がいいって」

変わった母子《おやこ》だと思った。あれほど華々しい結婚式を挙げながら、その一方で「何か」を予想しているらしい。

「旭ちゃんはそのこと、知ってるの」

「あの人は、戸籍なんか見るもんですか」

その笑顔が淋《さび》しげに見えた。

「なんかうまくいえないけど、あの人って、心ここにあらず、っていうところがあるのよ。私との結婚、喜んでいるのか、そうでないのか、まるでわからない」

「そりゃあ、喜んでいるはずよ。ただ、旭ちゃんって、ものすごい照れ屋のうえに、男の自尊心っていうことにこだわる人だから。見かけはあんな綺麗《きれい》な若い男なんだけど、中身はまるで明治生まれのおじさんよ。だから、そのへんわかってあげて頂戴《ちょうだい》」

「ふうーん」

ひばりは頷《うなず》いたが、その動作はあどけないと言ってもいいほど邪気がない。世間では国民的歌手といわれていても、子どもの頃から、まわりの人に大事にくるまれて生きてきた。中身はまるで何も知らないねんねのねえちゃんだ、という旭の言葉を信子はなるほどと思う。

「ルリ子さんって、本当にあの人のこと、よく知ってるわ」

「そりゃあ、そうよ。十いくつの頃からずっと一緒に映画を撮ってきたのよ。もう兄妹《きょうだい》みたいなもんよ」

いくら鈍い女でも「兄妹」という言葉にわざとらしさを感じるだろうと思ったがそうではなかった。

「そうよねぇ、だからあの人は、ルリ子さんのことを大切にしているんだわ」

頷き、そしてこう言う。

「ねえ、ルリ子さん、これからもいろいろと相談にのって頂戴。電話をしてもいいかしら」

「もちろんよ」

電話番号は旭が知っていると言いかけて思い直し、信子はテーブルに置かれた紙ナプキンに番号を書いた。

「私、案外家にいるのよ。これ、私の部屋の直通になっているから、夜中でも遠慮しないで頂戴ね」

「ああ、ありがとう」

ひばりが大切そうにそれを受け取った。

「私、手紙も書くわ。今日は会えて本当に嬉《うれ》しかった。私ね、ダーリンとルリ子さんの映画、何本も観たの。『絶唱』を観た時は、すうって心がどこかに行くような気がした。世の中に、こんなに美しい男と女がいるんだろうかってびっくりした。あの映画を観て、自分もルリ子さんのようになりたいって思う気持ちが大きくなって、あの人を好きになったのかもしれない。だけど映画のルリ子さんも綺麗だけれども、本物もなんて綺麗なの。まるで宝石みたい。私、ルリ子さんに会えてよかったわ。本当に本当によかった……」

歌う声も素晴らしいが、ひばりのささやく声は、低く甘く心の奥深いところにしみわたるようである。ひばりに「なんて綺麗な人」と言われると、信子は本当にそうなのだと思う。男からの賞賛は慣れていたが、女がこれほど熱心に言ってくれたことはない。

「本当にルリ子さんって綺麗な人」

しかしその時、信子は過剰なほどの賞賛の陰に、ひばりのほのかな孤独を見たような気がした。

日本の映画が下降線をたどっているのは誰の目にもあきらかだった。そしてそのスピードは予想よりもずっと速かった。高価なテレビはまだまだ普及しないというのが、映画人のおおかたの予想だったのだが、人々はこつこつと貯蓄をし、あるいは月賦を組んで念願のテレビを手に入れていく。

ついこのあいだまで街頭テレビに人々が群がっていたのだが、それはいつのまにか近所のテレビ見物に変わった。テレビのある家に夜な夜な集まり、大人も子どももプロレス観戦に興奮したのだ。そして気がつくと、どこの家の茶の間にも、テレビが置かれるようになった。自分の家に座り、チャンネルをまわしさえすれば、いつでもドラマや歌謡番組を観ることが出来る。あっという間に街から映画館が消えていった。少し前まで人々は、夕飯を食べると散歩代わりに近くの映画館へ足を向けたものだ。そこでチャンバラ映画やメロドラマを楽しむ。子どもはすぐに飽きて親の膝《ひざ》の上で眠るけれどもどうということはない。おぶって家に帰ればいいのだ。

しかしもう夕食後、人々は家から出ない。家にいて好きなチャンネルをまわす楽しさを知ったからだ。「若い季節」「夢であいましょう」、野球中継と、魅力的な番組も増えていく。

大手の映画会社は、どこも赤字を計上した。老舗《しにせ》の松竹では、会社を立て直すために、城戸《きど》四郎が再び采配《さいはい》をふるうことになるだろうと噂されている。

映画の製作本数は激減していた。年に十本も十一本も出演していたのが、ずっと遠いことのようにさえ思えてくる。信子はまだあの監督と切れてはいない。別れる理由がないからだ。監督はたくさんのことを教えてくれる。ベルイマンやオーソン・ウェルズの映画を観るようにと言い、そしてミレーヌ・ドモンジョという女優の名を教えてくれたのも彼であった。

「とにかく君にそっくりなんだ」

大きな目とふっくらした唇が、本当によく似ているという。

「おそらく世界で通用する女優といったら、君くらいだろう。ルリ子だったら、アメリカへ行ってもフランスへ行っても、きっと認められるはずだよ」

そのために英語の勉強はしておくようにと言われたので、信子は週に二度、個人教師に来てもらうようにした。こんなことが出来るのも、以前ほど忙しくないからだ。年に十一本出演などということがよく出来たものだと、心から思う。

今年から旭主演の「渡り鳥」シリーズのヒロインは笹森礼子になっている。瞳《ひとみ》の大きなこの若い女優を、どうやら会社側は「第二のルリ子」として売り出すつもりらしい。そして意外な動きを見せているのが吉永小百合である。山の手風の美少女であるが、全体的にもっさりしているという評判だった。いつも楽屋で勉強ばかりしている。入社の日が高校の入学式で、名門都立高校へ合格していたのだ。しかし忙しさのあまり、私立の高校への転校をよぎなくされた時はずっと泣いていたというのは誰でも知っている話だ。撮影所のスタッフたちも、

「あの子はいっそ女優なんかやめて、学校の先生になった方がいいのに」

などと噂していた。ところがこのあいだの「キューポラのある街」で、彼女の人気は沸騰した。およそ芸能人には向いていないといわれていた生まじめさが、スクリーンでは清楚《せいそ》でひたむきな魅力となった。このところは浜田光夫や高橋英樹と組んでの、主演作が目白押しだ。

今や吉永小百合こそが、斜陽の日活の、いや日本映画の救世主だと言う声さえ出ている。そ

うかといって信子がないがしろにされているわけではない。「渡り鳥」シリーズのヒロインの座を譲り渡したものの、信子が日活の女王であることには変わりはなかった。恋人の監督は言う。

「ルリ子が大物になり過ぎたから、もう気軽には使えないっていうことなんだ。誰にだって便利にやたら使われる時代がある。ルリ子はもうそういう時を通り越したっていうことなんだよ」

旭との共演がほとんどなくなった代わりに、石原裕次郎とのコンビがまた復活した。信子の成熟した美しさが、裕次郎の年恰好《かっこう》に合ってきたのだと、まわりの人々は言う。

「うちの第一作、絶対にルリ子、出てくれよな」

前から頼まれていた裕次郎との約束も果たした。昨年設立された石原プロモーションが、いよいよ映画製作に乗り出したのだ。

「これからの俳優は、与えられた仕事をただこなすだけじゃいけないんだ。自分で企画を立てて、自分で金をひねり出して、自分のつくりたい映画をつくる。俺は絶対にやってみせるよ」

おそらく日本映画を代表する人間としての自負が、裕次郎をそうした思いに駆り立てたのだろう。同じような考えを持った大スターに三船敏郎がいて、石原プロモーション設立一年前にやはり三船プロダクションを立ち上げている。

そして裕次郎が選び出したのが、ヨットの世界だ。おととし、単独太平洋横断に成功した堀江謙一のことを映画にすると発表した時、多くの人は驚いたものだ。百日近くもヨットに揺られ、出てくるのは海とカモメばかり。そんなものが映画になるのかというのだ。けれども裕次郎は、これに回想シーンをつなげることで、見ごたえのある映画になると主張した。そしてその回想シーンに、妹の役で出てくれと信子に懇願したのである。

「今度は恋人じゃなくて、裕ちゃんの妹なんだ」

信子が笑うと、

「まあな。堀江っていう男、何度か会ったけど相当の変わり者だよな。あんなでっかいことをするには、やっぱり相当の変わり者じゃなけりゃ駄目なんだろうな。とにかく恋人なんかいるようなタイプじゃない。甘いロマンスなんか入れたら、絶対に嘘っぽくなる。だけどルリ子にはどうしても出てほしいから、ルリ子を妹にしたんだ」

それからさ、と裕次郎はつけ加えた。

「ギャラは友だち値段にしてくれよな。独立プロダクションっていうのは金がないんだよ。成《せい》城《じょう》の家《うち》を抵当にして金をつくったんだけど、客の入り次第じゃどうなるかわからない。そんなわけで、ルリ子、よろしく頼むぜ」

「わかってるわ」

しかしスタッフには手を抜けない。監督は一流を頼んだと、裕次郎が口に出したのは市川崑《こん》である。「ビルマの竪琴」でその地位を不動のものにした市川は、妻でもある脚本家の和田夏《なっ》十《と》と組んだ「野火」や「鍵」で、「キネマ旬報」ベスト10の常連である。このあいだは岸恵子、田中絹代らと大映で「おとうと」を撮ったが、これも名作の呼び声が高い。文芸路線ばかりで、信子には初めての監督であった。ひょうひょうとした人柄で、演技にはそううるさいことを言わない。信子は最初のうち、自分がアクション映画出身なので、相手にされていないのではないかと勘ぐったほどだ。

信子のシーンは屋内ばかりなので、海のシーンのことは全くわからない。スタッフから聞いた話によると、市川監督の演出と、山崎善弘のカメラが素晴らしく、海はもちろん、狭いヨットの中の撮影もいい絵に仕上がっているそうだ。

「太平洋ひとりぼっち」という原作どおりのタイトルのその映画は、公開されるや大きな評判を呼んだ。大入りということにはならなかったようだが、

「ルリ子、おかげさんで成城の家を売らずに済みそうだぜ」

と裕次郎が言ったところを見ると、きちんと収益をあげたようだ。

「裕次郎があまりにも健康的過ぎて、堀江青年のある種の狂気が描かれていない」

という声もあったようだが、おおむね批評家筋の評判もよく、キネ旬ベスト10に、黒澤明や今村昌平作品と交じって四位に選ばれている。そればかりでなく、文部省から芸術祭賞をもらう知らせがあった時にはみんなで大喜びしたものだ。

「たかが俳優ふぜいに何が出来るか、なんて思っている会社連中に言ってやりたいぜ。こんなに映画が落ち目の時に、新しいことをしようとする人間を排除しちゃ絶対に駄目なんだ」

いつになく裕次郎は語気荒く言ったものだ。

「それはわかるよなあ。裕ちゃんは立派だよ。やっぱり頭がいいなァ」

裕次郎を意識するあまり、ふだんはあまり彼の名を口に出さない旭までがしきりに感心する。会社の試写室で観てきたばかりだというのだ。

「俺は前から、俳優なんて男子一生の仕事じゃないと思っていただろう。だから裕ちゃんの映

画を観て、あ、やられた、先を越されたって思っちゃったよ」

「旭ちゃんまでそんなこと言わないでよ。いくら映画が左前になってきたからって淋《さび》しくなっちゃうわ。あなたは子役の頃からやってきて、ミスター映画みたいな人なんだから」

「ガキの頃からやっているから、この業界の先が見えるっていうか、自分の限界がわかってしまうんだよな。裕ちゃんはやっぱりすごいよ。ちゃんと時代の先を読んでる。いずれはテレビのものもつくるんじゃないか」

「まさか。テレビは映画の敵みたいなもんじゃないの。それを裕ちゃんがつくるはずないでしょう」

「いや、いずれそうなるよ。現にさ、この頃テレビドラマに山本富士子とかも出ているじゃないか。今にさ、映画の連中もテレビに尾っぽふっていくんじゃないのか。まあ、俺はその前に何か仕事をしたいと思うけどね」

「じゃ、旭ちゃんも映画をつくったりするの」

「映画をつくるのは金もかかるしめんどうくさそうだからどうなるかわからないけど、いずれ何かを始めるつもりなんだ」

それは妻のひばりのためなのかと、信子は聞いてみたくなる。斜陽の映画界にしがみついていても、ひばりには太刀打ち出来ない。それならばいっそ、実業の世界にでも行くつもりなのかもしれない。

「ねえ、ひばりさん、じゃなかった和枝さん、元気なの」

「ああ、元気でやってんじゃないの、あんまりうちでお見かけしないけれど」

「随分他人行儀な言い方ね」

「いや、お互いに気づいたんだよ。何も無理をして、いい奥さん、いい旦那《だんな》さんごっこをやることはないって。だからこの頃、本人も楽しそうに地方公演入れるし、新宿コマが始まると、ずっとおっかさんのところへ行ってるよ。お互いにその方が楽だってことがわかったってわけ」

「ふうーん」

二人なりにルールをつくって、うまくいっているということなのだろう。

「そんなことよりも、ルリ子の方はどうなんだよ」

「どうって」

「あの監督さんとのことだよ。このあいだの新作もよかったよ。あの監督さんが撮るルリ子はとびきり綺麗《きれい》だって専らの噂だぜ」

「そう、どうもありがとう」

俳優同士の恋愛にはあれほど厳しい撮影所が、なぜか監督と女優の組み合わせには比較的寛大である。監督との恋愛は、所詮《しょせん》仕事や修業の延長と考えているのかもしれない。信子と監督との仲は、撮影所内で半ば公然となっているのである。

「あの監督さんの奥さん、昔、大部屋さんでさ。俺、ガキの頃に何度か一緒に出たことがあるんだ」

「そうなの」

相手の妻が女優だろうと、信子にはまるで意味がなかった。彼女の夫を奪うつもりなどまるでない。戦う意思もない相手のことを、どうして知る必要があるだろう。

「それでさ、あの女房、結構気にしてるみたいだなあ。あんたのことさ、知らないはずはないもんなァ」

旭にしては珍しく、ねっとりとこちらを責めるような口調になっている。

「監督の女房っていうのは可哀想だよなァ。俺、つくづく思うよ。亭主が浮気してても、相手が女優でスターさんだったら、何にも言えないもんな。じっと我慢するしかないもんな……」

「嫌なことばっかり言うわね。もう電話を切るわよ」

「ああ、悪かったな。だけどもう、ルリ子もそっちはそっちで楽しくやってるんだなあと思ったら、男としちゃつらいよな」

「馬鹿馬鹿しい」

「近いうちに遊びに来てくれよ。和枝のやつ、ルリ子の大ファンなんだ。あんなに綺麗で、あんなにいい人はいない、っていつも言ってる」

信子は世田谷の上野毛《かみのげ》に新築したばかりの、二人の家を思い出した。二階建て地下一階で、タイルを敷きつめた豪邸だ。この家はなぜか〝ひばり御殿〟とは呼ばれず、〝アキラ御殿〟と呼ばれている。旭がありったけの金と矜持《きょうじ》によって建てたものだからだ。そこの新築パーティーに信子は招待されたことがある。数十人の客がいたので、料理は銀座の有名中華料理屋から取り寄せていたが、それでもひばりは、甲斐甲斐《かいがい》しく酒を酌《つ》いだり、客に料理を勧めたりしていたものだ。天下のひばりが、ここまでけなげにやっていると、招待客たちは一様に感心したが、どうやらそれが旭には腹立たしいことだったのかもしれない。今と同じように、

「女房ごっこ、本人は楽しんでんだよ」

と、信子に向かってささやいたものだ。

「私も和枝さんに会いたいから、近いうちにうかがうわ。でもきっとすごく忙しいから、先になると思うけど」

「ああ、きっと来てやってくれよ。そして相談にのってやってくれよ」

相談って、いったい私に何を相談するのよ、と言いかけた時、あちらから電話が切られた。

そしてひばりから手紙が来たのは、それから四日目である。あて名を見てひばりが、あまりにも達筆なことに驚いた。あの寝る間も惜しいようなひばりが、万年筆で四枚もの便箋《びんせん》にしたためているのである。まず作法どおり時候の挨拶《あいさつ》があった後、話はいきなり本題に入った。

ルリ子さんには、いろいろ聞いてもらいたいことがある。実はどう考えても、旭が自分のことを愛しているようには思えない。亭主関白というよりも、気分次第で自分にさまざまなことを命令する。仕事に関しても、無理難題を押しつけてくる。公演の回数を減らせ、といったものから、お袋とのつき合い方や、弟たちとの関係にも口を出す。どうしてそれほど家族の者たちがお前にぶらさがっているのか。ひばりの仕事は、一家ぐるみでないと出来ないのかなどと嫌みを言う。それも愛情表現のひとつだと思ってじっと耐えてきたが、違っているような気がしてきた。この頃は、結婚前につき合っていた水商売の女とも会っているらしい。思うに、最初から自分には愛情がなかったのではないだろうか。

「もしかすると、近いうちに別れることになるかもしれません」

という言葉が美しい文字で綴《つづ》られていた。

「たとえ愛情がない妻であっても、一緒に暮らしていた女が去っていくというのは、つらく淋しいものなのかもしれません。その時はどうか、ルリ子さんの友情であの人を支えてやってください。それからもうひとつ、たとえ離婚するようなことがあっても、ルリ子さんとはずっと仲よくさせてください。お願いいたします」

昔の恋人の女からの「友情」という言葉には面はゆいものがあった。ひばりが皮肉やあてこすりを言うような女ではないとわかっていなかったら、何かの挑戦状と思ったかもしれない。

それにしても早過ぎると、信子は頭の中で計算してみる。挙式から一年と八ヶ月しかたっていない。いくら何でも、それはかなり非常識なことだろう。この世界の中には、何十年も別居しているものの、決して別れない俳優夫婦が何組もいる。みんな離婚よりも、取り繕うことを選んでいるのだ。恋人の監督にしても、常にこう言っている。

「家は着替えを取りに行くだけの場所だよ。女房も俺が、脚本を始めるからといって旅館に泊まる方をずっと喜ぶ。もう何年も別居しているようなもんさ」

こんな言葉は、妻帯者の常套句《じょうとうく》のようなものだから、信子はずっと聞き流していた。だが監督は家庭のことをいっさい口にしないが、もしかすると自分をめぐって、夫婦の間にさまざまな葛藤《かっとう》があるのかもしれない。旭にまでその噂が伝わっているところを見ると、かなり深刻な事態になっているのかもしれなかった。

旭とひばりのことよりも、やはりそちらの方が気にかかる。

信子は今まで、人から恨みを買ったり、嫌われたことがなかった。もちろんスターになっていく過程で、何人もの下の俳優たちの嫉妬《しっと》は買っていたかもしれない。けれども信子は彼らに対して、決して理不尽なことをしなかったし、意地の悪いことはしなかった。

しかし恋愛は、そんな気遣いのルールとは別の次元のものだ。信子は人の夫を奪おうなどとは一度も考えたことがない。だからそれを相手の妻に対する免罪符だと思っていたのだが、どうもそんなことはまやかしだったのだ。どうやら監督の妻は本気で信子を恨み、悲しんでいるらしい。

男を愛することが、他の女を不幸にしているということ。これは信子をたまらなく不愉快にさせた。

旭との気楽で明るい恋愛の日々を思い出す。旭はしょっちゅう浮気をしていたけれども、見て見ないふりをすることが出来た。自分といる時だけ誠実に、愛の言葉をふんだんに浴びせてくれればそれでいいと思っていたのだ。まだ旭も自分も若く、恋することをもっと単純に考えていた。

が、今自分は人の夫と恋をし、妻からの憎しみを買っているという。妻は自分たちのことに耐えている分、恨みはきついようだ。

そして旭は旭で、妻から別れを告げられようとしている。彼の妻は「自分のことを愛していなかった」と言いたてているのだ。どうして自分たちは、幸福になれないのか。一度は結婚しようと誓い合っていた男と女が、今別々に愛の悩みを抱えて立ちすくんでいる。それぞれが選んだ異性のためにわずらわしいことが起こっている。どうやらどちらも苦悩の中にいる。しかし背中合わせの二人は、もう二度と手を取り合うことはないだろう。

「もう時間は戻ってこないのだから」

二十三歳の信子は、分別くさいことをつぶやく。

8

旭とひばりが結婚した時も大変な騒ぎであったが、別れた時も日本中がどよめいた。わずか二年足らずの、籍を入れる間もない結婚生活であった。

「またあの大親分さんがやってきてさ、おい、ひばりをファンに返したってくれ、って言うのさ。俺はハイ、わかりました、ってそれでおしまいだよ」

新聞に出るよりも早く旭から電話がかかってきた。信子はひばりから、以前長文の手紙を貰《もら》ったことは黙っていた。はからずも夫婦のそれぞれから連絡を受けたことになる。信子と旭との仲を知らないわけではないだろうに、ひばりは夫婦のすれ違いのあれこれを信子に打ち明けたのだ。

「親分さんから言われたよ。ひばりはお前ひとりのものに出来るような女じゃない。日本いちのスターなんだから、日本人みんなのものなんだとさ」

「馬鹿馬鹿しい」

信子は叫んだ。

「そんなの、あなたたち二人の問題でしょう。ひばりさん、いいえ、和枝さんはあなたの奥さんなんだから、どうして二人で直接話さないのよ。夫婦だったら、ちゃんと二人きりで話さなくっちゃおかしいわ」

「そんなこと、出来るわけないだろ」

電話の向こうで旭が自嘲《じちょう》しているのがわかる。いつもの癖の鼻で笑う気配がした。

「あいつはとっくに荷物持って、おっかさんのところへ行ってるよ。いくら電話をかけても、あのおっかさんが出してくれるわけがない」

「そんなの、あんまりじゃないの。ねぇ、旭ちゃんの気持ちはどうなの。本当は和枝さんと別れたくないんでしょう。だったら自分で和枝さんを取り戻したらいいじゃないの。夫婦ってそういうもんでしょう」

「そんなわけにはいかないよ。とにかくさ、俺はもうすべてのことがめんどうくさくなっちゃってさ。和枝は一生懸命やってくれても、あのおっかさんに弟に、プロダクションにファンクラブ、いろんなものがぞろぞろくっついてくるんだ。もうたまんねえよ。俺としちゃ、もうこれでいいかなァって思ってるんだ」

旭はこの後「協議離婚」ではなく、「理解離婚」という言葉をつくり出して記者会見に臨んだ。自分たちは決して恨み合って別れるわけではないということを強調したのだ。けれどもマスコミの論調も人々の見方も、

「女房に逃げられた男」

というニュアンスを旭にかぶせた。これがひといち倍プライドの高い旭には耐えられなかったのだろう。これは信子だけに打ち明けたことであるが、旭はある日怒りを爆発させたのだ。

二人が住んでいた上野毛の家には、日本中から贈られてきた祝いの品が、山と積まれていたという。二年間の短い結婚生活だったので、まだ荷を解いていないものもあったそうだ。関係

者だけでも相当の数だったのに、日本中のファンと名乗る人たちから、さまざまなものが贈られてきていた。手づくりのエプロン、クッション、地元名産のコケシに食器、北海道のファンからは、大きな木彫りの熊も贈られていた。ところが離婚からひと月もしないうちに、トラックが横づけされた。これはすべてひばりのものだから、持っていくというのだ。旭は気色ばんだ。これは二人に贈られたものなのだから、いずれ話し合いをして分けるつもりだったという言葉にプロダクションの男たちは耳を貸さなかった。

怒りに燃えた彼は、その品々の中でいちばん豪華なもの、コロムビアレコードの社長から贈られた巨大なステレオを指さした。

「これは半分ずつにしてもらうからな。俺もコロムビアに所属している歌手で、ヒットも出している。俺の分はちゃんともらうからな」

そしてノコギリを取り出し、まっぷたつに切ったというのだ。

「旭ちゃんらしいわ」

と信子は笑った。こういう大人げないところは少しも変わっていない。

「まるっきり大人になっていないんだから」

とつぶやいた時、旭への感情がぴくりと動いたような気がしたものだ。彼を愛している、と思ったこともある。少年のような我儘《わがまま》もいとおしいと感じ、本当に結婚を願ったが、それはもう過去のことだ。二人はそれぞれに恋人や妻を持ち、今では同志のような思いしかなかったはずだ。それなのにステレオを切断した話を聞いたとたん、信子の胸は締めつけられたようになる。そんな蛮行を理解してやれるのは、世界中で自分だけではないかという思いだ。

今度の離婚で、自分の名も人々の口の端にのぼっているという。旭が本当に愛していたのは浅丘ルリ子で、それを知ったひばりが去っていったというのだ。が、それを信子は気にしてはいない。そういう噂は、女優にとって得になることはあっても、損になることはまるでないのだ。今、吉永小百合が急成長し、日本中の人気をさらっているが、信子とは路線が違う。松原智恵子も、まだ信子に追いつくには時間がかかるはずだ。信子は先日もヒーローの相手役ではなく、純粋な主演を果たし、これは興行的にもまずまずのあたりをとった。西田佐知子の大ヒット曲「アカシアの雨がやむとき」をモチーフにしたのもよかったのかもしれない。信子はモデルの役で、恋人役の画家を演じたのは高橋英樹だ。このあいだまで弟役を演じていたのにと、信子は思わず微笑む。背も高く文句なしに美男子の英樹は、まだ会社側がどう扱っていいか考えあぐねているところがある。事故死した赤木圭一郎の後釜《あとがま》として、アクションスターに育てようとしているかと思えば、浜田光夫、吉永小百合、和泉雅子らとグリーンラインというグループに入れられ、青春映画に駆り出されていた時期もある。いずれにしても、彼がどちらの映画からもはみ出しそうなスケールを持っていることは確かだ。もうじき裕次郎、旭に代わって、英樹の時代が来るというのは、みなが了承している。

ラブシーンもまだぎこちなく、一生懸命台詞《せりふ》を喋《しゃべ》っているという感はまぬがれないが、がっしりと広い肩に信子は若き日の裕次郎を見る。その裕次郎とは、今も年に何回かコンビを組んでいる。日活が新機軸を打ち出したと言われる「花と竜」には、二人で出演した。これは現代もののアクション映画を撮っていた日活による、任俠《にんきょう》アクションものの最初の作品だ。火野葦平《ひのあしへい》の原作は、明治の末、沖仲仕の親分になった男の物語である。これは十年前にも東映で映画化されているが、会社側は裕次郎、信子というゴールデンコンビをぶっつけ、正月の目玉とした。目算どおりこの映画は大あたりし、他の映画会社でも次々と任侠ものがつくられることになる。

信子の役は、主人公の妻の役だ。鬘《かつら》をつけ、着物を着る役はあまり慣れていない。監督は信子に、北九州の女らしく、てきぱきと動き、話すようにと注文をつけた。鉄火肌の女だから、煙管《キセル》で煙草を吸うシーンが何度もあった。実は十代の終わり頃から信子は煙草が手から離せない。煙草を吸うシーンはお手のものだ。

荒っぽい喧嘩《けんか》のシーンが多いが、裕次郎はうまくこなしている、とはいうものの、信子は鏡の中の自分を見るような鋭さで彼を見る時があるが、顔や体の崩れは隠せない。ほんのわずかなことで、信子以外は気づかないだろう。裕次郎の酒の飲みっぷりは有名だ。毎晩のようにウイスキーを一本空けるという噂もある。アルコールというものを全く受けつけない信子にしてみると、にわかには信じられない話だ。撮影の合間につい言ってみたくなった。

「ねぇ、裕ちゃん、ちょっとお酒飲み過ぎじゃないの」

「におうか」

自分の息を手にあててかぐ。

「何言ってんのよ。ゆうべの話じゃないわよ。この頃、ちょっとお酒が過ぎるんじゃないのって言ってるの」

「この頃っていったいいつの話なんだ。高校の頃から飲んでるからな」

「お酒っていうのは肉になって、体のいろんなところについていくから気をつけなくっちゃね」

　信子は共演したばかりの、高橋英樹のまるで削《そ》いだような顎《あご》のラインを思い出した。男らしくしっかりと張った顎なのに、すっきりと綺麗《きれい》な線を描いている。が、そんなことを裕次郎に言うのはよそうと思った。スターの名をほしいままにしてきた裕次郎も、後からやってくる者たちの足音が気にならないはずはない。

「ねぇ、裕ちゃん、お酒はほどほどにしようよ。ねぇ、わかった」

「わかったよ、マン」

　笑って言った。

　マンというのは信子が演じる主人公の女の名前である。その名で呼ばれたとたん、信子の中で温かいものが流れ出す。

　なんて素敵な笑顔なんだろう。八重歯がいい。すべての人の心を蕩《とろ》かすような笑顔だ。助監督が迎えにやってきた。もう撮影の準備が出来たというのだ。下駄《げた》を鳴らしながら信子は虚構の世界へと入っていく。今から裕次郎に激しく抱かれるシーンがある。二人は夫婦だ。

「あんた……」

「マン……」

　とつぶやきながら唇を重ね、そのまま倒れていく。映画の世界では、裕次郎はいつも信子の恋人だ。そして時には夫にもなる。ただそれだけのことだ。そしてそれをさほどつらいともせつないとも思わぬほど、信子は何本も映画を撮り続けてきた。信子は旭とひばりのことを思う。あの二人はしてはいけないことをしてしまったのではないだろうか。虚構の世界をはみ出してしまったから別離がくるのだ。

「私はそんなことはすまい」

裕次郎を愛するのは映画の中でだけにするのだと、信子はいつも心に決めステージへと向かうのだった。

東京オリンピックが始まった時、父の源二郎は言ったものだ。

「もうこれで、日本中からテレビがない家《うち》が無くなってしまうかもしれないね」

それまでテレビを買うことを諦《あきら》めていた人たちも、開会式の様子が報道されたとたん、電器店に駆け込んだのだ。信子はこの際、カラーテレビに買い替えようかと思ったのだが、まだ色が汚いとまわりの人たちに止められた。

日本中が浮き立っている。アジアで初めてのオリンピック、それを敗戦国日本が実現したのだ。この日のために、どれだけの金と時間が費やされただろう。道路が出来、スタジアムが建設された。あっという間に東京が変わってしまったのである。

どこへ行っても、三波春夫の艶《つや》のある間延びした声が聞こえてくる。

「ハアー、あの日ローマでながめた月が、きょうは都の空照らす」

これに便乗して、日活ではなんと「東京五輪音頭」という映画を大急ぎでつくったのだ。山内賢、十朱幸代《とあけゆきよ》が主演する青春映画で、準主役に山本陽子という新人が出ている。

が、映画に携わる者なら、オリンピックが、映画の斜陽に拍車をかけるものだということをとうに気づいているに違いない。父の源二郎が言うとおり、テレビの普及率はこれでぐんとはね上がったのだ。

　しかし明るいニュースもある。キワものといっていい映画「東京五輪音頭」とほぼ同じ時期に公開された「愛と死をみつめて」が大ヒットしたのだ。

　これは若くして病死した女子大生と、その恋人との書簡集が原作になっている。この映画で、主演の吉永小百合はもはや日本一の人気女優になったといってもいい。どの映画もヒットし、世の中には「サユリスト」という言葉も生まれている。

「ルリ子は可哀想《しやしん》だったよ。君がデビューした頃は、日活は男優路線一直線だった。女優を主役にして、映画を撮ることをほとんど考えていなかった。だけどこれは違うよ。君の魅力を見せつけるためだけの映画だからね」

　そういうのは監督である。「愛と死を見つめて」が公開されていた頃、信子はロケの真っ最中だった。

　この監督との仲は、撮影所中に知れわたっている。この監督によって、日活は初めてヌーヴェル・ヴァーグというべき映画をつくったのだ。それだけではない。彼はそれまで旭や裕次郎の「相手役のヒロイン」とみなされてきた信子を、初めて本もののヒロインに持ち上げてくれた。今回はさらにそれを強めるために、企画を練りに練ったものにしたのだ。コンビを組んでいる脚本家と、旅館に何日間も籠《こも》ったと監督は言ったものだ。その駿河台《するがだい》にある旅館は、時々二人の逢《あ》い引きの場所にもなる。信子は飲まないが、監督はウィスキーの瓶を空け、夜遅くまでさまざまな話をする。

　監督は英国領ボルネオの生まれだ。最初に会った時から、信子が自分と似ている空気を感じたのはそのためだったのだ。父親が鈴木商店の子会社であるゴム会社の重役だった。そのためにボルネオへ移ったのだ。戦争中海兵団に入っていた彼は広島へと向かう。ここで彼は原爆を体験するのだ。この時の経験を彼はあまり語りたがらない。ただ一度、

「あまりにも嫌なものを見ちまったんで、それを忘れようと映画館にばかり行っていたんだ」

と言ったことがある。

その後、日大の映画学科を出て、松竹の助監督となり、日活へ移ってきた。ヒット作を次々と出す、という監督ではないが、「キネマ旬報」では必ずといっていいほど高い評価を得る。

「クロウト好み」

という者もいた。彼は背が高く、自分が俳優になってもよいほどの整った顔をしている。よく真っ黒なサングラスをしているが、それは被爆のために目が弱ったからという噂だ。

会社から言われて気づいたのであるが、信子の出演した映画は百本を超えようとしていた。昭和二十九年に初めて映画に出演した時からちょうど十年たって百本！　信子は自分がどれほどせわしく働いてきたのだろうかと空怖ろしくなってくる。単純に年数で割っても、なんと一年に十本の映画に出演していたのだ。

会社の重役は言う。ルリちゃんの百回記念作品ということで大々的に売り出そう。時間も金もたっぷり使ったものにしようじゃないか。

そして当然のことのように、愛人の監督が指名された。

監督は言った。「この映画で、今までのルリ子とは違ったものを見せたいんだ。綺麗で可愛いだけじゃない。妖艶《ようえん》な女になってもらいたい。妖艶っていうのはわかるかな。ただ色気があ

るっていうもんじゃない。暗くて熱いものを持っていて、それを匿《かく》そうとする女だ。けれどもそれはよく溢《あふ》れてしまって、女を水びたしにし、傍にいる男たちも呑《の》み込んでしまう。わかるかな。わかるよな、君がそもそも妖艶な女だから」

「私が？」

信子は笑った。見かけはこんなに女らしく美しいのに、中身はさっぱりとした男のようだ、というのがおおかたの評価だった。たいていの女優が持っている嫉妬《しっと》心がない。他の女優の噂を聞いても、ああ、そう、よかったわねと言うだけだ。恬淡《てんたん》としているというよりも、たぶん他の人間に興味がないのだろうと思う。そんな信子は、女優たちに好かれる。女優は女優に決して相談しないものだ。自分の弱みを握られることになる。だが信子は、いつも共演した女優たちに悩みを打ち明けられるのだ。といっても、信子がことさら親身になってやるわけではない。ただじっくりと話を聞いてやり、秘密を守ってやるだけだ。それだけでも女たちは信子に好意を持つ。そんな自分がどうして妖艶だ、などといわれるのだろうか。

「いや、そんなことはない。君くらい妖艶な女はいないよ。君の虜《とりこ》になった男たちはみんなそう思うはずだよ。僕みたいにね」

と監督は言い、企画を練り上げたのだ。

信子の役は、愛する夫を、決して死なせるものか、戦争に行かせるものかと、狂おしい執念を抱く女である。相手役には新人の伊丹十三が選ばれた。有名な映画監督、伊丹万作の息子だという。

監督はこの映画で、信子のメイクを変えることを命じた。それまで信子は、肌の美しさを生かしたあっさりとした化粧をしていたのであるが、監督は太いアイラインを入れた方がよいと勧めた。アメリカではサイケという言葉が流行《はや》り出して、女たちは濃い化粧をし、つけ睫毛《まつげ》までしているという。

「日本の女はひらべったい顔をしているから、濃い化粧が似合わない。だけどルリ子は違う。ルリ子はもっともっと濃い化粧をした方が似合うんだ」

この映画で、信子は初めてスクリーンで裸体を見せた。夜の海を夫と二人泳ぐというシーンだから、胸はちらりと一瞬見えるか見えないかというぐらいだ。けれども全裸で岩にはい上がる時、信子の濡《ぬ》れた尻《しり》があらわになる。白黒の画面に、脚を持つ人魚のような信子の真っ白い尻がすっと水から上がる。そして男にむしゃぶりつく信子の顔を、カメラがなめまわしていく。そのカメラの後ろには、信子の愛人である監督が座っている。彼は、本当にベッドの上での信子の表情を知っている。どういう角度が美しいかも知っているに違いない。が、信子はそのことを別段恥ずかしいこととは思わなかった。

女優には初体験が二回ある。一度目は文字どおり、肉体の初めての経験だ。しかし次の初体験は、女優としての女が大きく開花する時なのである。よってこの相手は、共演者か監督だ。彼らに女として愛してもらうことにより、演技が大きく変わっていくのだ。

今まで信子は、監督とつき合う女優たちをかすかに軽蔑《けいべつ》していた。彼女たちは若い監督などまるで相手にしない。今、撮影所で力を持っている監督たちに、体ごとすり寄っていくのだ。役が欲しい下っ端の女優ならまだ話はわかる。主演クラスの女優たちが、監督と深い仲になるのが不快な気がした。しかし今ならわかる。二人きりの寝室での視線を、現場でこうして注いでくれる男がいる。これは女優にとって何という幸福だろうか。この男に任せておきさえすれば、自分はたとえようもなく魅力的な女に撮られるはずだった。

彼の作品はアップが多く、女優の顔を、横、斜めと舌を這《は》わせるようにしてカメラをまわしていく。

試写を観た時、信子は驚いた。なんと自分は愛されているのだろうかという確信を持った。スクリーンの中の女は、本人も見惚《みほ》れるほど美しい。特にラブシーンの時の女のなまめかしいことといったらどうだろう。かすかに口を開けてあえぐ。男と激しい接吻《せっぷん》を交わしながら男の髪を包むようにする。その長い爪も、男を愛撫《あいぶ》しようと呼吸しているようだ。そして男を失った後、化粧を全くしていない自分の美しさに信子はぞっとする。能面に似せて眉《まゆ》をそり、目だけで演技する信子は確かに妖艶であった。

監督と二人きりの時も、自分はこんな表情を見せ、男はじっと観察しているのだろうか。いや、それでもいいと信子は思った。これほど自分を美しく撮ってくれるのならば、これ以上何を望むことがあるだろう。

監督は時々信子に言うことがある。

「あなたに何もしてあげることが出来ない」

妻や子どもと別れることが出来ないというのだ。君には深い愛情を持っている。君も僕のこの愛情に応《こた》えてくれた。けれども、人気女優の君と僕とは、どうすることも出来ない。もうこれは仕方ないことなのだ。

男があまりにも言いわけするので、信子は少し嫌な気分になる。自分が一度でも結婚したいというそぶりを見せたことがあっただろうか。品よく誇り高く育てられた自分が、人の夫を奪おうとするような、みっともないことをする女に見えただろうか。

だから信子は、意地悪げにこう答えた。
「別れる時が来たら、自然にそうなるんだから、仲よく出来る時は、出来るだけ仲よくしましょうよ」

が、今、信子はわかった。監督の女優への最高の愛の形は、妻の座を与えることではない。美しく撮り、素晴らしい作品を創り上げてくれることなのだ。

突然歓喜が信子の体を突き抜ける。女として激しく愛される喜び、そして自分がこれほどの美女であることの喜び、この二つが重なったものが女優なのだ。世にも優れた女と書いて女優。ああ、私は心底女優なのだ。

やがて試写室に拍手がわき起こる。やったね、というように何人かが振り返り、信子に頷《うなず》く。自分はなんて幸せなんだろうと信子はしみじみと思った。

久しぶりに旭と会ったのは共演のためではない。「近代映画」の「新春スター対談」という企画で顔を合わせたのだ。

カクテルドレスを着た信子と、タキシード姿の旭は何枚も写真を撮られる。
「ルリ子、相変わらず綺麗《きれい》だなァ、見ていると頭がくらくらする」
「ふふふ、ちょっと会わない間に、随分口がうまくなったのね」
信子は軽くぶつふりをする。信子なりの親愛といたわりであった。

彼が日本を留守にしていた時間は、かなり長い。サンパウロの日本人会からコンサートに招《よ》ばれたのを機にブラジルに渡り、それからヨーロッパを旅していたのだ。

離婚の傷心を癒《いや》すためだと人々は噂したが、旭は、

「冗談じゃない」

と即座に否定した。

「たった二年しか暮らしてないし、あちらは半分近くおっかさんのところへ行ってたんだから、別れたっていう実感があるわけないじゃないか」

信子には旭の言いたいことが理解出来た。ひばりへの未練ゆえにつらくなったのではない。あちらの家族やレコード会社、大スターであることのしがらみが積み重なり、ある日大親分が出てきて別れさせられた。その理不尽が旭には我慢出来なかったのだ。自分の女房が、まるで自分の思うようにいかなかった。男と女の別れが本人たちでなく、他人の手でころがされ、吟味され、決定されたことで、彼の誇りはずたずたにされたのだ。

旭に言わせると、

「稼いだ金のありったけをスーツケースに詰めて」

パリやロンドン、ローマをさまよっていたらしい。旭は言う。

「日本じゃスターって言われてるけど、あっちに行きゃ、あたり前のことだけど誰も俺のことを知らない。俺っていったい何だろうって思うよな」

そんな自問自答を繰り返すうち、彼の心の中に不思議な感情が生まれていった。それは早く自分を見つけ出してほしい、という思いであったという。だからローマで、ＪＡＬの支店の者

たちに見つかって騒がれた時は、心のどこかで安堵《あんど》していた。わざわざ彼らと食事をし、自分のホテルも教えた。そこに日活から電話がかかってくるのに時間はかからなかった。

おそらく重役のうちでも、旭の性格を知り抜いている者が電話をしてきたのだろう。

「君がいなくっちゃ、とてもうちの会社は成り立たない。もうそろそろ休暇を終えて、帰ってきてくれないだろうか」

旭の面子《メンツ》をつぶさぬ言い方をしたはずで、「しぶしぶ」という形で旭は半年ぶりに帰国したのである。

映画ではない本物のさすらいは、旭の容貌《ようぼう》にも陰影を与え、さらに魅力的な男になっている。信子がそう口にすると、

「だったらまた前みたいに仲よくしようや。ルリ子の女っぷりときたら、本当にくらくらしちゃうぜ。俺、いつでもよりを戻すからさ」

撮影の合間、カメラマンに聞こえないように軽口を叩《たた》いた。そしてその後で、

「おっといけない、ルリ子を口説いたりしたら、あの監督さんに怒られちゃうからな」

と皮肉を付け加えることを忘れない。

撮影が終わった後、赤坂のホテル・ニュージャパンのラウンジでしばらく話をした。というものの、まわりの目があるので二人きりというわけにはいかない。旭は付き人を、信子はこの頃、仕事先にいつも付いてきてくれる妹の靖子を同席させた。

旭はあちらで大好きになったという、ハイネケンビールをたて続けに空け、そしてたちまち饒舌《じょうぜつ》になった。

「だけどさ、帰ってみてまた映画《しゃしん》を撮り始めてつくづく思うよ。もうこの業界、本当にどうなるんだろうかってさ。そりゃそうだろ、もうたいていの家《うち》にはテレビがあってさ、町の映画館はどんどん潰《つぶ》れていく。これじゃみんな映画を観なくなるはずだ。ルリ子も見てりゃわかるだろう。本数も、製作費もどんどん削られてるじゃないか」

信子はこの種の話が苦手である。他の映画会社で、しょっちゅう闘争やストライキを繰り返しているところがあり、映画人が何人か出て独立プロをつくった。そこの女優たちに頑張っているなと感心しはするものの、ああなりたいとはまるで思わない。信子はめんどうくさいことが嫌いだ。何より、女優ともあろうものが、政治的なことに口を出すことなど考えられなかった。

旭は続ける。

「俺はさ、あっちへ行っている間にいろいろ考えてた。そして思ったね、俳優は男子一生の仕事じゃないって」

「そうかしら」

「ルリ子たちみたいな女優は別だよ。だけど俺は男だから、世間知らずになる気はまるでないよ。この世界はちょっと売れてくると、みんなで寄ってたかって世辞を言いまくって上に押し上げてしまう。だから本人は何にも知らないまま、とんでもない人間になっちまうんだよ。俺はそういう生き方はしないからな。まあ、見ててくれ」

手酌でぐいっと飲み干した。

「映画が完全にダメになる前に、ちゃんと何かを見つけるさ。ルリ子も何か見つけるなら早くした方がいいぞ」

「やめてよ。だんだんうちの会社が左前になってきたからって、今さら私に何が出来るっていうのよ」

「ルリ子ぐらい綺麗なら、金を出してくれる男なんていくらでもいるだろう」

「残念でした。私、金持ちなんか興味ないもの」

「そうかい、あの監督さん金がないのかい」

「やめてよ」

隣に座っている妹は、そしらぬ顔をしてソーダ水を飲んでいる。監督はよく家に来て、他の者たちと同じように飲んだり食べたりしていく。父とも仲がよく、二人で何やら話し込んでいることもある。家族の者たちが監督とのことに気づいていないはずはないと思うが、信子はきまりが悪い。それは相手が妻帯者だからだ。家庭のある男を好きになるというのは、父の源二郎がいちばん嫌いそうなことだった。

「とにかくさ、これからの時代、俺たちも映画の上にふんぞりかえっているわけにはいかなくなるはずさ。だから本当に何かしなきゃいけないんだ」

口では強がりを言っているが、ひばりとのことは心の奥深いところで、大きな傷をつくっているに違いない。映画という世界ばかりにいたくない、というのもその表れのひとつだろうと信子は思った。

ひばりがあまりにも大き過ぎたのだ。これから先、この世界にいる限り、旭は彼女の大きさを嫌でも見せつけられることになるだろう。それを避けるために、旭の心は外に向き始めているのだ。

「つまりさ、野望を持ってことかな。俺はさ、役の上でいつも野望だ、何だってほざいているけど、実際これを持っていうのは大変なことだよな。人間、楽な方へ行くのがいちばんいいもんな。俺なんか映画《しゃしん》が不況だって言ったって、一本五百万もらってる。年に映画一本だけになっても、まあ、充分食べていけるわな。映画が駄目だったら歌えばいい。俺のレコードは売れてるし、クラブに出りゃ金になる。だけどさ、明日も今日と同じように生きていくって、男としてどっか恥ずかしいよな。坂本龍馬は、死ぬ時も前のめりで死にたい、とか言ったらしいけどその気持ちわかるよなァ。野望っていうのは、前のめりで死ぬことなんだよ」

そして信子は同じ頃、別の人物から同じように野望を聞くことになる。

「いいかい、ルリちゃん、これは日本映画界にとって画期的なことなんだ」

これは裕次郎には珍しいことであるが、興奮のあまり声が大きくなっている。

「今さ、映画が不況だ、不景気だってさんざん言われてるだろ。あれを聞くのはつらいよな。だけど、あれを聞くたびに、俺の中のきかん気がむずむずしてたまらなくなるんだ。映画はもうつまらん、家でテレビ観ている方が楽しいって思われたら、もうこちらの負けだ。いいかルリちゃん、俺はな、数十億っていう金使って、とてつもない、誰も観たことのない映画をつくるつもりなんだ」

そのために三船敏郎と手を組むことにしたという。三船といえば日本が生んだ世界的大スターということになっている。巨匠と組み主演した作品が映画祭で大きな賞をもらったのだ。会社が違うので共演したことはないけれど、見たとおりの男らしい磊落《らいらく》な性格だと聞いたことがある。彼は石原プロよりも一年前に独立プロダクションを立ち上げていた。裕次郎が言うには、三船も今の映画界に大きな危機感を抱いていて、二人が一緒に映画をつくることに何の異存もなかった。

「二人で話したんだ。これからの時代、会社から製作費をもらってつくるんじゃなくて、自分たちでつくらなきゃなって。会社から金をもらったって限界っていうものがある。俺たちはそんなことはしない。企業から出してもらうのさ」

「そんなこと、出来るの」

「出来るとも」

裕次郎は頷《うなず》いた。その皮膚が弛《たる》んでいるのがわかる。かすかな弛みだ。おそらくふつうの人は気づかないだろう。けれどもそれも悪くないと思わせるほど、新しい映画のことについて語る裕次郎は魅力的だった。

「いいかい、俺たちはとてつもない規模の映画をつくる。だから似たようなところを探せばいいんだ。とてつもないものをつくった会社と手を組むんだ」

「それって、たとえば東京タワーとかダムとか」

「そのとおりだよ」

裕次郎は叫んだ。

「俺たちは黒部《くろべ》ダムの映画をつくろうと思ってんだ」

いかに人間が大自然と闘ったか、男同士が心をひとつにしてことにあたれば、どんな奇跡も起こせる、ということをテーマにして映画をつくる。そして実際に黒部ダムをつくった大手のゼネコンを訪ねたところ、資金を出してくれることになったというのだ。

「人間、やろうと思えば何でも出来るんだってことがよくわかったよ。ルリちゃん見ててくれよ、この映画は今まで日本人が観たことがないものになるはずだよ。おそらく記録的な金と記録的な人数を使うことになるだろう。本当にすごい映画になりそうなんだよ。男ばっかりの映画だから、今のところ女は出ないんだけど、必要になったら、ルリちゃん、必ず出てくれよな、本当に約束したぜ」

対照的な生き方だった。

かつて旭はこんな不満を漏らしたものである。自分は子役としてトレーニングを積み、ニューフェイスで入社した日活生え抜きの役者だった。それなのにある日突然、ズブの素人の裕次郎が撮影所にやってきた。おえらいさんたちは、最初から下にもおかぬもてなしで、裕次郎をスターにすべく奔走した。もちろん本人の資質があったから裕次郎は大スターになったのだが、それでも会社側は、大変な気の遣いようだった。何しろ会社側が頼んで、スターになってもらった方なのだ。それにひきかえ、自分の扱いのひどさといったらどうだろう。

裕次郎のブームがいち段落した頃、安くこき使える人間ということで、俺に目をつけたのだ。言ってみれば俺は子飼いだから、使いやすかったんだろう。その後は、ルリ子も知っているとおり俺のブームがやってきて、そりゃあこき使われたよ。ルリ子も相手役やったからわかるだろうけど、年に十本も十一本も撮らされる、っていう信じられないことをされた。

だけどさ、俺は我慢したよ。文句もそれほど言わなかったつもりだよ。なぜって俺は十七のガキの頃から日活の役者だったからな。慶應大学行きながら映画に出ようっていう、ズブのシロウトさんに負けたくない、っていう気持ちは確かにあったと思うよ……。

あれを旭が口にしたのはいったい何年くらい前だろうか。その「子飼いの役者」が、いつのまにか本業以外のところで活路を見出《みいだ》そうとし、「ズブのシロウト」といわれた裕次郎が、日本映画界を救うべく立ち上がったのだ。信子は三人が生きてきた歳月を思った。

「裕ちゃん、頑張ってね。私に出来ることがあったら、何でも言って頂戴《ちょうだい》」

そう言った後で、励ましの言葉を旭には何ひとつ言わなかったことに気づいた。やはり映画にどこか見切りをつけようとしている旭をなじる気持ちがあるのかもしれない。

「だけど仕方ないわ。私はずっとここにいるつもりだから」

そうかといって裕次郎のように、打って出ていく気概や勇気もない。もし映画が本当にすたれていくというのなら、うとうとと自分もその中でまどろんでいくのも悪くないような気がしてきた。一年に一本でもいい。女優という仕事をする。それで充分だ。

信子は小さな欠伸《あくび》をする。いずれにしても男というのは何と大変なものだろうか。「座して死を待つ」ことが耐えられないのだ。だからどうしても闘わなくてはならない。自分は女に生まれて何てよかったのだろうと思う。闘いなどいっさいしなくてもいいのだ。しかも神さまは、これほど美しい容姿を授けてくださったのだ。

自分はなんて幸せ者なのだろうかと再び信子はつぶやいた。

9

裕次郎と三船敏郎という二人のスターが組んで、映画のプロジェクトを立ち上げた。今まで誰も観たことのないようなスケールの、日本映画をつくるというのだ。タイトルはもう決まっていて「黒部の太陽」。あの国家的事業、黒部ダムをつくった男たちの姿を描くという。このために裕次郎は、建設に携わった企業数社から三億五千万円という協力を取りつけたのだ。今どきの映画界では聞いたこともないような景気のいい話だと、人々は目をむいたものだ。しかし、時がたつにつれ、裕次郎が、それこそ血の小便をするような苦労をしているという噂が、信子の耳にも入ってくるようになった。

自分の所属する会社以外の映画に出ることは、いっさいまかりならんという五社協定の大きな壁が立ち塞《ふさ》がったのだ。これによるとスタッフも外の映画で働くことは出来ない。それどころか機材の貸し出しも許されないのだ。

「黒部の太陽」は、膨大な人数の出演者が必要となる。工事をする作業員だからといってエキストラばかりというわけにはいかず、主要メンバーには有名俳優を揃えなくてはならなかった。けれどもこのままでは、どの俳優も出演は出来ないと首を横に振る。そうしている間にも、巨大なセットがつくられ、莫大《ばくだい》な資金が出ていく。

「俺はいったいどうすればいいのだ」

あの豪気な裕次郎が、夜中にとび起きて叫んだという。が、考えてみれば彼はまだ三十三歳の若さなのだ。

「いくら大スターさんだからといっても、自分が金を集めて映画をつくろうなんていうのは、随分ご大層なことじゃないか」

「大成建設とかから、数億も集めたっていう話だ。映画をつくる人間が、そんなに金儲《かねもう》けがうまいっていうのはどうかねえ……」

撮影所の人々の反応も決してよくない。映画をつくる人間というのは、案外旧弊なもので、それぞれが自分の分を越えたことをするのを嫌うのだ。そのうえ今回、自己資金を含めると四億近いという途方もない製作費が、人々の胸に嫉妬《しっと》をかきたてたようである。

俳優としてまだ日活に籍がある裕次郎が、撮影所にやってきても人々は声もかけない。これには信子は驚いた。裕次郎といえば、今まで撮影所でいちばん人気のあった俳優ではなかったか。いくら大スターになっても、裕次郎は裏方といることを好み、休憩時間には照明さんたちとトランプ遊びに興じたりしていた。誰もが、裕ちゃん、裕ちゃんと親しげに声をかけ、裕次郎も気さくにそれに応じていた。それなのに裕次郎が姿を現しても、人々は彼を避けるようになったのである。

日活本社にしたところで、かつて五社協定にさんざんいためつけられていたはずなのに、今回は裕次郎に味方しない。自分たちを通り越して、大きなプロジェクトを動かそうとしている人間を許せないのだ。そもそも映画会社は独立プロを目の敵にしていた。今回のことで上層部が、

「俳優ふぜいが勝手なことをして、うまくいくとでも思っているのか」

と言ったという話もまことしやかに伝わってくる。

「裕ちゃんのやる気もわかるけれども、今度ばかりはやり過ぎじゃないか」

と口に出したのは、信子の恋人の監督だ。

「熊井君が撮るらしいけれど、どうだろうなあ。彼は真面目な映画《しゃしん》をつくらせたらうまいが、
でっかい映画はどうだろうか。裕ちゃんや三船敏郎は、自分の扱いやすい監督を選んだんじゃ
ないのか」
　監督と熊井啓監督とは、同期の入社だ。彼が嫉妬とは無縁な男だということは、信子がいち
ばんよく知っていた。監督が危惧《きぐ》しているのはそんなことではない。
「企業から金を出してもらうことが、はたしてそんなにいいことだろうか。都合の悪いことは
いっさい出せない、新手のPR映画のようになってしまうんじゃないかなあ」
　そんな言葉を聞くたびに、信子はつらい。会社から「この映画に出演しないように」と釘《くぎ》を
さされているのだ。それでもどうしてもと裕次郎から言われたら、会社と喧嘩《けんか》をしても出るつ
もりであった。しかし撮影所ですれ違った時に、裕次郎は笑って言ったものだ。
「今度はルリ子はいらない。なにしろ野郎ばっかりの映画だからな。ルリ子みたいな美人は出
るシーンがないんだ」
　この時裕次郎の顔が明るくなっていたのは、劇団民藝が彼の窮地を見るに見かねて、総出演
を決めていたからだ。滝沢修、宇野重吉、北林谷栄《たにえ》といった重鎮の他に、日色《ひいろ》ともゑ、樫山《かしやま》文
枝といった若手人気女優も顔を揃えていた。やがて日活からは二谷英明、芦田伸介が、他にも
佐野周二、高峰三枝子、岡田英次、山内明といったスターも駆けつけ、キャスティングは日に
日に豪華さが増すようになった。裕次郎は後に語っている。
「この映画によって、五社協定という怪物に縛られていた俳優の自由を取り戻したのだ」
　そして人々を感動させたのは、熊井監督の気骨ある態度であった。日活本社から、

「五社協定に違反するので、『黒部の太陽』にかかわることはまかりならぬ」という内容証明付きの、馘首《くび》をほのめかす文書が届いても、これをいっさい無視したのである。

今や裕次郎は、一スターという枠を完全に超えて、大きな目的に向かう闘士となった。日本人がかつて誰も目にしたことのない壮大な映画を、この手できっとつくり出してみせる。そのためには映画界のつまらぬしがらみなど壊してみせると彼は宣言した。そこにはもう十年前の「太陽族」の青年のおもかげはない。アロハシャツにゴム草履という恰好《かっこう》で、朝からビールを飲み、撮影所のベンチで寝ころんでいた彼。

「北原三枝とキッス出来るって聞いたから映画に出ます。どうせアルバイトですから」

などと取材に答えてひんしゅくを買っていた金持ちの坊ちゃんは、いつのまにか日本の映画界を本気で変革しようとしていた。

そして製作発表からおよそ三ヶ月後、やっと映画はクランク・インするのだ。セットに向かった人々は、みんな度肝を抜かれたという。それはもう、セットなどという大きさのものではなかった。愛知県豊川市にある熊谷組の工場の敷地に、本物と同じ円周を持つトンネルが再現されていたからである。

全長二百三十メートルのトンネルの中で、実際にジャンボ掘削機を走らせた。そのためにはもちろんレールも敷かれている。

「まあ、なんと金のかかっていること」

と俳優たちは声を上げ、そして裕次郎の心のうちをやっと知ることになった。大スター、時代の寵児《ちょうじ》とおだてられても、裕次郎の出演したものはたいていアクション映画だ。製作費もたいしてかかっていないうえに、二十日から二十五日で完成させるという早撮りだ。黒澤明の名作といわれる映画に出演し、世界的スターへの道を歩こうとしている三船敏郎とはあまりにも差があり過ぎる。この「黒部の太陽」は、裕次郎の夢であり、希望で、そして突破口なのだ。彼の内面の思いが、すべて形となったものがこの途方もない大きさのトンネルなのである。日活という会社が、決して彼に与えてくれなかったセットである。

そして事故が起こった。出水シーンを撮る際、わずかな計算ミスが原因で、四百二十トンの水がいっきに流れ込んできたのだ。その場に待機していた俳優たちはすべて水に呑《の》み込まれてしまった。裕次郎もその中にいて、一瞬にして気を失ったという。病院に運ばれた時には、右の親指がだらりと折れていた。あまりの出来事に呆然《ぼうぜん》として声も出ない。もうこれで終わりだと思ったと彼は後に語ったものだ。これほどの事故を起こしてしまった。死人も出ただろう。たくさんの資金を集め、もう半分近く映画は撮り終わっている。いったいどうしたらいいのだろうか。自分の持っているものをすぐに差し出すとしても、おそらく何の足しにもなるまい。本当にどうすればいいのか。首をくくるしかないのか……。

しかし奇蹟《きせき》が起こった。大水に流された五十人は、みんなケガを負ったもののたいしたことはなく、いちばん重傷が裕次郎本人だったのである。公開当時、この出水シーンは大変な評判を呼んだ。あまりにも迫力があるというのだ。

出水シーンのためだけでもなく、この画期的な映画は興行的にも大成功を収めた。子どもにも観せたい映画ということで、全国の小学生、中学生が教師に引率され、こぞって映画館に出かけていったほどだ。

「裕次郎というのは、本当にたいした男だ」

信子の恋人の監督は、しみじみと言ったものだ。

「ふつうあれだけの大スターになると、みなからちやほやされて、まわりのことなど、何も見えないもんさ。だけどあの男は、ちゃんと将来を見据えている。ゼロになるのを覚悟で挑戦出来る人間というのはめったにいるもんじゃない。日本映画を救えるのは、案外あの男かもしれないね」

最後に醒《さ》めた言い方になるのは仕方がない。「黒部の太陽」の成功があったというものの、日本映画はいま息もたえだえの状態だ。テレビに押されて、町の小さな映画館は次々と消えている。かつては人々が夕飯の後、裕ちゃんや旭の映画を観に下駄《げた》履きで行った映画館はもうない。

「黒部の太陽」が公開された年、信子の出演した日活映画は二本だけだ。今、日活でかつての信子のような位置を占めているのが松原智恵子で、やくざ映画から青春映画まで、あちこちの映画にひっぱりだこだ。かつての歌謡映画に代わって、グループサウンズの人気者がスクリーンに出るようになった。「ザ・スパイダースの大進撃」「ザ・スパイダースの大騒動」「ザ・スパイダースのバリ島珍道中」といった映画の中で、堺正章や井上順は芝居にも達者なところを見せ、それに奈美悦子、杉本エマといった人気タレントがからむ。そこにはもう女優は必要なかった。

この頃信子は、テレビの出演が多い。それもNHKの大河ドラマといった大きなものばかりだ。映画界のスター女優として、信子はテレビの人々から、まるで女王のように迎えられる。

テレビはまだ編集の技術が足らず、出来るだけ長まわしで撮る。脚本《ほん》読みやランスルーなど、むしろ映画よりも丁寧につくるぐらいだ。

ＮＨＫには熱い意欲に燃えた若いディレクターが多く、和田勉は特に俊才の呼び声が高かった。和田と組むと執拗《しつよう》なほど演技のプランを聞かされる。彼が演出したドラマを観ながら監督は言う。

「ルリ子のゴージャスさというのは、テレビには向かないんじゃないかってずっと心配していたけれども、そんなことはなかったね。だけどルリ子は、出るものを選ばなきゃいけない。そんじょそこいらのホームドラマに出ても、君のよさは生かせないからね」

映画界が瀕死《ひんし》のうめき声を上げている間に、スターと呼ばれていた者たちは少しずつ生き方を変えようとしているかのようであった。

めっきり出演作の少なくなった旭は、実業家への道を歩こうとしている。

「どうも俺は、テレビには向いていないみたいなんだ。あの小さい画面に収まるようにやれって言われてもどうしていいのかわかんないな。このあいだもテレビの若造に、演技がオーバーだと言われて、あったまに来たぜ」

信子ほど旭はテレビの世界に馴染《なじ》んでいないようだ。彼のスターの輝きは、ブラウン管の中ではかなり窮屈そうなのが観ていてわかった。今は歌の地方公演ばかりだとぼやく。

旭とは最近会うことも少なくなったが、忘れた頃に電話がかかってくる。昨年に旭は、売り出し中の若く美しい女優と結婚した。再婚と言われるはずであるが、ひばりとの時は籍が入っていなかったので、初めてと知った彼の妻は大喜びしたと、旭はしばらく惚気《のろけ》ていたものである。

彼は言う。この先映画の世界がどうなるかわからない。世の中もだんだんわけがわからなくなってきて、学生たちが角材を持って暴れまくっている。このあいだも東大の安田講堂に学生が閉じ籠《こも》って大変な騒ぎだった。そんな時代に人が映画館へ行くはずがない。観るとしたら高倉健か藤純子の仁侠《にんきよう》映画ばかりだ。このへんで本腰を入れて、別の事業をしなくてはいけないと思う。旭は応援してくれる人がいるので、ゴルフ場を持つつもりだ。

「ゴルフはいいよ、ゴルフは。ほら、俺もいち時期はプロになれる、とか言われてやたらのめり込んでいたことがあるからわかるんだ。映画を観る人はどんどん減っても、ゴルフをする人はどんどん増えてる。これからはゴルフの時代じゃないの」

「ふうーん」

こういう話は信子の興味をそそらない。金儲《かねもう》けや事業というのは、まるで、別世界の言葉であった。

「旭ちゃんとゴルフ場って、なんか似合わないわよ」

「そうかなあ」

「旭ちゃんは今までみたいに、お伴いっぱいひきつれて、自分で遊んでくるのがいちばん似合ってるわ。自分でゴルフ場経営するなんていうの、旭ちゃんらしくない」

「そうでもないぜ。俺はおおざっぱのように見えて、細かいところはぴしっと仕切るからな」

頑張ってねと電話を切った後、信子は少し淋《さび》しい気分になる。旭はかつて恋人であったが、同級生でもあった。二人とも十代の年端もいかない頃に、映画の撮影所という特殊な世界に入ったのだ。日活は若い会社であったから、すべてがのびのびとしていて上下のしきたりもなかった。高校にほとんど行かなかった信子にとっては、撮影所が学校になる。旭はその学校で会った初恋の相手だ。そして旭だけでなく、同級生たちが少しずつ違う世界に行こうとしていた。経営の苦しさを言いわけに、会社は社員ではなく契約制をとり始めたので、仲のいい監督たちも次々と離れていく。撮影所に行っても、かつての活気は失われていた。

そして信子は、その撮影所で新しい恋にめぐりあった。ゆく先のない監督との関係は、いつか終わりを迎えようとしていたが、その若い俳優はまるで入れ違いのように信子の心に入ってきたのだ。「裕次郎二世」というキャッチフレーズどおり、彼は若い日の裕次郎によく似ている。違っていることといえば、彼に比べてずっと歯並びがいいことだろうか。信子より四つ年下の彼は、デビューと映画の斜陽とがぴったりと重なってしまう。言ってみれば「遅れてきた新人」かもしれない。が、いくら遅れ気味でやってきても、渡哲也のように大きな人気を得る俳優もいるが、彼はそうではなかった。大きな体なのに、はにかんだ顔がかわいいとファンはついてきているが、彼の人気を爆発させる力はもう会社にはなかった。もう少し前だったら、彼を売り出すために出演映画が次々とつくられたに違いない。が、彼の今の役割は青春映画の二番手といったところだ。年下の彼は、自分が少年だった頃からのスターが自分のものになったことを無邪気に喜んでいる。

「俺がもうちょっと売れていたら、ルリちゃんに結婚を申し込めるのにな」

「そうか、残念だったね」

信子は笑う。もう二十八歳になっていたけれども、結婚するつもりなどまるでなかった。姉や上の妹がそれぞれ幸福な結婚をして、可愛い孫を両親に見せていた。おかげで信子は、自分は責任を免れたような気分だ。

父の源二郎も言う。

「女優は結婚しなくてもいいんだよ。女は結婚した方がいいけれども女優はしない方がいい。女優が結婚して幸せになれたためしはないからね」

そんなことってあるかしらと信子は思い、何人かの女優を思いうかべる。姉妹のように仲よくしていた芦川いづみは、今年新人俳優の藤竜也と結婚した。人気絶頂の時に、格下の俳優と結婚したばかりか引退までしたのでまわりは驚いたものだ。たまに電話で喋《しゃべ》るくらいだが、とても幸せに暮らしている様子が伝わってくる。が、彼女はもう女優ではない。岩下志麻が昨年結婚して大層話題になったが、相手は映画監督である。女優と監督が結ばれる例は多い。もしかすると、女優の仕事をいちばん理解してくれる映画監督と結ばれるのは幸せになる数少ない道かもしれない。信子は今、自然に消えようとしている恋人の監督との恋を思い出す。彼は信子のために大作と言われるものをつくってくれた。あれは信子が「アクション映画のヒロイン」から抜け出すために、どれほど大きな力になったことだろうか。演技指導というのをあれほどこと細かくされたのは、彼が初めてであった。

恋人との別れに、唖然《あぜん》としながらひとり食事をするシーンがある。

「いいかい、ルリちゃん。われを忘れて、ぼんやりとしたまま飯を食うんだ。頭の中は男のことでいっぱいだけど、やはり飯は食う。そういう風に食べてくれ」

信子は考える。何も考えずに食べていたら、飯粒が間違って頬につくのではないだろうか。

ぼんやりとしているけれども、女はそういう時、無意識のうちに飯粒をとるはずだ。信子はとっさに、飯粒を左手でとるしぐさをする。

「ルリちゃん、何をしたんだ」

その時、鋭い怒声がとんだ。

「いったい、今、何をしたんだよ」

「だから、頬ぺたについたご飯粒をとろうと思って……」

「頬ぺたには何もついていないだろ。だったらどうしてそんな真似をするんだ。ついてもいないものを取るようなことは絶対にやめてくれ。ちゃんと見てるぞ」

現場での激しいやりとりを懐かしく思い出す。どうして監督と別れることになったのだろうか。信子は結婚を望んだことなどないのに、監督は会うたびに信子に謝罪する。

「本当に申し訳ない。ルリ子と結婚することが出来ないんだ」

男の謝罪は四度も聞くと嫌気がさしてくる。それが自然と別れに繋《つな》がったのかもしれないが、今度の若い俳優も、信子に対して申し訳ないとつぶやく。

「僕がもっと売れっ子にならなきゃいけないのに、本当にルリちゃんに申し訳ないよ」

信子は思う。男たちはどうして自分に謝るのだろうか。謝るほどのことを自分はさせているのだろうか。信子が多くのものを男に求め、男に期待したことがあったろうか。そんなことは一度もない。信子はただ好きになった男に愛され、甘美なひとときを過ごしたいということだけだ。

もしかすると、若い俳優との関係もそう長く続かないかもしれないと信子は思うことがある。

けれどもそうつらくはなかった。男の人は別れたとたん、必ずすぐに現れる。そして前の男も友だちとなって、信子の傍にいてくれる。だから泣いたり悲しんだりすることはない。信子は少し……確かに結婚をしなくても信子は充分に幸せだった。それなのに男たちは少しもわかろうとしない。子は少しそのことにうんざりしている。

裕次郎から話があるからといって、赤坂東急ホテルのラウンジに呼ばれた。こういう時は、スターは必ずお付きを連れていく。どんな噂を立てられるかわからないので、絶対に二人きりでは会わないというのは、スターの不文律だ。今の恋人とも、外で二人きりになったことはない。「ニューラテンクォーター」や「コパカバーナ」へ踊りに行く時も、必ず他の仲間がついてくる。その後、しめしあわせて彼のアパートへ行くのだ。ここで初めて二人きりになる。

裕次郎に会うというので、信子はワンピースを着て、大ぶりのイヤリングをつけた。ワンピースは流行《りゅうこう》のサイケ調のものだ。父の源二郎は「品がよくない」と眉《まゆ》をひそめたが、鮮やかな色と柄は心をひきたててくれる。指定された場所には、最近付き人をしてくれている妹の靖子を連れていった。

「裕ちゃんと会えるなんて夢みたい」

と靖子は興奮している。このあいだまでふつうの勤めをしていた娘なのだ。

裕次郎は石原プロの重役と一緒だった。重役といっても、裕次郎とそう変わりない若さだろう。裕次郎はグレイのスーツを着ていたが、それが陽灼《ひや》けして精悍《せいかん》さを増した顔とちぐはぐであった。聞くとずっと東アフリカにロケハンに行っていたという。

「やっとルリ子に出てもらえる映画がつくれそうだよ」

そう言う口調に「黒部の太陽」の成功の余韻がにじんでいた。

「ルリ子はさ、サファリ・ラリーって知っているか」

今度の映画の主人公はレーサーだという。世界には有名なレースがあるが、そこに出場するのは何も自動車会社に所属するレーサーとは限らない。〝ジプシー・クルー〟といって、どこの専属にもならず、ただひたすら勝利をめざす男たちがいる。今度の映画は、その〝ジプシー・クルー〟と呼ばれる男たちの人生と恋を描くのだという。

「もちろんルリ子は俺の恋人だ。脚本はまだ出来てないけれども、たぶんパリに住むデザイナーということになる。それからもうひと組の恋人は、フランス人の有名な俳優に出てもらうことにしたんだ」

他に三船敏郎、仲代達矢というスターも出演が決まっている。

「この映画はね、世界を視野に入れてつくるつもりだ。サファリ・ラリーやモンテカルロ・ラリーの話だったら、誰だって観たいだろ。あのアフリカをロケするんだ。ケニアやキリマンジャロを撮った映画なんて、世界でもめったにあるもんじゃない。なあ、すごいだろ。象だってキリンだってふつうに歩いている道を、俺たちが走って撮っていくんだよ」

あきらかに裕次郎は興奮していた。「黒部の太陽」で得た自信が、さらにスケールの大きいものをと、彼を衝《つ》き動かしているに違いなかった。今回の資金が四億と聞いて、信子も靖子もへえーと、思わず声を上げた。

「それって、またどこかの会社に頼んだの」

信子の質問に裕次郎は顔をしかめた。「黒部の太陽」は大成功の陰で、「企業の御用達映画」という声があったからである。

「そりゃあ、レーサーの映画だから、自動車会社の協力がなきゃ出来ないさ。この映画は日産が全面的にバックアップしてくれてる。だけど日産の川又社長っていうのは、たいした人なんだ。わかりましたって胸を叩《たた》いてくれたうえで、うちの宣伝映画にだけはしないでくれって言ったんだぜ。苦労に苦労を重ねてきた、わが国の国産車がどれだけ素晴らしいか、それが伝わってくる映画をつくってくれってさ。俺は感動したね。映画のおえらいさんにこういう人がいたら、ちったあ何とかなったろうってつくづく思ったね」

この企画はそもそも別の映画会社に持ち込まれたものだ。けれどもあまりにも金がかかるのと、アフリカロケという大きさに大手の映画会社はすっかり腰がひけてしまった。ある重役は、こんな映画は今の日本ではつくることが出来ない、と断ったという。

それではと、裕次郎は口を開いた。タイミングをはかっていたとしか思えぬほど、絶妙の間があった。

「それでね、監督を頼んだからね」

信子の恋人だった男の名を告げた。彼と信子との長い関係がどうやら終焉《しゅうえん》を迎えているというのは、撮影所の人なら誰でも知っていることだ。裕次郎はそういう男と、長いロケに耐えられるかと暗に信子に尋ねているのである。

「本当？　気心が合った人ばっかりだから、ロケも楽しくなりそう」

信子はことさらはずんだ声を出した。

「そうはしゃぐなよ。ピクニックに行くんじゃないぜ。アフリカに行くんだからな。もう砂漠で野グソする状態になるはずだから、覚悟しとけよ」

「もう、裕ちゃんたら下品なんだから」

信子は軽くぶつふりをした。


しかし信子は、このロケの本当の過酷さを知ることなく終わった。信子は戦いに挑む男をひたすら待つ役である。だから登場する場所も、パリやあるいはアフリカの都会ということになる。裕次郎の一隊はナイロビを出発し、ウガンダのカンパラに向けて走った。五千キロのコースの始まりである。このアフリカロケだけで三ヶ月かかる。ロケの一行は五日、一週間とテントを張り、毎朝コップ一杯ほどの水で歯を磨き顔を洗う。そして裕次郎が予言したとおり野グソをする。帰ってきた時は、現地の者そっくりの肌の色になっていた。

その間信子はナイロビのホテルでひとり待っていた。もうひとりフランス人の女優もいたけれども、彼女とは言葉がうまく通じ合えないので、撮影の時以外に会うことはない。ナイロビは想像していたよりもずっと都会的なところで、街の中心部はビルが建ち並ぶ。ホテルの近くに「フラミンゴ」という大きなクラブがあり、現地の商社の人に一度連れていってもらったところ、売春婦ばかりですぐに帰ってきた。

一ヶ月もたつ頃には、淋《さび》しさのあまりどうしていいのかわからなくなってきた。四億円という予算のついた映画であるが、贅沢《ぜいたく》はいっさい許されない。よってマネージャーはおろか、付き人の靖子でさえ連れて行くことは出来なかったのである。

日本から持ってきたわずかな本も、すぐに読んでしまった。何をしていいのかわからずに信子は泣きたくなってしまったほどだ。そして編み物をすることを思いついた。砂漠は昼は四十度を超える暑さになるが、夜になると別世界かと思うほど空気が冷えるらしい。ナイロビいちのデパートで信子は毛糸を見つけマフラーを編むことにした。秋になればこういうものが必要だと聞いたからだ。

毛糸編みなどしたことはないけれど、その昔、学校の家庭科で細編みをしたことを思い出した。そして信子はいつしか、裕次郎のマフラーを編んでいるのである。

どうしてあの男に編んでやらないんだろうか。

自分でも不思議で仕方ない。あの男というのは、今の信子の恋人である若い俳優である。彼からは一度長い航空便が届いた。その中には信子への思いがまっすぐに綴《つづ》られていた。ルリちゃんのいない東京がこんなに淋しいとは思ってもみなかった。仕事をしていても、ルリちゃんのことばかり考えている。先月号の「キネマ旬報」にロケのことが載っていた。信じられないような暑さと過酷な自然の中、日本の撮影隊が頑張っていると書かれてあってとても嬉《うれ》しかった。ルリちゃんの役は、パリに暮らす日本人デザイナーだね。とてもぴったりだと思う。けれども裕次郎さんや、あの監督さんたちと一緒だと思うと、やはり僕は冷静ではいられない。ルリちゃんのために、僕は一日も早く大スターになりたいと思う。今のままではとてもルリちゃんと釣り合わないことはわかっている。だけど僕はルリちゃんのことが本当に好きだ。愛している。この気持ちは誰にも負けないと思う。相手がたとえ有名な監督や大スターだろうとね……。

最後の言葉が意味深だ。監督とのことは彼から聞かれたので正直に話してある。信子はこういうことを隠さない。たとえ自分が否定したとしても、自然に人から伝わっていくはずだ。しかし「大スターだろうと」というのはどういうことだろう。信子の裕次郎への思いは、あまりにも長く胸にこびりついているために、とても自然なものになっている。まるで肉体の一部になったかのようだ。人に話したこともないし、感づかれたこともないはずだ。おそらく多くの人は、裕次郎と信子のことを、とてもよく似合うぴったりの共演者だと思っているだろうし、事実そのとおりだ。世の人々にとって、裕次郎は男の理想を、信子は女の理想を体現していた。見事な肉体と男らしい容貌《ようぼう》を持つ裕次郎の傍に立つと、きゃしゃな体の信子はいっそうひきたつ。世間の男たちは、今のところサユリストと、ルリ子派に分かれ、吉永小百合を愛する男たちは、浅丘ルリ子の顔は少々バタくさすぎると勝手なことを言うが、そんな彼らも信子の美貌は認めざるを得ない。二十代後半に入り、信子の美しさは最高潮を迎えようとしていた。太いアイラインにくっきりおおわれた瞳《ひとみ》は、このところさらに強い光を増していた。それよりも絶賛されるのはその唇だ。真ん中が厚くぷっくりとしていて、さまざまな表情を見せる。きっと結ぶと女の強さを、薄く開くと女の官能をぬれぬれと伝えるのである。出演本数はめっきり減っているけれども、信子が日本を代表する美女であり、人気女優であることは間違いなかった。だが裕次郎が、いつも相手役に信子を選び、全幅の信頼を置いているのは他にも理由がある。この美しい女の中に古風なほどの侠気《おとこぎ》が潜んでいることを知っているからだ。

「全くルリ子って男みたいだよなァ」

ある時酔った裕次郎が漏らした言葉だ。

「文句は言わない。人のことはどうでもいい。ものごとに執着しない。金や宝石は欲しがらない。まあ、好きなのは男だけか」

最後のからかいの言葉に、まあ失礼ねと大きな声で言い、彼の肩を強くぶったけれども、その言葉は賞賛だと感じた。この三ヶ月の長いロケを共にする女優に信子を指名したのも、その人柄を信頼してくれたからである。いくら多額の予算があるからといっても、節約出来るところは出来るだけ切りつめていくというのが、プロデューサー裕次郎のやり方だ。信子の長期滞在するホテルは、二流の下というところで、マネージャーも付き人もついてこない身にはつらかった。国内のホテルならば必ずスイートルームを用意される信子も、ここナイロビではツインのシングルユースだ。食事も近くのレストランへひとりで行った。かつてイギリスの植民地であったケニアは、食事がひどくまずい。ステーキを頼むとパサパサに硬い肉が出てくる。仕方なく信子は、中華料理店を見つけそこに通うようにした。漢字というのは有難いもので、メニューの見当がつく。そこで麵《めん》と軽い一品を頼むようにした。

やがて大男の現地人のウエイターが、ヘタな英語で信子に話しかけてくるようになった。

「あんたはいったい何人なんだ」

「日本人よ」

「嘘だろ。時々この街で日本人を見かけるが、あんたみたいな顔をしていない」

そしてカラテー・コンニチハと、奇妙な日本語を発した。

「あんた、なんて綺麗《きれい》なんだ。信じられないくらい綺麗だ」

「ありがとう」

「俺は村に帰ると、何頭も牛を持っている。牛と交換しないか。あんたと牛、たくさんの牛をあげる」

後で現地のコーディネイターに聞くと、それは求婚されたのだとわかった。花嫁と牛とを交換するのは、まだ残る習慣なのだ。

こんなことをしているうちに、日はたっていく。編み物は全く進まない。映画界に入る前、ほんの少女の頃に習った編み物なのだ。手が憶《おぼ》えていなかった。街でもひとり歩きしたいところだが、コーディネイターに止められた。ナイロビの治安は決していいとは言えない。特に金持ちの外国人女性は狙われる。出来る限りホテルにいてくれというのだ。すっかり退屈した信子は、やっと日本の恋人に手紙を書くことを思いつく。

「お元気ですか。手紙をありがとう。とても嬉しかったわ。ナイロビは思っていたよりも大きな都会でびっくり。象はいないのかしらと聞いて笑われました。そんなのはサファリ・ツアーに行かないと見られないって……」

その手紙の続きを明日書こうと思っているうちに、いつしか眠ってしまった。そして次の日の朝、予定よりも一日早く、ロケ隊が戻ってきた。十日間近く砂漠でのレースシーンを撮っていたのだ。ミニバスから男たちがどやどやと降りてきた時、信子は胸がいっぱいになった。汗と土埃《つちぼこり》にまみれた男たちは、手負いの獣のようなにおいと疲労感をにじませていたからだ。

「お帰りなさい」

信子はこちらで買った白い木綿のブラウスを着ている。民族衣装に近い丈の長いものだ。朝洗った髪をそのまま背に流していた信子は、あまりにも無防備過ぎた。自分のその姿がどれほど美しいか、砂漠から帰ってきたばかりの男たちの目にどう映ったかを全く配慮していなかった。

監督よりも早く、信子に近寄ってきたのは裕次郎であった。サファリジャケットに半ズボンをはいている。赤銅色に光るほど陽灼《ひや》けしていて、出発する時はなかった白髪がちらりと見えた。

「ルリ子、長いことひとりにさせて悪かったな。元気にしてたか」

「だいじょうぶよ」

信子は微笑みながら、涙がこぼれそうになった。裕次郎の姿を見たとたん、自分がどれほど人恋しかったかわかったからである。

「おう、映画なら抱き合う感動のシーンってとこだが、近寄るなよ、十日間ずうっとシャワーを浴びていない。パンツも四日間取り替えてない」

「汚いわねえ」

やっと笑顔が出た。そしてこの男を本当に好きだと心から思った。機材を次々と降ろす男たちの陰から監督が姿を現した。まるで制服のように、彼もサファリジャケットだ。トレードマークのサングラスをはずしながら、やあ、お待たせと言った。

「ルリちゃん、こんなに長くひとりで待たせて悪かったね」

「いいのよ、ゆっくり出来たから」

信子は頷《うなず》いたが、もう泣きたくなることはなかった。

その後、街に一軒だけある日本料理屋へみなで出かけた。宴会が始まり裕次郎は水のようにビールを飲んでいたが、そのうち気づかれぬように外に出ていった。信子もこっそりと後を追う。裕次郎はテラスに立ち星を眺めていた。星の多さに信子は目を見張る。まるで無造作にビーズの箱をぶちまけたようだ。一粒一粒が命を持ったように、大きく次は小さくまばたきしている。二人はしばらく無言で空を眺めていた。

「すごいわねえ……」

「すげえな……。これを見ただけでアフリカに来た甲斐《かい》があったと思うよ」

顔を星に向けたまま裕次郎は、信子に言う。

「ルリ子、ありがとう。こんなところまでこさしちゃって」

「いいの、そんな……」

酒は飲まない信子なのに、大きく深く何かに酔っていた。自分から裕次郎の胸に倒れ込む。そして唇を近づけた。映画で何十回と繰り返したこのシーン、が、いつもと違って、カチンコの音もしなければ見つめる人々もいない。純粋に二人だけだ。思えば、初めてくちづけを交わしたのも、相手は裕次郎で映画の中であった。よく知っているはずの唇だと思っていたが、いつもと違う感触があった。熱く乾いていた。

「裕ちゃん、好き、ずっと前から好き。本当に好き。私はずっと裕ちゃんだけなの……」

唇を離した信子は小さく叫び続けた。今ここで言わなければ、自分は二度と告白することはないに違いない。

「わかってたよ」

裕次郎は信子の肩を軽く叩《たた》いたが、その優しさが拒否と謝罪を告げているのを感じた。

信子は星と裕次郎に背を向けて歩き出す。もう二度とそこには戻らないだろうと思った。

「わかってるわ。ただ言いたかっただけだから気にしないで」

方にいくかもしれない。が、その時信子に残っていたかすかな矜持《きょうじ》が、もうやめろと命じた。

この後何を告げるべきか。わかっているけど、でも好きなのよ。信子が続ければ事態は別の

「わかってるわ」

「俺もルリ子のことが好きだ。だけど俺にはマコがいるんだ」

10

映画は、もはや斜陽などといわれる過程をとうに過ぎ、瀕死《ひんし》のあえぎ声を上げていた。いったいどうしたら客が入るのか。会社側も考えあぐね、その結果ひとつの結論を出した。

もうセックスと女の裸で、客を釣るしかない。

その年、日活が製作した映画は、北島三郎や高橋英樹が出演する仁侠《にんきょう》映画の他には、「残酷おんな情死」「女子学園悪い遊び」「野良猫ロック」という類《たぐい》のものであった。そして信子は「愛の化石」という映画に出演し、セリフばかりの「愛の化石」という主題歌が大ヒットした。

が、信子はこの映画が、日活が配給する最後の主演作品になるとはまだ予想していなかった。次の年、日活は一般映画の製作を基本的に打ち切り、「日活ロマンポルノ」と名づけて、低予算の成人映画のプロジェクトをスタートさせるのである。

日活の崩壊に伴いそれぞれのスターたちの運命が、大きく変わろうとしていた。

「映画の救世主」といわれ、サファリ・ラリーロケを駆使した「栄光の五千キロ」では、その年最高の興行成績を上げた裕次郎は大きな賭《か》けに出た。

「世界に通用する映画を撮りたい」

というのがかねてからの彼の夢であり、今回は監督も脚本も、主演もハリウッドから連れてきたのである。

アメリカの兵士が、二週間で千三百キロ歩けるかどうかという賭けをし、その勝った金を養護施設に寄付することを約束する。が、彼は前線で亡くなり、その遺志を継いで日本人のカメラマンが長い旅に出る、というストーリーである。

ロケは別府で行われ、一行は現地の人々に温かく迎えられた。市でも協力してくれ、名だたる別府の名旅館が格安の料金でロケ隊を泊めてくれた。もしあのようなことがなければ、この映画はヒットとはいえなかったまでも、そこそこの収益を裕次郎にもたらしたに違いない。あのことというのは、監督、脚本家はじめ、何人かのハリウッドの人間を迎え入れたことである。決して一流とはいえない彼らであったが、気位だけは高く、ユニオンで決められているからといって、徹底的に食事や終了時間を守った。日本の映画だと、のってくればスタッフたちは徹夜も厭《いと》わない。しかしアメリカ人の彼らは、それを拒否し、時間がくればさっさと引き揚げてしまう。

信子も小さな役で出演していたが、初めて見るハリウッド人種の傲慢《ごうまん》さには驚かされることばかりだ。意地悪な見方をすれば、極東の小さな国から、搾り取れるだけ搾り取ってやろうという思いさえ感じられる。アジアで初めて万国博覧会が大阪で開かれていようと、彼らにとって日本はまだまだ後れた敗戦国だったろう。まだドルのレートも高い時で、石原プロは、彼らからそれこそ目をむくようなギャラを要求されたと聞いた。

ましてや興行的にも決して成功とはいえず、たちまち、

「裕次郎は六億の借金を背負った」

という噂が、映画界に飛びかった。

「黒部の太陽」や「富士山頂」の利益を全部注ぎ込んでも、とても返すことが出来ない額だ。彼の成城にある豪邸は抵当に入り、落とさなくてはならない手形は積み重なっているという。あの誇り高く、スターの生活しか知らなかった裕次郎が、それこそ日々の食べるものさえ切りつめていると聞いて信子の胸は痛んだ。既に信子は日活の専属を離れ、石原プロに籍を置いている身だ。少しは援助出来るかもしれない。金には全く無頓着《むとんちやく》で、相変わらず、信子の家には毎日のように人が来て食べ続けている。しかし、この間の信子がいかに撮影所の人々の空腹を充《み》たすために働いてきたようなものだといっても、十数年間スターをやっていれば少しばかりは預金もある。これを裕次郎に差し出すことは出来ないだろうかと相談したところ、父の源二郎に反対された。

「やめなさい。あの人がどういう男か、信ちゃんだって知らないはずはないだろう。女からの金など絶対に受け取るはずはない。大丈夫だ、日本一のスターが、本当に破産するわけはないのだから」

父のこの忠告が信子には悲しい。これは裕次郎本人から聞いた話であるが、まき子は借金を少しでも返すために、婚約指輪と結婚指輪を除いて、宝石をすべて売り払ったという。

この話を聞いた時、信子は初めて裕次郎の妻に激しく嫉妬《しっと》した。彼らがハワイへバカンスに出かけようと、豪邸の芝生の上でくつろぐ姿を見ようと、一度も羨《うらや》んだことはない。けれども今度は違った。苦難の時に夫のためにすべてを投げ出そうとする妻は、甘美な喜びに充ちているに違いない。順調な時の何十倍もの強い絆《きずな》が生まれているはずだ。不幸な時に固く結ばれているのが夫婦で、二人は余人など入れない世界にいる。信子は指輪もなく、化粧っ気もないまき子を思い、どんなに美しいだろうかと妬《ねた》ましくなった。

しかし源二郎の「日本一のスターが破産するはずはない」という言葉は本当だった。なんとか危機をのりきった裕次郎と石原プロは、この失敗をきっかけに、やがてテレビ映画へと進出していくのである。

「しかしテレビの画面っていうのは色気がないなあ」

というのが、かつての裕次郎の口癖であった。

レンズが明る過ぎるので、遠近感が出ない。俳優の顔がみんなひらべったく見えてしまう。セットが小さくて、カメラのアングルが決められてしまうのも面白くない。やっぱり俺たちのホームグラウンドは映画だぜ、あのスクリーンとテレビ画面の大きさを比べてみろよ。まるで象とネズミぐらいの差があるぜ。ルリ子、やっぱり映画はいいな。テレビなんか問題じゃないぜ、と常に言っていた裕次郎であったが、小さなプレハブの事務所を借り、テレビドラマの制作に乗り出し始めた。

「仕方ないだろ。今はテレビで食いつなぐしかないんだからな」

と、裕次郎はバツの悪そうな顔で笑い、そんな彼の顔を見るのは初めてであった。その裕次郎の傍には、渡哲也がいる。青山学院四年在学中、信子の相手役のオーディションに応募してきた青年であった。背が高く、太い眉《まゆ》にしっかりした顎《あご》を持つ若者であったが、関西訛《なま》りが強いのと、あまりにも素人くさいので、会社側は不合格とした。愛想がないのも致命的であった。後で聞くと、大学の友人たちが勝手に応募し、怒鳴りつけたところ、

「日活に行けば、本物の石原裕次郎に会えるから」

と説得されたという。

審査をしていた信子は、青年に合格点を与えていたが、会社側がにべもないので諦《あきら》めていた。昔から会社の上の者たちと言い争ったりするのが大の苦手なのだ。保身のためではなく、めんどうくさいからである。仕事のことさえきちんとしてくれれば、その他のことはどうでもいい。が、最後までこの若者を推し続けた者がいた。共演の伊丹十三である。

「なよっとした二枚目なんて、この先いくらでも見つけられると思うよ。あのコの頭の形、骨格、すべて綺麗《きれい》でたくましい。スターになる条件をすべて備えているよ」

伊丹の言葉はあたっていた。青春映画、仁侠映画にと、渡はすぐに頭角を現し、「スター候補」「次の日活を背負う若者」とマスコミも取り上げた。が、あまりにも時期が悪かった。日活はもはや息もたえだえの状態になっていたからである。

「ポルノしかつくらないっていう会社に、まさかこいつを置いておくわけにはいかない。裸にさせるわけにはいかないしな、うちに入れたよ」

裕次郎は目を細めて渡の方を見る。心酔する裕次郎の側にいられて、渡の方も心底嬉《うれ》しそうな顔をしていた。

裕次郎が、雑誌記者に語ったことであるが、石原プロが倒産の危機に立っていた時、渡はひとりで裕次郎のところを訪ねてきたという。そして自分の全財産百八十万円を差し出したのだ。

「まさか俺がそんなものを受け取れるはずはないだろう。だけど、その気持ちが本当に嬉しかったなあ。そしてついでに、テツは俺んとこへ来てくれたわけだ。東宝や、東映に行けば、そんなに苦労もしなかったろうに、どん底の石原プロに入ってくれるなんてさ、あいつは本当に馬鹿だよ」

石原プロは、裕次郎、渡の二人を軸に、テレビの世界へ乗り出そうとしていた。まだ借金は残っているというものの前途は明るい。テレビドラマを映画と同じような贅沢《ぜいたく》さでつくる。そのために、こちらから企画を売り込み、制作まですべて引き受けるのだと裕次郎は決意を固めたようだ。

「ルリ子、食いつなぐためにテレビドラマをつくる、っていうんじゃ悲しいからな。まあ、いろいろやってみるよ。誰も観たことのないようなテレビドラマをつくってみるからな」

映画であれ、テレビであれ、映像の世界を決して離れようとしない裕次郎と比べ、旭はあまりにも対照的であった。

日活がついに「ロマンポルノ」に変更する前、製作本数は激減し、彼の出演作はほとんどなくなっていた。旭ほどのスターならば、他の映画会社への移籍はいくらでも可能だったろうに、なぜかそうしなかった。

乞《こ》われて東映に行ったのは、かなりたってからである。

「なんか疲れたな」

と信子に電話でこぼした。

「あれだけ俺たち頑張ってきてよ、一年に十本も十一本も映画に出てよ、ドンパチやられて、地べた這《は》いずりまわって、スタントマンなしで海に飛び込んでさ、最後は裸のねえちゃんに負けちゃうのか。なあ、ルリ子、なんか空しくならねえかよ」

まさか旭の口から、こんな老人めいた愚痴を聞こうとは思ってもみなかった。

「そんなことないわよ」

信子は応《こた》える。

「今までの会社が失くなるのは、そりゃあ淋《さび》しいわ。淋しいけれど、空しくはないわよ。何たって時の流れっていうものがあるから、今、映画観にくるお客さんが、私のクローズアップよりも、裸のおねえさんの方がいいと言うんなら、それはそれで仕方ないことだと思うの」

「なんだ。ルリ子、随分割り切ってんな。日活《うち》が今、どういう映画つくってるか知ってるか。『団地妻・昼下がりの情事』に、『セックス・ライダー 濡れたハイウェイ』だぜ。うれしくって涙が出らあ」

「なによ、旭ちゃん、みんな題名空で言えるじゃない。観に行ったわけ」

「やめてくれよ。俺たちの時もよ、ひどいタイトルつけてくれたもんじゃないかと腹立ったことがあるけど、これに比べりゃずっとマシだぜ。だけどな、まあ働かなきゃならないしな。母ちゃんもいるし、娘もいるしな。まあ、映画の方はしばらく休んで他で稼ぐわ」

とはいうものの、ヒット曲を何曲か持つ旭は、高額なギャラの仕事はいくらでもある。地方のキャバレーをまわれば、百万単位の金が懐に入るのだ。

そして同時に旭はいよいよ実業家への道を歩み始めようとしていた。かねてより念願のゴルフ場経営に乗り出すのに、

「栃木は塩原《しおばら》に近いいいとこだからよ、ルリ子も来てくれや。ルリ子が来てくれれば、いい宣伝になるから、プレイ代はタダでもいいぞ」

最近聞いたところによると、長野にももうひとつゴルフ場をオープンさせるという。信子はかすかに不安になる。旭は豪胆なようでいて、実はナイーブなところがある。お人好《ひとよ》しで、つい情にほだされてしまう。いちばん実業家に向いていないタイプなのだ。おまけに長年スターをやってきた者独特の、乱暴な金とのつき合い方だ。本当に銀行とつき合ったり、金の勘定が出来るのだろうかと信子は案じてしまうのだ。

「大丈夫、大丈夫。親身になって相談にのってくれる人がいるから」

と旭は少々うるさそうに言い、それきり電話も間遠くなった。地方のキャバレーまわりと、ゴルフ場の経営で忙しいようだ。

そしてかつての彼の妻も、もう若くない季節を迎えようとしていた。

ひばりに不肖の弟たちがいることは世間にもよく知られている。家族愛が異様に強い彼女は、この二人を何とか一本立ちさせようと必死だった。姉の威光で、映画に主演させたり、自分の舞台に立たせたりと、さまざまに手を尽くした。が、弟二人は芸能界で成功するどころか、自立することも出来なかった。特にひどいのが、上の弟の哲也で、若いうちから暴力団に出入りし、賭博幇助《とばくほうじょ》容疑で逮捕されたのをきっかけに、拳銃《けんじゅう》不法所持、傷害、暴行、拳銃密輸とたびたび警察に挙げられていた。

まう。

こんな弟をひばりは庇《かば》い続け、その頑《かたく》なさは、もはや意固地さとなり、世間を呆《あき》れさせてし

やがて哲也は、小野透からかとう哲也と芸名を変え、芸能界に復帰しようとした。姉の舞台にすぐ立ったことでもひんしゅくを買ったが、つい最近はひばりのブラジル公演に参加しようとし、この時は大変な騒ぎとなった。法律は芸能界ほど甘くない。保釈中の身で渡航許可が下りるわけはなかった。が、ひばりとその母親は、

「弟が二人一緒でなければ、絶対にブラジルで公演しない」

と言い張ったのである。こんなことは通る道理もなく、公演はほぼ絶望視された。が、これでは「日本ブラジル友好」に傷がつくと怖れた関係者たちが外務大臣に直訴し、なんとか出発二日前に渡航許可が下りたのである。「前代未聞」とマスコミは書き立て、これにひばりはますますいきり立った。今やひばりは「美空えばり」という別称をつけられるようになっている。紅白のトリは毎年続けてつとめ、女王の貫禄《かんろく》を見せているが、そこには旭と結婚した可憐《かれん》な面影はなかった。

二人が結婚した次の年、石原裕次郎が小さなパーティーを開き、信子はそこで初めてひばりに出会った。新妻らしく梅の模様の羽織を着たひばりは、信子に向かって言ったものだ。

「ルリ子さんって、なんて綺麗なの。どうか私の友だちになって頂戴《ちょうだい》ね」

その約束どおり、今でもひばりはよく手紙をくれる。驚くほど達筆の長い手紙だ。どうということのない時候の挨拶《あいさつ》の後、巡業先であったことなどがこまごまと綴《つづ》られている。それを読むたびに、信子はひばりの孤独な魂と向き合わされたような気分になってしまう。

この頃は酒量が上がって、毎晩のようにレミー・マルタンをひと瓶空けてしまうとひばりは告白している。酔ってうとうとしながら眠りにつく時がいちばん楽しいという境地は、全く酒が飲めない信子にはわからない。

信子はこんな返事を書いた。

「最近仕事で疲れているんじゃないかしら。和枝さんを見ていると、大スター、女王と呼ばれる人は何て大変だろうかと思わずにはいられません。責任を自分に課してしまうのですね。

そういう私も相変わらず忙しくしております。日活はご存じのとおり、ひどいことになっても、幸いなことにテレビの仕事がたくさん入ってきます。

私はこの頃、人間はなるようにしかならない、どんなに境遇が変わっても、その場所で一所懸命やっていれば、幸運はついてまわると信じています。私がこんなに楽天的なのは、おそらく大陸生まれ、外地育ちのせいでしょう。終戦後、財産はすべて捨てて、命からがら逃げてきた者たちにとっては、飢え以外は何も怖いことはありません。

和枝さんのように、子どもの頃からスターだった人には、なかなかわかってもらえないかもしれませんけれど。

とにかく私たちはまだ若いのです。世間は三十歳を過ぎた女をおばさんのようにいうけれども、何かがたくさん待っているような気がしませんか。和枝さんもそう思ってみると、結構毎日が楽しいかもしれません。

また近いうちにお会いしましょう。お酒をあんまり飲まないでね」

テレビの世界でも、信子は大スターであり、日本を代表する美女であることには変わりない。裕次郎などはテレビを一段低く見ているところがあるが、大作といわれる番組の金や時間のかけ方は、末期の日活よりもずっと上だ。何よりも、若い演出家たちの熱気たるやすさまじいものがある。

今をときめく人気作家五木寛之の大ベストセラー「朱鷺の墓」に、信子は取り組んでいる。金沢の芸者という役柄だ。相手役は大河ドラマの信長役で、いちやく人気スターになった高橋幸治だ。彼は日露戦争で捕虜になったロシア人将校を演じている。演出家は何度か仕事をしたことがある和田勉である。彼の演出はねちっこく、自分のプランを喋《しゃべ》り過ぎるきらいがあるが決して嫌いではない。かつて恋人だった映画監督とは全く違うタイプであるが、信子はこの演出家をきちんと尊敬し、決して逆らうことはなかった。

映画のスターというのは、テレビの現場をとかく馬鹿にしがちだ、とよく言われる。映画よりもテレビをずっと下に見ている風潮は、今となってもそう正されてはいない。が、信子は演出家と呼ばれる人間を常に立て、指示されることには素直に耳を傾ける習慣が出来ている。ある女性週刊誌に、

「浅丘ルリ子と和田勉は恋人同士なのだ」

という記事が載っていて、信子は思わず笑ってしまった。とんでもない勘違いというものだ。信子はテレビという新しい職場が案外気に入っている。そしてそこの水先案内人というべき和田勉を頼りにしているだけなのだ。実際彼のおかげで、このドラマは、さまざまな賞を受けた。案内人といえば、同じドラマに出演していた杉村春子の演技のうまさに、信子は心底驚かさ

れた。台詞《せりふ》まわしや動作のひとつひとつが自然で、そしてぴたりと決まっているのだ。一流の舞台人というのは、こうも違うものだろうか。

「テレビだからって、何かを変えてるわけじゃないのよ。舞台と同じことをしているのよ」

杉村はそれが特徴の、さばさばした口調で言う。

「有難いことにね、舞台をやってると、あらゆることに応用がきくわね。テレビのカメラもおっかないけど、客席からのお客さんの視線もおっかない。おっかない方が演《や》っていて楽しいけどね。まあ、ルリちゃんもいずれ舞台をやったらわかるわよ」

そんな日はあるまいと信子は思う。舞台に立つ人間というのは、映画人やテレビ人種とはまるで違っているのだ。若い時から訓練を積み、民藝や文学座の舞台に立っている俳優というのは、たいてい左がかっていてプライドがおそろしく高い、というのが定説だ。あんな人たちの中に、自分が加わることはないと確信がある。

監督や演出家たちも、時々言っていたものだ。

「舞台の連中というのは、芝居はやたらうまいが、やっぱり使いづらいね。インテリばっかりだから、脚本が気にくわないと、のってくれない。揚げ句の果ては直してくれ、なんて平気で言うからね」

だから信子は、今度のドラマの相手役が、石坂浩二と聞いた時に、少々うんざりするような気分になった。彼も劇団四季の出身だったからだ。おまけに慶應出身の、芸能界きってのインテリと言われている。

かつては石原裕次郎が、若い女たちの理想を体現していたが、テレビ時代の今では文句なしに石坂浩二であろう。石坂といえば、今や都会的なハンサムの代名詞でもある。祖父は政治家、父親は有名な企業の重役で、いかにも育ちのよさそうな端整な顔立ちをしている。劇団四季ではは浅利慶太の演出を手伝っていたということであるが、演技の基礎もしっかり出来ていて、たちまち売れっ子になった。もう少し彼のデビューが早かったら、おそらく映画界で大きな役を得ていただろう。在籍していた松竹で二枚目の系譜を引き継ぐ俳優になっていたことは間違いない。が、今や映画は全くの衰退産業となり、石坂は「銀幕のスター」ならぬ「ブラウン管のスター」の道を歩まざるを得なかったようだ。

彼は多趣味で知られ、油絵も描けば詩も書く、と聞いて、信子はいささかげんなりした気分になったものだ。あまりにも饒舌《じようぜつ》過ぎる男と同じで、自分の才能をひけらかす男も好きになれないと思った。

そして記者会見の日になった。スポーツ新聞や雑誌社の人間をスタジオに呼んで、新しいドラマの宣伝をしてもらうのである。

ピンクのサテン地のスーツを着た信子は、言われるままに中央に立つ。その右側には母親役の森光子が立ち、左側には夫役の石坂浩二が立つ。そして磯野洋子、水森亜土《あど》、藤村俊二、范文雀《はんぶんじやく》、寺尾聰《あきら》といったテレビでおなじみの人気者たちが並ぶ。

フラッシュが焚《た》かれる。ＮＴＶの広報の話によると、マスコミの数は今日は特別に多いという。

「いつもの記者会見ならこんなに来ません。なんてったって、浅丘ルリ子さんと石坂浩二さんの初共演ですからね」

いわば映画界の女王と、テレビ界の王子とが夫婦役となるのである。

フォト・セッションが終わった後、記者たちの質問を受け付けることになった。

「浅丘さん、美容師さんの役ということですが、いかがですか。なにか、特訓なさったんですか」

真っ先に手を挙げたのは、知り合いの「女性自身」の女性記者である。

「そうですね、特訓というわけではないですけれども、テレビ局のメイクさんや、私の担当の美容師さんに、いろいろ教えてもらいました」

「石坂浩二さんとは初共演ということですが、感想はいかがですか」

「とても素敵な方で、今から妻役をやらせていただくのを楽しみにしております」

信子はそっけなく聞こえない程度の情感を込めて言った。実は少し腹を立てていることがある。さっき手渡された宣伝のチラシには、わざと週刊誌の見出しのような文字が躍っていた。

「石坂と浅丘が結婚する！　ショック、赤ちゃんまでいた」

どうということのない、ドラマの内容をセンセーショナルに伝えるものであるが、この演出が品がない。しかもドラマでの字幕では、信子の方が先であるが、チラシでは石坂の名を優先させているのである。

「それでは同じ質問を石坂さんに……」

一瞬の間があり、彼は口を開いた。

「本当に綺麗《きれい》な人ですねえ……」

感にたえぬ、という風があったが、決して演技ではないのは、語尾が少し震えていたことでもわかる。

「昔から映画で見ていて、なんて美しい人だろうと思っていました。今日実際間近で見たら、スクリーンで見るよりももっと美しかった。こんな方とテレビの上とはいえ、夫婦になれるとは本当に幸せです」

記者たちの間から、好意的な笑いが漏れた。石坂のもの言いがあまりにも素直だったからである。

「光栄ですわ」

信子は微笑みをつくりながら、隣の青年を見上げるようにする。顎《あご》のあたりに、剃《そ》りたての鬚《ひげ》の跡がかすかに残っている。

「悪い人じゃないかもしれない」

信子は再び微笑みかけた。


美容師の白衣を着たまま、信子は廊下の隅で煙草をふかしている。二十歳になる前から吸っていた。日活撮影所はヘビィ・スモーカーが多く、大人たちに交じって気がついたら指に煙草をはさんでいたという感じだ。そこへ白衣を着た森光子が近づいてきた。信子の母親ということになっているが、肌が綺麗で艶々《つやつや》している。どうみても三十代前半だ。芝居がうまいうえに、根っからの苦労人の光子は、映画からテレビに舞台を移しても引っぱりだこだ。信子はすぐに役柄どおり「母さん」と呼ぶようになった。

「さっき、倉本さんが来てたわよ」

「本当、知らなかったあ」

「数字がいいから、倉本さんも喜んでいるんじゃないのかしらね。ほら、このドラマ始まる前、美容院に取材しに行ったぐらい熱心だった人だもの」

　脚本家の倉本聰《そう》とは、前に一度だけ仕事をしたことがある。向田邦子、高橋玄洋らと並ぶ若手の売れっ子脚本家だ。

「あら、やだ、私、手が荒れてるわ。仕方ないわよね、シャンプーのシーン、何度もやり直したから」

　煙草を吸わない光子は、何も持たない指をもて余すように喋り続ける。信子は不思議な気がした。ふだんの彼女は、女優が煙草を吸いながら考えごとをしていたら、決して近づくようなことをしない。

「あのねぇ、お節介でこんなことを言うんだけど」

　やっと話の核心に触れてきた。

「昨日ね、ルリちゃんが帰る時にね、へーちゃんたら廊下の陰からじっと見てるのよ、涙ぐんでね」

「まさか」

「本当よ、私、この目で見ちゃったんだから。あのね、へーちゃんは本当にルリちゃんのことが好きなのよ。好きで好きでたまらないのよ。だけどルリちゃんたら、ちっともへーちゃんのことを近づけないじゃないの」

「近づけるも何も、私たちただの共演者よ」

「だけどへーちゃんは、そんなこと思っていないわよ」

アイラインをくっきり入れた、そう大きくない目をじっとこちらに据える。善良で素朴な目のようにも見えるし、こちらを窺《うかが》う観察者のようにも見える。

「へーちゃんは、とってもいい人よ。世間で言われてるようなプレイボーイでもない、純粋なやさしい人なの。そのへーちゃんが、涙ぐんでルリちゃんの後ろ姿を見てたから、もう私、なんだかせつなくてねぇ」

本当の話だろうかと信子は思った。石坂は確かにやさしい声で、撮影中もなにくれとなく気を遣ってくれる。信子だけではなく、女の出演者みんなを笑わせ、時々は菓子を差し入れてくれるのだ。けれども自分に積極的に働きかけてきたことはない。自宅の電話番号を問われたこともなかったし、どこかへ行こうと誘われたこともなかった。

ただ自分を見る目が、賞賛と好意に充《み》ちているのは感じる。なんと美しい女だろうと、その目はしばたたかれる。が、こんな男はいくらでもいた。テレビの仕事を始めるようになってから、信子はさらに濃厚な賛美に包まれるようになっている。テレビ育ちの女優たちは、親しみやすさや愛らしさを第一に問われていて、信子ほどの豪奢《ごうしゃ》な美女はいないからである。

そしてまた信子にとっても、石坂は初めて見る種類の男である。線が細い、というのだったら日活の俳優の中にも何人かいたが、彼は洗練され過ぎていて、つかみどころがない印象を受けた。喋《しゃべ》る話も絵画や音楽の話ばかりだ。中退とはいえ同じように慶應大学出身でも、裕次郎はたわいない冗談しか言わなかった。教養というものを表に出すことに照れていたのである。が、石坂は何のてらいもなく、さまざまな知識を口にする。それはあまりにも膨大で、口から

とめどなく流れ落ちてくる。だから結局のところ、信子の思いは、

「よく喋る男だ」

というところでとどまってしまうのだ。経験があるからわかるが、こういう風に喋る男というのは、色ごとはあっさりしているものだ。おそらく自分を口説いてくることもあるまいとたかをくっていたところ、彼は意外な行動に出た。ドラマも中盤にさしかかった頃、フランス料理を食べに行かないかと声をかけてきたのである。

「ルリ子さんは、フランス料理、好きかなあ」

「好きよ。そんなに量は食べられないけれど、あの雰囲気が好きなの」

「そうだよねえ、ルリ子さんはパリにも何度も行ってるものねぇ」

石坂は豊かな生まれ育ちを表すかのような、白い綺麗な歯を見せてにっこり笑った。信子は裕次郎の乱ぐい歯を思い出す。やはり戦争をはさんだ七歳の差は大きい。

「あの、今夜六本木に、とてもいい店がオープンしたんですけど、よかったら行きませんか」

「まあ、どうもありがとう」

信子はこの時も、石坂のことを少々見くびっていたところがある。彼の品のよさ、美しい顔立ちというのは、どこか草食動物を思わせるところがある。たぶん食事を一度、二度したところで、どうということもないだろう。もしかすると思わせぶりなことを言うかもしれないが、いつものように気づかないふりをすればいいのだ。

その夜、石坂が連れていってくれたのは、NETに近い「イル・ド・フランス」というフランス料理店であった。信子は何回か銀座の「マキシム」に行ったことがあるが、この店もイン

テリアに凝り、なかなか立派な調度品が置かれている。

「そうだよね。帝国の『フォンテーヌ・ブロー』とか、オークラの『ベル・エポック』みたいな、ホテルの中のフランス料理店はいっぱいあるけど、こういうレストランはまだまだ珍しいよね。僕は、パリに行くと必ずトロワグロへ行くんだけど、日本でもああいう店がもっと増えるといいよね」

喋りながらも、彼の目はじっくりとメニューを凝視している。よほどの美食家なのだろう。

彼はオマール海老《えび》のサラダと、舌平目のムニエルを注文した後、こう提案した。

「今日、『仔羊《こひつじ》の塩包み蒸し焼き』というのがあるけど、これ、二人前からになっている。ルリちゃんさえよければ、これを注文しない」

「そうね、おいしそうね。じゃ、私もそれをお願いします」

信子はそう答えたが、本当のところはどうでもよかった。仔羊など食べたことはなかったし、不味《まず》そうだと思ったが、嫌だったら残せばいいのだ。そもそも信子は、一緒に食べる者が驚くほどの小食なのだ。体重三十八キロを超えたことがない。別に節食しているつもりはないが、気がついたらぜい肉などまるでない体になっていた。食べることは好きだが、何を食べるかに固執したことはない。ロケに行ったらば、冷えた貧しい弁当でも我慢することは出来る。

食べることに限らず、お金や着るもの宝石、ましてや男に執着を持つことは、とてもみっともないということを、自分は知らず知らずのうちに身につけていったのかもしれない。そう、ひとりのこと、ひとつのことを激しく願うのはとても恥ずかしいことだ。自分はいつもそうしてきた。たったひとつ、裕次郎のことを除いては。

一昨年《おととし》のアフリカロケの時、自分から求めて彼と唇を交わした。砂漠の熱をたくわえていたかのような唇だった。カチンコも鳴らず、照明も監督もいない初めてのくちづけであったが、裕次郎はその後会っても、あのアフリカの夜のことはおくびにも出さない。いったい彼は自分のことをどう考えているのだろうか……。

「ルリちゃん」

石坂の声が、多少苛立《いらだ》つように自分の名を呼んでいる。

「ねえ、ワインどうしようか」

「あ、私、お酒飲まないから」

「えっ、まるでダメなの」

「そうなの。会社が言わせたわけじゃないのよ。私、本当にお酒が駄目なのよ。体質っていうのかもしれないわ」

「でも、乾杯に一杯だけつき合ってよ。ここ結構いいものが揃《そろ》ってるから」

石坂はまるで舌なめずりするように、ワインリストを眺め始めたので、信子は少々取り残されたような気分になる。

「へえー、ボルドーもブルゴーニュもこんなにある。やっぱり去年、ワインの輸入が自由化されたからね」

そして石坂は、店の黒服を呼びつけ、何やら話し始めた。ワインのことは石坂の方がはるかに詳しかった。そして彼は、信子が全く憶《おぼ》えられないような長く複雑な名のワインを指さし、それを持ってこさせた。

「これはブルゴーニュの中でも、五本の指に入るものだよ。ほら、ルビィ色をしているだろ。ブルゴーニュは、ボルドーよりもずっと色がやわらかい。とっても繊細なワインなんだ」

「ふうーん、ブルゴーニュってどこにあるの」

「パリからそう遠くはない。ドライブがてらに行って帰れる距離だよ。僕はおととし初めて行って、シャトーをいくつかまわってきた。最初は日本人がワイン飲むのか、なんて顔をされたんだけどね。僕があれこれ言い始めたら、お前、これ持ってけ、これを飲め、ってことになってね。あの時は楽しかったなあ」

「そうなの。私のまわりでワインを飲む人なんて、見たことがないわ」

旭にしても裕次郎にしても、飲むのはたいていビールか日本酒だ。クラブやバーといったところでは、ウイスキーやカクテルを注文していたと記憶している。

「僕のうちはちょっと変わっていたからね。じいさんっていう人が、戦前ロンドンとパリに留学した人だったし、親父は明治屋の理事をしていた」

「明治屋って、あの京橋にある大きな食料品のお店ね」

「そう、だからうちは、昔からカーヴがあったんだよな」

「カーヴって」

「酒倉のことだよ。でもね、田園調布《でんえんちょうふ》じゃそう珍しくなかったかもしれないな。なにしろ金持ちがごろごろしてたとこだったから。うちはね、じいさんの趣味で完全な洋館だったから、進駐軍にすぐ接収された。家中白いペンキを塗られて、母親は怒りまくってたね。だけどそれよりも親父が心配してたのは、ワインのコレクションを、味も何もわからないアメリカ兵に飲まれることだったんだよ。だからね、親父はひとりで、庭の防空壕《ごう》にこっそり運び始めた。彼らが完全に出ていってくれた時は、親父は大喜びでね、毎晩飲んでいたね。あんまりおいしそうだったから、僕も中学生の頃から、こっそり飲むようになった。僕の部屋からある日空き瓶が見つかって、母親から大目玉さ。だけど親父は怒らなかったな。ワインは貴族の酒だ。教養と品格がなければ少しもうまくはない。今のうちから練習を積んでおくのはいいことだ。だけどな兵吉、日本は戦争に負けたから、もうワインが一本も入ってこない。日本は戦争に負けたから、ここにあるものを少しずつ飲むしかない。だからもっと大切に飲んでくれよ。お前はラベルも見ずに栓を抜くんだろうが、実は高い貴重なものから飲んでいたんだよって」

彼の話はよどみなく続く。が、もう退屈しなくなっていた。すべて理解しているわけではないが、面白く楽しい。彼の声は低く心地よく、さらさらと音楽のように空中に放たれていく。信子は目の前のグラスに注がれた赤い液体を少し口にした。ルビィ色の液体はひと口で全身をまわっていくようであった。

「おいしいわ」

信子は言った。

「ワインを飲むのは実は初めてなのよ」

石坂は信子の目を見てささやく。

「僕と一緒にいれば、これからも初めての楽しいことをずっと経験させてあげるよ」

11

ドラマの視聴率が、回を追うごとに上がっていくので、出演者たちも陽気な興奮に包まれる。新聞のテレビ評も好評だ。石坂と信子のコンビがコミカルないい味を出し、それを森光子らベテランが支えているというのである。衣装部で着替えるたびに、美容師の白衣が身についてきたと信子は思う。流行《りゅうこう》の濃い化粧とこの白衣とが、なぜかとてもよく似合った。女が勝負する服だからに違いない。亭主にも母親にもぽんぽん言葉を投げつける気の強い女という役柄なので、メイクさんとも相談し、髪を高々と結い上げた。そしてそのままスタジオに入ると、石坂浩二の痛いほどの視線を感じる。手放しの賛美をおくってくる男はいくらでもいたが、こんな風にスターといわれる人間はめったにしない。あからさまに彼の視線は、信子だけに注がれるのである。

先日はスタジオの隅で、こんなことを言った。

「ルリちゃんに一度絵のモデルになってもらいたいな」

「あら、そんなのお安いご用よ」

信子は気安く引き受ける。口だけのことだと思っていたからである。が、次の日、信子の控え室がノックされた。付き人の靖子が開けると、スケッチブックを持った浩二が立っている。

「もし休んでいるんじゃなかったら、ちょっと描かせてもらってもいいかな」

「あーら、いらっしゃい」

信子は吸っていた煙草の火を消して言った。

「リハまで時間があるみたいだから、コーヒーでも飲んでいけば」

「いや、さっさとスケッチさせてもらうだけだ。近いうちに色をつけて持ってくるよ」

「ありがとう、うれしいわ」

信子は座布団をすすめる。そして半分笑いながらポーズをとった。信子を大層可愛がってくれる写真家の秋山庄太郎はいつも言う。

「ルリ子は左斜めがいい。そしてカメラに目線をおくれ。そうすればルリ子の目がいちばん綺《き》麗《れい》に出るんだよ」

が、浩二は別なことを言う。

「ルリちゃん、まっすぐにこっちを見てくれないかな」

「そう、こういう風に」

「そう、そう」

浩二は深く頷《うなず》いた。

「こうまっすぐ向くと、ルリちゃんの目はキラキラ光ってきて、相手の心をつき刺すようになる。すごい目だよ。僕はね、ずっとパリにいた時も、あっちの女を描こうとは思わなかったな。描くのは少女だけだったね。ヨーロッパやアメリカの女の人の目は、大きいけれども、動物みたいで好きになれない。いつかとって喰《く》われそうな目だよ。だけど、日本の女の目は光がない。ルリちゃんの目は、日本人で初めて見た。大きくてキラキラしていて、力はあるけど猛々《たけだけ》しくない、最高の目だよ」

妹の靖子は、しばらくぽかんとして聞いている。これほど浩二が饒舌《じょうぜつ》な男だとは思ってもみなかったからだ。

二日後、脚本《ほん》読みの時に水彩をほどこされた信子のスケッチが、詩を添えて渡された。詩は信子の美しさを讃《たた》え、こんな一行で締めくくられていた。

「裏切りも嘘も知っていた僕が、いつしか恋におちていたのです」

信子は手紙を持って、しばらく茫然《ぼうぜん》とする。笑っていいのか、それは失礼なことなのか判断がつかない。今まで口説いてきた男は何人もいたけれども、詩で求愛してきた男は初めてだったからである。

「ねえ、これどう思う」

靖子に読ませたところ、たちまち笑い出した。が、決して嘲笑《ちょうしょう》ではない。

「わぁー、なんてロマンティックなの。私、男の人でこんなロマンティスト見たことないわよ」

「そうよねえ」

「でも石坂さんって、本当に信《のぶ》ちゃんのこと好きなんだねえ。だってそうでなきゃ、こんな詩をわざわざつくるわけないもんね」

「そんなこともないんじゃないの。あの人、詩をつくるのが趣味みたいだから」

「まさかァ、詩をつくるのが趣味だなんて男の人、いるわけないじゃないの」

信子もそう思う。が、どうも浩二はイラスト調の美しい女の絵を描いたり詩を書くのが大層好きらしい。信子の知っている日活の俳優たちに、こんな男はひとりもいなかった。みんな酒を浴びるように飲み、興に乗ると流行歌をがなりたてる。ギターを弾く旭など珍しい類《たぐい》かもしれなかった。

「やっぱりインテリの人って変わってるう。男の人なのに詩を書いて、こんな風に持ってくるんだものね。石坂さんがあんなハンサムじゃなかったら、ちょっと気持ち悪いかもしれないよね」

「まあ、気持ち悪い、って言ったら悪いかもよ」

気がつくと靖子をたしなめている。が、妹にしても、石坂があまりにも新しいタイプの男なのでとまどっているだけだ。他意はない。

とりあえず信子は、その長い詩が書かれた便箋《びんせん》を、三面鏡の引き出しの中にほうり込んだ。が、すぐに思い直して手文庫の中に入れる。北陸のファンが贈ってくれた漆でつくられた美しい箱だ。考えてみるとファンレターは別として、生まれて初めて捧《ささ》げられた詩である。粗末にしては申しわけないような気がしたからだ。

そして詩よりもはるかに控えめな調子で電話がかかってきたのは、その次の夜のことであった。

「ルリちゃん、僕の詩、読んでくれたかな」

「もちろん読んだわよ」

「どうだった」

この時は本気で信子は笑い出しそうになった。これと全く同じシーンを演じたことを思い出したからだ。信子が演じる若い娘に、気の弱い男が恋をする。そう、あの映画のシーン百三十七だ。ラブレターを手渡した男が、その夜電話で問う。

「僕の手紙、読んでくれたかな」

その時の信子の台詞《せりふ》は確かこうだった。

「読んだけど途中でやめたわ。だっておかしなこと書いてあって、読みたくないんですもの」

まさかあんなことは言えやしない。あの娘は男のことなどまるで好きでなかったという設定だったのだから。

「もし、もし、ルリちゃん、聞いてる」

「聞いてるわよ」

「あの詩を読んだ感想、聞かせてほしいんだけど」

「ごめんなさい。私、詩なんて普段読んだことがないから、いい悪い、なんてまるっきりわからないのよ」

「わからなくてもいいよ。最後の文章だけをわかってもらえれば」

「ああ、あれね、恋をしてしまったのです、というところね。わかったわよ。わかりやすいもの」

「ルリちゃんって変わってるなあ」

浩二は深いため息をついた。

「それともはぐらかされてるんだろうか。ふつう女の人は、そんな風にさばさば言わないものさ。僕にしてみれば、かなり思いきったことを書いたつもりなんだ」

「そうだったの」

「そうさ」

「私は詩の世界のことを書いたのかと思っていたわ」

さっきから嘘をついている。この詩が自分について書かれたものであることなど、最初の一行からわかっていた。それなのに的はずれなことばかり口にするのは、詩というものに照れていたに違いない。

「それもあたっているかもしれないな。僕はルリちゃんを最初にスクリーンで見た時、びっくりしたよ。僕がね、いつも詩や絵で描こうとしている女の人にそっくりだったからね。高校生の頃から寝る時、枕元にノートを置いておく。夢の中で見たものをすぐに書こうって思うからなんだ。だけど僕の眠りはとても深くて、どんな夢を見たかなんて憶《おぼ》えていられない。だけどね、夢というのは有難いもので、その残滓《ざんし》は起きても僕の中に少し残っているみたいなんだ。だから僕は絵を描く。僕の描く女はいつも同じだ。大きな目をじっとこちらに向けている美しい女。ルリちゃんをスケッチしただろう。そして家に帰って驚いた。僕がいつも描いている絵とまるっきり同じだ。僕が描く夢の女とルリちゃんはそっくりだ」

劇団四季で鍛え上げた浩二の声は朗々と説く。まるでシェイクスピア劇を聞いているようだ。甘い低い声。たいていの女なら、彼の夢の中にすぐさま入っていくだろう。

「ルリちゃんはつまり、僕の夢の女っていうことになる」

「まあ、そんなことを言ってもらえると嬉《うれ》しいわ」

「はぐらかさないでくれよ」

強い調子で言った。

「僕の気持ちはとうに知っていただろう。初めて会った時から、あなたの美しさに魅せられて、もうどうしようもないくらいにあなたに夢中なんだ。この三ヶ月間、本当に幸せだった。それは毎日、ルリちゃんに会えたから」

そして浩二は言った。

「ルリちゃん、僕と結婚してくれませんか」

この言葉は意外なほど大きな衝撃を信子にもたらした。相手がいきなり「結婚」を口にするとは考えもしなかったからだ。今まで信子にとって「結婚」というのは、小さく消えていく木霊《こだま》のようなものではなかったか。今までの男たちは「結婚」を連呼するものの、それはきまって次第にしぼんでいった。

「僕にはやはり家庭があるから」

「僕のような者に、ルリちゃんのような大スターは似合わない」

「俺たちはやっぱり、うまくいくはずはない」

が、信子は手からするりと抜けたものを、少しも惜しいとは思わなかった。誰に教わったわけでもないが、自分のような美しい特別な女にとって、「結婚」はこちらが乞《こ》うてまでするものではないということぐらいすぐにわかる。いつかすることがあったとしても、それは相手の祈りと懇願の末に信子が承諾するものではなかったか。そして今、そのとおりの男が現れた。

「ルリちゃん、本当にどうしようもないくらい君のことを思っている。これから先も後も、僕ぐらいルリちゃんを愛することの出来る男はいないと思うよ」

「電話だと思って、随分いろんなことを言うわね」

ようやく信子に笑う余裕が出てきた。

「そんな、知り合ったばかりの人に、いきなり電話で結婚を申し込まれて、はい、いいですなんて言えるかしら」

「それじゃ、今すぐ僕はルリちゃんのところへ行くよ。本当に今すぐだ」

そして四十分後、高速をとばしてやってきた浩二は、信子の前に立った。

「来たよ、ルリちゃん」

茶色のコーデュロイの、胸のあたりが波うっているのがわかる。

「さあ、約束だよ。結婚してくれるよね」

「そんな約束したかしら」

「したとも」

瞬間、背の高い男に抱き締められた。ルリ子は甘やかに諦《あきら》めていく。結婚というのは、こういう風に、唐突に、男の力でねじふせられていくものだろうか。それはそれでとても心地よい。

二人の電撃婚約のニュースは、それこそ日本中を駆けめぐった。浅丘ルリ子といえば、日本の映画界を代表する美女でありスターである。片や石坂浩二は、都会派の新しい時代のスターと言われている。映画界がまだ勢力を持っていた時ならば、おそらく出会うことがなかった二人だろう。が、テレビが二人を結びつけてくれた。映画全盛時代のスターの結婚はなかなか許されることはなかったが、テレビの俳優ならば、婚約も結婚もスピーディーに行われる。これに不満を漏らしたのは、かつての日活の仲間である。

「ルリちゃん、石坂浩二がいくら人気があるっていっても、所詮《しょせん》はテレビドラマに出るニイちゃんじゃないか。ルリちゃんとは格が違うよ」

とはっきり言った者さえいる。好意的なのは裕次郎で、

「慶應の後輩とかで、テレビ局で会った時、一度挨拶《あいさつ》に来たことがあるよ。きちんとしたいい男だ。あの男なら、きっとルリ子を幸せにしてくれるよ。よかったなあ」

手放しに祝福されると、信子は複雑な気分になる。裕次郎はナイロビで交わした口づけのことなど、とうに忘れているようだ。その点、わかりやすいのがかつての恋人旭で、自分は既に子どももいるくせに、嫉妬《しっと》心を丸出しにする。

「何だよ、ルリ子、あんな生っちょろいインテリが本当にいいのかよ。あんなの、うちの映画《しゃしん》に連れてきて出してみろよ。殴られ専門の傍役《わきやく》じゃないか」

浩二はNHKの大河ドラマで主役をつとめた、いわば頂点に駆け上がった俳優なのであるが、旭はそれを認めようとしない。あくまでも「テレビの生っちょろいニイちゃん」と表現しようとする。

「ルリ子にあの男は似合わないよ。知ってるか。日活《うち》の奴ら、みんな賭《か》けてるぜ。二年持つかどうかっていうやつ。俺はもちろん、二年持たないって方に賭けてるけどな」

「ひどいのねえ。旭ちゃんじゃあるまいし」

「やめてくれよ。俺の最初のあれはなあ、籍も入っていなかったんだから無効だよ、ナシ！今のと結婚した時にさあ、かあちゃんが届けに行って、あんたの籍、真っ白だったたってそりゃあ喜んでさあ。だからルリ子もよ、籍だけは入れない方がいいな。そうして駄目だと思えば、

すぐに別れる。そうすれば俺も賭けに勝てるし、ルリ子も悪い目に遭わない」が、旭のこの毒舌は、世間のおおかたの意見だったかもしれない。「まれに見る美男美女の結婚」とマスコミは書きたてたが、新郎の過去を暴くのも忘れなかった。浩二のそれまで噂になった女優たちの名をついでに挙げたのだ。たいていが舞台かテレビで活動している女優だから、信子の知り合いはひとりもいない。そもそもそんなことに目くじらを立てるつもりはまるでなかった。自分とて三十歳という、世間から見れば相当嫁《い》き遅れた年齢である。しかも処女ではない。信子は自分の関係した男の数を指折り数えるような愚かしいことはしなかったが、それでもこっそりと記憶の中で数えるくらいはある。これはふつうの娘では考えられないことらしい。取材に応《こた》えると掲載誌を送ってくれるので、「ヤングレディ」や「若い女性」という雑誌をめくってみると、

「婚前交渉は是か非か」

「処女でない私は、婚約者にどう告白すべきか」

などという記事が載っていて、信子は驚いた。少女の頃に映画界に入った自分はたくさんの恋をし、たくさんの男と愛し合った。父の源二郎はとても厳しく、信子にひとり住まいをさせなかったし、最初の頃はマネージャーとして常に仕事場に同行したものである。

「いいかい、信ちゃん。女優だからといってふしだらなことをしたら、お父さんはすぐに信ちゃんに仕事をやめてもらうよ」

何度言われたかわからない。けれども映画は特殊な仕事場だ。若い美しい男と女が毎日抱き合いキスをし、愛の言葉をささやき合う。これで何も起こらなかったらおかしいだろう。

だから浩二が結婚を申し込みに来た時、源二郎は何度も念を押したものだ。

「本当にうちの信子でいいのですね」

あなただったら、どんなうちのお嬢さんでも迎えることが出来たでしょう。信子はきっぱりとした本当に性格のよい娘で、今まで誰からも好かれてきました。おそらく日活でもどこでも信子の悪口を言う人はいないでしょう。私がそういう風に育ててきました。けれども十五歳の時からこういうふつうではない世界に入れてしまいました。きちんと大学を出てから芸能界にお入りになったあなたと違い、世間の常識というものも知りません。どうかあなたの手でいろいろと教えてやってください。そしてどんなことがあっても、夫婦別れをすることだけはやめてくださいね。私は自分の娘が離婚する、などということに耐えられない。どの父親もそうかもしれませんが、私は娘を女優という職業につかせた責任がある。ですからどんなことがあっても、不幸になっては困るのです……。

源二郎のこの言葉は、暗に信子の過去も指していたのかもしれない。マスコミの取材はすさまじく、浩二の女性関係についてあれこれ書かれたが、そのうちに信子の過去の恋についても詳しく載るようになった。そのほとんどがあたっているのに信子は感嘆の声をもらした。それほど大っぴらにしているつもりはなかったけれども、多くの人たちは知っていたらしい。旭はもちろん、映画監督、若い俳優たちの名もみんな出ていた。が、どこにも石原裕次郎という名はなかった。ある週刊誌が唯一、

「ルリ子の所属事務所の社長で、ずっとルリ子を見守ってきた人」

と書いているのみだった。信子は安堵《あんど》と共に腹立たしさがこみ上げてきた。自分と裕次郎と

のことが噂にならなかったはずはない。それなのにマスコミは、裕次郎が大スターゆえに遠慮しているのだ。石原プロが企画制作したテレビドラマ「太陽にほえろ！」は、記録的な数字を取るようになり、裕次郎はテレビの世界でも王者として君臨するようになっている。一方浩二は、信子の過去など、気にする様子はなかった。初めて結ばれたのは、彼の求婚を受け入れてすぐ、彼の広尾のマンションであった。彼はまさに有頂天で、ひとつひとつ驚きの声を上げた。

「すごいよ」

「信じられないよ」

信子は満足のあまり深いため息をつく。自分の体が、声が、漏れる息が、全存在が、これほどの喜びを持って受け入れられたのは初めてのことであった。信子はそのまま浩二に抱かれて眠りについた。後で彼が言うには、まるで眠ることが出来ず、一晩中信子の寝顔を見つめていたという。

「ルリちゃんって、寝息と一緒に睫毛《まつげ》が揺れるんだ。唇がかすかに開いて、そこから何か貴い音楽が聞こえてくるような気がした」

浩二のこうした言葉に信子はもう驚いたり照れたりしない。そしてこれからは本名で呼んでくれと言った。

「信子って言うのよ。平凡な名前でしょう。うちの父が、人間は信義がいちばん大切だからって名づけたのよ」

「そうか、いや、それならこれからブーちゃんって呼ぶよ」

まるで信子には似つかわしくないので、誰もそんな風に呼んだ者はいない。

「ブーちゃん、僕は武藤兵吉だ。戦争中だからいかつい名前だよね」

「じゃあ、へーちゃんよね」

婚約記者会見をした後、テレビをつけたらコメディアンがこんなことを言っていた。

「驚くじゃありませんか。天下の美女、浅丘ルリ子さんと、天下の美男子、石坂浩二さんがなんと結婚するそうです。お二人の本名から、へーちゃん、ブーちゃんと呼び合っているようですが、これが本当のクサイ仲、なんて言っちゃって」

客たちがどっと笑い、その笑いがなぜかいつまでも信子の耳の奥に残った。

いずれにしても、信子は未《いま》だかつてないほど男に愛されていた。しかもその男は、美も知性も金も才能もすべてに恵まれている。二人の取り合わせがあまりにも出来過ぎているので、世間では軽い反ぱつが起こっているほどだ。

この年、スターの結婚が相ついで、橋幸夫、関口宏と西田佐知子、渡哲也、東宝のプリンセスと言われた内藤洋子、坂本九と柏木由紀子といったスターたちが次々と結ばれていった。が、信子と浩二ほど騒がれ、驚かれた二人はいなかったろう。ある識者がコメントしていた。

「まるで絵空ごとのようだ」

恵まれ過ぎた男と女は、愛について真剣に考えるはずがないと言いたかったのであろう。

そして結婚式の日の信子の美しさは、参列した人々に同じような感想をもたらしたに違いない。この日から、信子と浩二は四十回以上にわたる「離婚近し」の記事を書かれることになる。

五月十四日、赤坂霊南坂教会で二人の結婚式が行われた。ドラマの記者会見で初めて会ってから九ヶ月もたっていない。

ウエディングドレスを着た信子と礼服といういでたちの浩二が牧師の前に進む。

「神の定めにしたがい、夫婦にならんとする」

牧師が祝福を与えている最中、信子の頬に涙が流れた。自分がどうしてこれほど感傷的な気分になったのかわからない。たぶん両親が、しきりにハンカチで目を拭《ぬぐ》っているのを見たせいだ。だが驚いたことに信子よりも激しく泣き出したのは浩二であった。こらえてもこらえても低い声が漏れ、それは嗚咽《おえつ》といってもいいほどである。この様子はテレビでも流れ、

「あれほど泣いた新郎を見たことがない」

と例によって書きたてられた。

「プレイボーイが、これで年貢のおさめ時と悲しかったのだろう」

それほど浩二は泣いた。最後にはハンカチをずっと目にあてていたほどだ。たまりかねた仲人《なこうど》の海音寺潮五郎《かいおんじちょうごろう》が叱りつけた。

「石坂君、新郎がそんなに泣いてちゃ話にならんよ」

海音寺潮五郎は、浩二の主演したＮＨＫの大河ドラマ「天と地と」の原作者で、もはや文豪の風格さえあった。芸能人ではなくこうした有名作家に仲人を頼むところに、浩二の矜持《きょうじ》の高さが表れている。

信子の側からとして、石原裕次郎が副仲人をつとめることになったが、体調を理由に彼は出席していない。まき子だけが黒留袖《くろとめそで》姿で信子の傍に立った。

「お医者さまから検査入院って言われちゃったのよ。ルリ子さんのウエディング、見たくてた

まらなかったはずなのにねぇ」

おっとりと微笑むまき子の表情からは、何も読み取ることは出来ない。信子は、自分の裕次郎に対する気持ちを、この賢い妻が気づいていないはずはないとずっと思っている。言ってみれば今回の信子の結婚は、さまざまな思惑の終結の儀式だ。今日を限りに、密《ひそ》かな三角関係は消滅するのである。

「では新郎新婦、指輪の交換を」

牧師にうながされて、二人は指輪を手に持つ。信子の細いくすり指に指輪はなかなか通らない。浩二がぶるぶると震えているからである。

「へーちゃん、しっかり」

参列者の森光子が小さな声で励まし、人々の微笑をさそった。そして指輪を交換した二人は、教会の外へ出る。白いスイートピーが両脇にびっしりと飾られた階段を下りていくと、二谷英明の六歳になる長女の友里恵が、二人に向かって米を投げた。西洋でよくやるライスシャワーだ。そのひと粒が信子の髪にとまる。浩二はごく自然に手を伸ばしてそれを取った。夫として初めての仕事は、たくさんのカメラのフラッシュにとらえられる。信子はかすかに嫌な気分になる。

式の後は、夕方からニューオータニで披露宴が始まる。当代きっての人気者二人の結婚とあって、スターたちがずらりと並んでいた。そういう華やかな雰囲気にあたったらしく、仲人の老作家はあまり機嫌がよくない。黒紋付の背を伸ばしたまま、唇をへの字に曲げている。そしてこんなスピーチをした。

「あなたたちは美男美女だから、生まれてくる子どももきっと美男美女だろう。日本民族が綺《き》麗《れい》になるためにも、あなたたちはたくさん子どもを産まなくてはならない」

客たちは笑い、信子もかすかに微笑む。

婚約をしたとたん、多くの人たちが子ども、子どもと信子に言いたてるようになった。

「遅い結婚なんだから、一日も早く子どもをつくらなきゃね」

四日前に浩二に抱かれた時のことを不意に思い出し、信子は少しうつむく。彼も同じことを言っていた。自分たちはもう若くない。だから一刻も早く子どもをつくろう。ブーちゃんはうまく仕事のスケジュールを決めた方がいいと思うな。子どもが出来たから、すぐに仕事を休ませてくれ、なんて言えない仕事だからね。さあ、忙しくなるぞ。新婚旅行から帰ったらすぐに子づくりをしよう。それから子育てが待っているんだから。

多くの人が「絵空ごとのようだ」というこの結婚が、信子にも不安に感じられる時がある。浩二のもたらしてくれる完璧《かんぺき》なまでの幸福が、とても現実のものとは思えない時があるのだ。

それは新婚生活が始まってからも変わらない。二人の新居は、三田の完成したばかりのパークマンションだ。三井倶楽部《クラブ》の緑を下に見下ろすこのマンションは、いま日本でいちばん贅沢《ぜいたく》なものと言われている。作家の庄司薫とピアニストの中村紘子《ひろこ》夫妻、結婚したばかりの尾上菊之助、藤純子夫妻らが住んでいて、一階にはフロントがあり、来訪者はすべてここを通すことになっていた。

中はすべて外国人仕様になっていて、ふつうだったら四部屋とるような広いリビングルームの横には、ウォーキングクローゼットもつけられている。この豪華な住まいを、浩二は即金で手に入れたのだ。結婚して驚いたことは、浩二の潤沢さである。おそらくこれほどの収入がある人間は、映画界でもめったにいないだろう。石原裕次郎か旭のランクである。これは映画の人間たちが格下と信じているテレビによってもたらされたものなのだ。浩二はドラマの他にも、CMに出演していたし、「スター千一夜」の司会のギャラも相当なものだ。それにひきかえ、信子の預金通帳の額は、浩二さえ首をかしげたものだ。

「浅丘ルリ子がこれだけしか持ってないって誰も信じないよ」

「私たちの仕事って、お金がかかるの。びっくりするほど出ていくの。お洋服やアクセサリーはもちろんだけれども、毎晩のように人がやってきて飲み食いしていたんですもの。お金がたまらないはずよねぇ」

「人のために使うなんてつまらないよ。これからはさ、二人のために使おうよ」

自分は毎年夏から秋にかけてヨーロッパに出かけるけれども、今度から夫婦恒例の行事にしようと浩二は言う。美術館に毎日通ったり、職人の工房を見せてもらう旅は本当に素晴らしい。特に好きだったのはヴェニスで、街全体がまるで美術品なのだ。歩くことさえ申しわけないようなサン・マルコ広場の美しさといったらどうだろう。ドゥカーレ宮殿に入った時は、本当に体が震えたものだ。そう、新婚旅行はパリとロンドン、ローマにしか行けなかったけれども、今度はヴェニスに絶対に行こう。フィレンツェをまわるのもいいかもしれない。

そしてヨーロッパの次には、ニューヨークに連れていってやりたい。僕はヨーロッパが好きだけれどもニューヨークのあのエネルギーにも感動してしまう。二年前、日本でも評判になった「ヘアー」を観たけれども本当にすごかった。黒人が「アクエリアス」を歌うんだけど、涙が出て止まらなかった。僕はもともと舞台人だからよくわかる。エンターテイメント性の中に、自分の伝えるべき主義主張を入れていくのがどんなに大変なことか、ということを。今アメリカは深刻な事態だ。ベトナム戦争はいつまで続くかわからない。そういう不安の中でこういう演劇はつくられる。「ヘアー」を観て僕はなんだかアメリカの底知れぬ力を感じたな……。

浩二の話は永遠に続くかと思われるほどで、彼は新婚の美しい妻に、自分のありったけの知識を与えようと夢中だ。が、信子は決していい生徒ではない。

「私、中学しか出ていないから、もっとゆっくりとかいつまんで話して頂戴《ちょうだい》」

「嫌だなぁ。何もむずかしいことなんか言ってやしないよ。ただ僕は、僕の大好きな絵やお芝居を、もっとブーちゃんにも好きになって欲しいなぁと思ってるだけさ」

「私も絵は好きよ。お芝居だってもちろん好きだけど」

それを見るのに、どうしてこれほどたくさんの解説を聞かなくてはならないのだろうかと思うだけだ。

浩二も父の源二郎に似て客好きで、応接間はやがてサロンのようになる。浩二の芝居仲間、慶應の同級生、といった人々だ。彼らは日活の連中のように、一升瓶の日本酒を飲んだりしない。シャンパンやワインといったものがその都度抜かれた。信子は酒を飲まないけれども、まるで女王のようにふるまう。三十代を迎えて、信子の美しさには威厳さえ漂っていて、たいていの人間は、前に出るとまるで下僕のようになってしまうのだ。そして女王の好きそうな話題を提供しようと心を砕く。信子は美術や音楽の話よりも、ごくふつうの面白い話が好きだ。人のゴシップではない。世の中に起こっているニュースを、語る者の個性で彩らせた話が退屈しなかった。

その間、浩二は何をしていたか。彼はオーブンと格闘しながら、丁度いい焼き加減の仔羊《こひつじ》のローストをつくろうと一生懸命だ。料理もまた、彼の幅広い趣味のひとつなのだ。お手伝いはちゃんといたが、毎日の料理は家にいる限り彼がつくる。浩二は本格的なフランス料理も懐石料理も、専門書を読めばたいていのものをつくることが出来た。

二人きりの時でも浩二はテーブルセッティングをきちんとし、ナプキンにカトラリーを並べていく。彼の田園調布の実家でも、食事の時はだらしない服装や態度は許されなかったし、彼の父親は上着を必ず着ていたものだ。やがて、頃合いを見て、浩二は鍋《なべ》やオーブンから出来たての料理を取り出す。どれも素人とは思えない味だ。

「まるで魔法みたい」

と信子はつぶやく。キャンドルを灯《とも》し、白いテーブルクロスの上に、凝った料理が並ぶ。そこに芝居じみたものを感じるには、まだ信子は夫を愛している。ただこんなことは長く続かないだろうという予感はあった。家庭というものが、レクチャーと美食とシャンパンで成り立っている。こんなことが長く続くはずはないだろう。

子どもが生まれるまでだと信子はひとりごちた。このキャンドルと白いテーブルクロスの代わりに、子どものおもちゃと泣き声がこの美しい居間を占拠する。そうしたら自分たちはやっと家庭を持つことが出来るだろう。もうじきだ。自分たちの家庭は今はゲネプロの最中なのだから。

12

信子が石坂浩二と結婚した時、いちばん多く寄せられた言葉が、

「まるで現実感がない」

というものであった。美男の代名詞のような石坂と、天下の美女といわれる信子とが知り合ってすぐに夫婦になったのだ。二人が一緒にものを食べたり、テレビを観る光景など、とても想像が出来ないというのである。そして現実感のないことの証《あかし》のように、二年たっても三年たっても子どもが出来なかった。

信子は昔からすぐに子役になつかれる。アイラインを濃くひき、長い爪をしていても、幼い子どもは信子にだけ体をすり寄せてくるのだ。そういう子どもを抱きしめてやると、ぬくもりと甘いにおいがなんともいとおしい。他人の子どもでさえこんなに可愛いのだから、自分の子どもだったらどれほどだろうと思いはっとする。自分の中にこれほど単純素朴な母性があるとは思ってもみなかったからだ。

浩二の方はもっと積極的で、一日も早く自分の子どもが欲しいという。まだ石坂家には孫が誕生していないため、両親からも顔を合わせるたびに催促される。もう少ししたら一緒に病院に行ってもいい。慶應病院には同級生が勤めているから、彼に相談してみようか、などと持ちかけてくる。

その年、浩二は芸能人の長者番付で第四位に入っていた。一位は長谷川一夫、二位は高峰三

枝子、三位は片岡千恵蔵といった戦前からの銀幕スターばかりである。テレビ出身の俳優が長者番付の上位に入るというのは、おそらく初めてのことではなかったろうか。浩二は今、名声も財力もすべて手に入れていた。もともとが東京の恵まれた階級に育ったという自負もある。自分の血筋を伝えたいと思うのは当然のことであろう。

が、信子は夫の言葉を軽く聞き流す。子どもは確かに欲しいと思うものの、そのために病院へ行ったりすることなど考えられもしなかった。子どもというものは、ある日突然に授かるような気がする。

それに信子はますます多忙になった。大作「戦争と人間」に続いて、「男はつらいよ」の撮影が始まったのだ。もはや国民的映画といわれる「男はつらいよ」は、毎年正月とお盆に公開される。寅《とら》さんの相手役となるマドンナには注目が集まるが、今回は信子が指名されたのだ。少々蓮《はす》っ葉《ぱ》であるが、情にもろくてやさしい女、という信子が演じる女に、いつものごとく寅さんが恋をする。が、女もまんざらではなさそうだ。しかしこの二人の関係が今ひとつ信子にはつかめない。

「監督、この二人は寝たんですか、寝なかったんですか」

「そんなこと聞いてきたの、ルリちゃんが初めてだよ」

山田洋次は苦笑いした。

「だってそうでしょう。寅さんは童貞のわけないでしょうし、男としての欲望もあるはずだわ。だったら私ともうちょっとねちっこくなってもいいはずですよね」

「だけど観客は、男と女になった寅さんとマドンナを、誰も望んではいないんだよ。そこのところをよろしく頼むよ」

どこか腑《ふ》におちない思いは終始つきまとったが、信子が演じたマドンナは大好評を博した。旅回りのキャバレー歌手という設定が、風来坊の寅さんと似合っていたこともあるが、三十三歳になった信子の美貌《びぼう》は、やはり観客を圧倒するものであった。

「今までで最高のマドンナ」

と新聞に書きたてられるとやはり嬉《うれ》しい。新聞の切り抜きをロケ先の浩二に送ったところ長い電話がきた。

「僕は今度の寅さんの映画出演は、あなたにとってすごくいいことだと思うよ。寅さんっていうのは、いわば大衆文化の極致だからね。だけどあなたは違う。映画の低迷期にかけて、いろんな監督が、あなたにいろんなことを要求してきたと思う。彼らは自分の考える芸術たるものを表現するために、女優であるあなたを使ったんだ。もちろんこれは当然のことなんだけれど、難解な映画に出演することによって、あなたは大衆からやや離れてしまったところがある。それがね、今度の寅さんによって、ぴたっと彼らの方に着地したんだよ。そもそも山田洋次監督という人は、自身が大変なインテリだ。インテリだからこそ、大衆がどういうものを望むかがきちんとわかるという、非常に珍しい人なんだ。その監督が浅丘ルリ子を起用した。これって、どういうことかわかるかな。大衆と芸術との幸福な結婚を望んだんじゃないかと思う……」

浩二の話はいつも長過ぎて、信子は途中で眠気を感じるほどだ。けれども夫の低い美しい声は大好きだった。この声で解説されると、それはすべて正しいことに思えてしまう。正しいことしか口にしない男というのは、なんて素晴らしいのだろうかと信子は思う。浩二の手にかかると、この世のことはきちんと整理されてしまうようだ。

正しいこと、正しくないこと。

美しいこと、美しくないこと。

結婚して間もない頃、信子は戯れに尋ねたことがある。どうしてこんなに自分のことを好きになったのかと。浩二は真面目な顔で答えた。

「正しく、美しいから」

それを告げた時、父の源二郎は目をしばたたかせたものだ。彼は本当に信《のぶ》ちゃんのことを理解している。やっと信ちゃんの本質を見抜く人が現れたんだ、これで信ちゃんも幸せになれる。よかった、本当によかったね。

けれども信子は、寅さんと芸術について語る浩二の傍に、若い女がいることをずっと後になるまで知らなかった。

夫の心が少しずつ自分から離れていっていることには気づいていたが、それが他の女によるものか、仕事の忙しさによるものか、信子にはまだ判断がつきかねていた。

新婚の頃、浩二は暇さえあれば妻の顔をスケッチしていたものだ。信子の顔はパーツがひとつひとつ美しいうえに、すべての調和がとれているというのだ。

「こんな完璧《かんぺき》な顔は、おそらくないと思うよ。よくラファエロが描くマドンナが最高、っていう人がいるけれども、僕はブーちゃんの方がすごいと思う。だって西洋の女には、ブーちゃんみたいな目の光がないからね」

あれほど自分の妻を賛美する男を見たことがないと、まわりの者が呆《あき》れたほどだ。

けれども最近の浩二は、家にいるとたいてい体を休めているか、脚本《ほん》を読んでいる。彼にも大きなチャンスがまわってきたのだ。

最近角川書店が仕掛けて、横溝正史の大ブームが起きている。なかば忘れられた推理作家の作品を文庫にし、おどろおどろしいカバーをつけて売ったところ、累計一千万部というベストセラーになったのである。特にその中でもいちばん人気の高い「犬神家の一族」を、市川崑が映画化することになった。市川監督は、主役の金田一耕助に石坂浩二を指名したのである。浩二にとって初めての映画主演である。今までいくら人気があっても、テレビ出身の俳優ということで、かなり口惜しい思いをしたことも事実であった。とことん映画界が斜陽になり、テレビに流れてきたくせに、スクリーン出身の俳優たちは、ブラウン管出身の俳優を軽く見ているところがある。特にテレビの申し子のような石坂浩二には風あたりが強く、信子との結婚が決まった時は、

「映画のスターが、何もテレビタレントなどと一緒にならなくても」

と書いた評論家もいたぐらいだ。

けれども市川崑は、スクリーン育ちの若手スターではなく浩二を選んだ。浩二の持っている知性と茫洋《ぼうよう》とした雰囲気が、金田一にぴったりだというのだ。

巨額の製作費をかけた大作ということで、さっそく大規模な製作発表会が開かれ、大勢の取材陣が押しかけた。浩二は信子にだけ打ち明けたものだ。

「いやあ、嬉しかったねえ。あんなにたくさんのマスコミが来てくれたのは、ブーちゃんとの

婚約発表以来だもの」

　しかしそんな呑気《のんき》なことを言っていたのもつかの間で、市川監督は浩二にかなり過酷な注文を出したようだ。長まわしで、山道を何度も走らされた浩二は、何キロか体重を落としてロケ地から帰ってきた。とはいうものの、主役を演じきった高揚は残っていて大層機嫌がよい。大好きなブルゴーニュの白ワインを飲みながら、とりとめのない話が続く。

「市川監督がね、ルリちゃんは元気かだって。本当はこの映画に出てもらいたかったけど、あんまり美女は出ないからなァなんておっしゃってたよ。高峰三枝子さんとは初めてだったけど、いやあ、すごい貫禄《かんろく》だねえ。ロケ地にもお付きの人がぞろぞろついてきて、昔の映画スターって、こういうものかとびっくりしたなあ。市川監督っていうのは、撮るのも一流だけれども、キャスティングも一流だってつくづく思った。僕のことにしたってそうさ。あえて映画出身の俳優じゃなくって僕を主役にすえる、そういうことで、あの横溝正史の終戦直後の世界に現代性と軽みを出しているんだよ」

　いつものように、とりとめもなく語る夫の姿を眺めながら、信子は留守中に何度かあった無言電話のことを思い出している。

「もし、もし、どなた、もし、もし……」

　何度か繰り返す受話器の向こう側に、じっと信子の声を聞いている気配がした。男ではない。直感でわかる。あちらから電話が切れる直前に、ごくりと息を呑《の》んだ音は確かに女のものであった。

　浩二には愛人がいるのだろうか。たぶんいるだろうと信子は思った。自分の知っている限り、妻ひと筋のスターなど誰もいない。誰もが愛人のひとりや二人はいるはずだ。人に愛されることを職業にしている者が、過剰に愛されるのは当然のことだし、それに応《こた》えるのも不思議ではなかった。

そして自分がどうしてこれほど平静でいられるのかと信子は考える。夫は自分を裏切っているのかもしれないのだ。本当なら問い質《ただ》し、責めて、泣き怒るのがふつうであろう。けれどもそんな気にはまるでなれなかった。それは自分自身が、スターという人間の綾《あや》を知り抜いているせいだろう。映画を撮っている最中は、気分が昂《たか》ぶって眠れない日がある。現実ではない、華やかで濃い劇空間に移動し、そこでしばらく呼吸をし、泣いたり笑ったり、恋をしたりしてくれば、元の世界にはなかなか戻れない。俳優にとって気持ちをなだめるためにも、恋は必要不可欠なものだ。しかし釘《くぎ》をさしておく必要はある。

「へーちゃん」

信子は言った。

「何をしてもいいけれども、週刊誌には気をつけてね」

「なんだよ」

グラスを手にした浩二は、ぎょっとしたようにこちらを見た。

「そうでなくても、もうじき離婚だって、しょっちゅう書かれてるわ。だから、あの人たちを喜ばせるようなことはしないでね」

「僕はそんなつもりはない」

やや平静を取り戻した。役柄のために伸ばした髪のせいで、浩二はひと頃のヒッピー青年のようだ。ラブ・アンド・ピース、自由な愛と性を。フラワー・チルドレン、愛だけに生きよう……。

「僕は演技者として、ふつうの人よりも多少のことは許されてしかるべきだと考えている。けれど君との生活をいちばん大切に思っているし、壊すつもりはまるっきりないよ。僕たちはパートナーとして、こんなに尊敬し合ってうまくいっているんだから。何もことさらに騒ぐこともないと思うよ。まあ、マスコミは何をしたって書くんだから、勝手なことを言わせとくさ」

それは何の説明にもなっていないと、信子はもう少しで笑い出しそうになった。

「それじゃあ、私も演技者として、勝手なことをしてもいいってことなのかしら」

「それは嫌だね」

きっぱりと言う。

「君はそんなことをする人じゃないと思ってるよ」

「そうかもしれないわね」

信子は他人《ひと》ごとのように答えた。それは自分の心の内を指したのではない。状況を指したのだ。今盛りの人気スターが夫とわかっていれば、口説いてくる男はいない。それにテレビ業界は、映画とは比べものにならないほど人間関係が淡白で、スタジオで会って、スタジオで別れる共演者ばかりだ。信子の美しさは相変わらずスクリーンやブラウン管で賞賛されるが、現に手を握りながらそれを口に出して言う男は夫以外にいないのだ。

「それよりもさ、もしかすると監督は、この映画をカンヌに持っていくかもしれないんだ。それだったら一緒にパリとモナコを旅行しようよ。君も忙しくって、このところヨーロッパには行っていないだろう。ねえ、パリからニースへ行って、それからカンヌ、モンテカルロって、リゾート地を訪れるコースはどうかなあ。モンテカルロは僕もまだ行っていない。あのグレース・ケリーがいるところさ。知り合いで彼女と親しい人がいるから、もしかしたら会わせてもらえるかもしれないなァ……。どうせだったらテレビの旅番組とからませてもいいかな。いや、そういうことをすると疲れるから、やっぱりプライベートで行こうよ……」

夫のお喋《しゃべ》りは、聞いているとまるで酔っているような気分になる。妻を正気に戻すのを阻止するように、浩二の語りはいつまでもいつまでも続く。信子はぼんやりとそれを聞きながら、いつかこれが耳に入ってこなくなる日がくるような予感がした。

その年の秋に公開された「犬神家の一族」は、未《いま》だかつて日本映画ではなかったほどの大規模な宣伝をしたこともあり、空前のヒットとなった。これによって石坂浩二は文句なしの大スターになったといってもいい。それよりも世の人々を驚かせたのは、全くの衰退産業と思われていた映画が、やりようによっては多くの人々をひきつけるという事実だ。

「テレビで映画の宣伝をするなんて聞いたことがない。あれだけ宣伝に金をかけりゃ、そりゃあ客も入るさ」

と冷ややかに見る者もいたが、この「犬神家の一族」によって、映画が久しぶりに活況を見たのは確かであった。

テレビ業界に流れてきたかつての仲間たちは、信子を見るとこう言う。

「ルリちゃん、俺たちもドカンとした映画撮《しゃしん》りたいよなあ。調布でまたやりたいよなあ。裕ちゃんもあっち側に行っちゃって淋《さび》しいよなァ」

石原プロが全面協力している「太陽にほえろ！」は、ずっと高視聴率を続けている。

「テレビは、ちゃっちいから嫌いだ。俺はやっぱり映画の人間だ」

と言い続けていた裕次郎であるが、やはり時代の流れには逆らえなかったのだ。

けれども裕次郎の場合は、さすが大スターといわれる幸運な転身であった。もう一方の日活の大スターとして君臨していた旭からは、つらい噂しか伝わってこない。ゴルフ場経営が失敗して、数億円の借金をつくったという。毎日のように家に借金取りが押しかけてきて、その中には筋の悪い者たちもいるという話だ。

「旭も馬鹿なことをするよなあ、おとなしくテレビ出て、歌でも歌っていればよかったものを」

と多くの者たちが言ったが、信子には旭の気持ちが痛いほどわかった。旭は映画が消えかかったのと同時に、自分の俳優人生も終えるつもりであったに違いない。

「スクリーンに出てた人間が、どうしてあんな小さい箱の中に入れるんだ」

とテレビを評していた彼は、器用にドラマに出演することをいさぎよしとしなかった。いわば映画と心中した彼が、別の世界に活躍の場を求めたのはむしろいさぎよく、旭らしいと信子はつくづく思うのだ。

裕次郎も映画の失敗で大変な借金を負ったが、それでも彼にはどこまでも随《つ》いていくと誓い合った石原軍団の仲間がおり、莫大《ばくだい》なCM料を出してくれるスポンサーがいる。それにひきかえ旭はどこまでも「一匹狼」だ。いったいどうやって数億という金を返すつもりなのか。信子は気が気ではない。それはかつての恋人への同情というよりも、共に映画をつくってきた者としての案ずる心だ。裕次郎にしても、自分にしても「日活崩壊」の時をなんとか乗り切った。今もスターの座を守り、スターの暮らしを続けている。それなのに旭だけは借金取りに追われる毎日だという。

何度かためらった末、信子は旭の自宅に電話をかけた。もしかすると借金取りから逃れるため、電話を切っているのではないかという不安はあたらなかった。彼の妻が意外なほど明るい声で出てきて、こう言ったのだ。

「まあ残念。今、主人は仕事で福島へ行ってるんですよ」

「福島ですって」

「ええ、キャバレーの仕事。この頃とっても多いんですよ。ルリ子さんから電話があったって聞いたら、どんなに喜ぶかしら。後から電話させますわ」

かつての信子とのことを知らないはずはないだろうが、旭の妻は愛想よく応える。信子は以前雑誌のグラビアで見た、若く美しい彼女の姿を思い出した。これから売り出し中の女優を、旭がひと目惚《ぼ》れして妻にしたのだ。

そして旭からの電話は、次の日の夜遅くかかってきた。

「わるいなー、ルリ子。電話くれたんだってな。昨日は郡山《こおりやま》だったけど、四日前は夜行で青森からとんぼ返りだ。やー、ドサまわりがこんなにきついとは思わなかったぜ」

とはいうものの、旭の声に全く悲惨さはない。

「あいつらの事務所に連れ込まれて、さんざんすごまれたよ。この手形をどうしてくれるんだ、まさか生きて帰れるとは思ってはいないだろうなって。俺もやくざ映画には何本も出たけど、本物に脅されたのは初めてだろ、本物のやーさんにも破産しなきゃお目にかかれないなあと思ったら、なんか度胸がすわってさ。なあ、俺をここで殺しても、一銭にもならないだろう。それよりも、地方のキャバレーに出してみろよ。日建て、三百万、四百万は堅いぜ、って言ったらさ、奴ら顔つきが変わって、本当か、って。それで仕事をやたら取ってきてくれるようになったわけさ。そりゃあ、忙しいけど、おかげで借金も減ってるし、まあ、オンの字っていうとこじゃないのオ」

「まさかあ……」

「いや、本当の話だってば。ルリ子だけに話すけど、手形がこわい人たちのところへまわっちゃって、大変だったのさ」

「だから旭ちゃんにゴルフ場経営なんて無理だって、あんなに言ったじゃないの」

「そりゃそうだけど、日活《うち》があんなことになっちゃって、映画《しゃしん》なんかもうダメだものな。いや、いや、おたくの亭主が出てるような映画《しゃしん》は大ヒットってことらしいけどな」

ここで皮肉をちくりと口にする。

「だから他に稼ぎ場所を見つけるしかないでしょうよ」

「だけど旭ちゃんだったら、何だって出来たはずよ」

裕次郎と競り合う人気を誇ってきた旭は、決して過去の人ではない。今も「大スター」という冠をつけられるはずだ。その彼が、借金のためにやくざから取り立てをくらう事態となっているなどとは、どうしても信じられなかった。

しかしテレビに媚《こ》びを売らず、別の道を切り拓《ひら》こうとした旭の不器用さが、信子にはなんとも好ましい。思い出してみれば、この不器用さのために、彼は若い頃から周囲とかなりぶつかってきた。「生意気だ」などとさんざん言われたり書かれたりしてきたものだ。おそらくテレビの世界にうまく移れなかったのも、彼の一徹な性格によるものだろう。今まで「テレビ屋」と軽んじてきた人々に指示され、演じることに、旭は耐えられなかったに違いない。

「まあ、それだけ世の中が変わっちまったってことなんだろうな。ほら、お嬢だって見てみろよ」

不意に彼の妻だった女のことを口にする。

「戦後最大のスター、世紀の歌姫なんて言われても、今は世間からけちょん、けちょんじゃないか。俺どころの落ち方じゃないぜ」

美空ひばりの二人の弟といえば、芸能界にデビューしたものの、ずっと鳴かず飛ばず、という状態が続いていた。美空ひばりの弟ならさぞかし七光でいい思いをしているだろうとまわりは考えるが、大スターの身内が同じ世界に入ることについては、本人にしかわからぬ屈折や苦悩もあるらしく、上の弟かとう哲也は、やがて暴力団との関係を噂されるようになった。そしてほどなく拳銃《けんじゅう》不法所持をはじめ、傷害、暴行など次々と事件を起こしていった。

これに世間は反応した。各地の教育委員会が、弟をはずさない限り公演に公共の建物を貸さないという声明を発表し、これが全国的に拡がっていくのだ。

しかしひばり母子の態度はかたくなだった。一卵性母娘と揶揄《やゆ》された母親の方は、

「たとえおかゆをすすっても、親子一緒にたえてみせる」

と言ってのけ、これはただちに流行語となったほどだ。しかし人々はこうしたひばりに対して、次第に冷たくなっていく。いつのまにか「美空えばり」という別称がつけられ、紅白からもはずされていくのだ。

そんなひばりから、信子は時々電話を受ける。酔っているのか、そうでないのかはよくわからない。信子は酒を口にしないのでどの状態なのか、見極めがむずかしいのだ。たいていの場合、ひばりは酔っているのだが、電話ではそうと悟らせないはっきりとした口調になる。

しかもどんな時でも女王と呼ばれる人は、決して弱音を吐いたりはしない。楽しげな話題を次々と舌にのせていく。

「ねえ、ルリちゃん、私に息子が出来たの、知ってたかしら」

「えっ、何ですって」

「ふふ、弟、哲也の子どもだけどね、今度、私の養子にしたのよ。六歳になったばかりで、そりゃあ可愛くてりこうなのよ」

「まあ、よかったわね」

「いつもよく聞かせてるの。あんたが加藤家の跡取りなのよ、しっかりしてくれなきゃ困るわよって」

「そんなこと、六歳の子にはまだよくわからないんじゃないの」

「そんなことないわよ。自分の名前言う時も、加藤っていう苗字《みょうじ》を強くはっきり言うんですもの」

「あはは、和枝ちゃん、それは親馬鹿っていうものよ」

「まあ、親馬鹿っていい言葉よね。一度言われてみたかったわ」

そしてしばらく沈黙の後、グラスに液体を注ぐ音がする。いつものようにブランデーを水割りにしているのだろう。

「まあ、私は弟の子どもを養子にしたわ、それで何の不満があるわけじゃないけどね。私、ルリちゃんには、自分の子どもを持ってほしいと思うの。せっかく幸せな結婚をしているんだし……」

「子どもなんて無理よ。私なんかもうじき四十の方が近いもの」

「何言ってるのよ。私よりもみっつも若いじゃないの」

「じゃ、和枝ちゃんが産めばいいじゃないの。もう一度結婚して」

「結婚なんてもうさんざんよ」

しみじみとした声だった。

「楽しい時なんてアッという間で、後は気苦労ばっかりだもんね」

信子は昔、石原裕次郎の家で初めてひばりに会った時のことを思い出した。新婚のひばりは新春らしく梅の柄の羽織を着て、旭の傍に座っていた。映画や雑誌のグラビアで見るより、ずっと美しい女、というのが信子の第一印象であった。肌が綺麗《きれい》で、大きな勝ち気そうな目が輝いていた。ついこのあいだのことのような気がするのに、ひと昔前のことになる。そう、あれはひばりが旭と結婚した時のことだから確か十四年前だ。自分がこれほど過ぎ去った年にこだわり、よく記憶しているというのは、時間というものに敏感にならざるを得ない職業だからだろう。女優が年をとるということは、少しずつ敗退していくことである。今はまだたいていの場合主演を張っている信子であるが、おそらく近いうちに主役を若い女優に譲る日が来ることであろう。

ひばりの方も、人気投票の第一位の座は、もはや誰かに渡しているはずである。

旭にしても、自分にしても、裕次郎にしても、ひばりにしても、もう誰も若くはない。そしてあれほど時代に愛されていると思っていた四人であったが、気がつくと時代は自分たちに試練を与えているようであった。あの裕次郎でさえ、この頃はでっぷりと太り、そのためか体の具合を悪くし、ちょくちょく検査入院をしているはずだ。

「ねえ、ルリちゃん」

ひばりは酔いがまわってきたのか、まるで少女のように甘い声を出す。

「へーちゃんとうまくやっているんでしょう。ルリちゃんなら頭がいいから、きっと添いとげられる。私みたいに離婚なんかしないでね。そして子どもをちゃんとつくるのよ。だってルリちゃんみたいに綺麗で頭のいい人は、自分にそっくりの子どもを持たなくっちゃいけないのよ。ねえ、ルリちゃんってば……」

やがて声がしなくなったかと思うと、軽い寝息が聞こえ始めた。受話器を置いてふと思う。ひばりの手にする受話器を元に戻し、毛布をかけてやる人間はいったい誰なのだろうか。お手伝いさんか、ひばりの老いた母だろうか、それとも妹だろうか。いずれにしても男の手ではないだろう。

信子はおととい、自分にコートを着せてくれた男のことを思った。それは浩二ではない。別の男である。ひばりには言わなかったが、昨年の暮れから信子は、あの三田のマンションを出て、赤坂に部屋を借りている。

自分の劇団をつくった浩二が、しょっちゅう外泊をするようになったのは、いったいいつ頃からだったろうか。

「役者たちの演技プランを練ったり、台本を考える」

ために、近くのホテルに部屋をとったと言われれば、ああそうなのかと言わざるを得ない。浩二と劇団の若い女優とが怪しい、とご注進におよぶ者もいたが、今回も信子はそう嫉妬《しっと》することはなかった。

ただ毎日のように家を空けられると、なにやら落ち着かない気分になってくる。三井倶楽部の隣に建つ、日本でいちばん豪華なマンションは、浩二が買ったもので彼の所有になっている。ここに自分がひとりだけ住んでいるというのも間が抜けた話ではないか。

「間が抜けてる、っていうことはないでしょう、信ちゃんは奥さんなんだから、どーんと構えてこのうちに住んでいればいいじゃないの。世の中の奥さんは、旦那《だんな》が浮気してようと何だろうと、みんなそうしてるわよ」

妹たちからはそう言われるのだが、信子は夫の留守宅にじっといるというのが我慢出来なかった。それで結局、

「別れるということなら、さっさとそうして頂戴《ちょうだい》」

というメモを残して家を出てきたのだ。

しばらくはホテルで暮らした。両親からは実家に帰ってくるように言われたが、そんな気にはなれなかった。

それに実家に戻ったりすると、浩二との別居はマスコミにすぐに露見してしまうことであろう。
「こんなにトウのたった出戻り娘じゃあ今さら帰れないわ」
と言いかけて、父の源二郎に叱られた。
「出戻り、というのは完全に離婚したことを言うんだ。信ちゃんはまだ離婚していないだろう。
そういうことを軽々しく口にしてはいけない」
要するに源二郎は大層機嫌が悪いのだ。自分の娘が離婚する羽目に陥るとは考えたくないの
であろう。
「いったい石坂君のどこが気にいらなかったのか」
と問われ、はて何だったのだろうかと長いこと考えた。浮気というのはかなり大きな失点で
あるが、俳優という仕事をしていれば、近づいてくる女が数知れずいるのは当然であろう。少
女の頃から芸能界に入った信子は、さまざまな色ごとを見聞きしている。自分自身の過去の恋
人の中にも、妻子持ちの男は何人かいた。格別に寛大になったつもりはないけれども、目をつ
ぶれるところは目をつぶってきたつもりだ。
ただ、一緒に暮らしてみてわかったことは、夫と自分とはまるで種類の違う人間だというこ
とである。性格が違う、というのではない。まるで鳩と犬とが一緒に暮らしているようなもの
なのだ。犬の言葉を鳩はわからない。彼が熱心に説いて聞かせようとするものがわからない。
信子は思う。おそらく浩二には今頃、目をキラキラさせながら熱心に自分の話に耳を傾ける
若い女が側にいることだろう。なんて素敵、なんて素晴らしいのと、ほとんど涙ぐまんばかり

に聞き惚《ほ》れている女。その点、自分は決していい妻ではなかった。夫の話を聞いているふりをしながら、別の風景を探していたような気がする。おそらく浩二はそのことに気づいていたのだろう。

しかし別居したといっても、決して仲が険悪になったわけではない。浩二は何かにつけよく電話をかけてくる。「犬神家の一族」の大ヒットにのり、彼は市川崑監督の大切な俳優となった。金田一耕助シリーズはずっと続くことになり、「悪魔の手毬唄」「獄門島」「女王蜂」「病院坂の首縊りの家」といずれもヒットが続いている。浩二は問う。今度共演することになったあの大女優とは、いったいどうやってつき合えばいいのか。何か知っていたら教えてほしい。

「私とそんなに変わりないわよ」

「それじゃ、大変だ」

「何言ってんのよ。ただね、ずっと昔からのスターさんだから、脚本《ほん》をしっかり読み込んで自分のプランも考えてくると思う。だからへーちゃんも、何通りか用意していった方がいいわよ。それからいくらへーちゃんのシリーズだからって、あちらがスターだっていうことを忘れないこと。あの女優さんは監督とも昔からのつき合いなのだから、くれぐれも失礼がないようにね」

「わかってるよ。それからさ、近いうちに食事をしないかい。乃木坂《のぎざか》にとてもうまい鮨《すし》屋を見つけたんだ。会員制になっていて、お客は一日五組と限定している。あそこのトロを君に食べさせたいよ」

「まあ、どうもありがとう」

そう答えながら、自分がどれほど小食かということを、夫はまだわかっていないのだと少し笑ってしまった。ほんの少量を口にし、酒も飲まない。

しかし浩二の方は、美食家のうえに健啖家《けんたんか》だ。食品輸入会社の重役だった父親のおかげで、戦争中も肉やハムを食べていたという。一緒に暮らしていた頃は、自分でも腕をふるった。料理書を見ながら凝ったフランス料理もつくってしまう。よく客を招くが、時々は夫婦二人だけで食べた。浩二はまだ日本では珍しい種類のワインを、特別のルートで何本も手に入れるのだ。夫婦のテーブルにも、真っ白いリネンを敷き、シャンパンから始める。そして次はワインの栓を抜き、自分のつくった料理を口に運びながら、さまざまな話をとめどなく口にする。彼の愛するヨーロッパの歴史、絵画、彫刻、巨匠と呼ばれる映画監督、オペラ……。彼は話に夢中になり、目の前にいる妻が微笑むだけで、ほとんどものを食べていないことに気づかない。信子は昔からの習慣で、食べたふりをするのが得意だ。時折ナイフやフォークを動かしながら、飾りの葉の下に食べ残したものをさりげなく隠したりもする。おそらく浩二は、別れて暮らしている今も、信子がほとんどものを口にしなかったことに気づいていないだろう。

これについても信子は、よくない妻であったと思わずにはいられない。あの男と一緒に暮らす女は、食べることや飲むことに、猛烈な情熱を持たなければいけなかったのだ。しかもどれだけ食しても、決して太らないという条件がつく。実は浩二も、撮影の前はしょっちゅう減量に苦しんでいたからである。

ある時信子は、新聞の見出しに「石坂浩二の新恋人」という文字を見つける。相手はハーフの若いタレントであった。愚かさと善良さとがひと目で見てとれる美しい顔をしていた。テレビで何度か見たことがあるが、舌たらずの喋《しゃべ》り方が、まるで十代の少女のようにも見え、それで人気を博している。

信子は意外であった。それは浩二が今まで自分に語っていた女の理想からかなりかけ離れていたからである。美しい女というのは、魂が透けて見えていなければいけないと、浩二は信子に語ったことがある。魂の強さというのは知性とも違う。その人の持って生まれた運命の確かさのようなものなのだと、以前彼は言っていなかったろうか。

「へーちゃんも、最近趣味が悪くなったなァ」

新聞をのぞき込みながら男が言った。男からはかすかに外国製の煙草のにおいがする。テレビのプロデューサーをしている男に、どうしてこれほど惹《ひ》きつけられていったのか信子にもよくわからない。根っからの映画育ちの者たちは、後発のテレビを低く見る傾向があった。ついこのあいだまで「テレビ屋さん」と、信子たちは言っていたものである。が、そんなことは昔の話だ。今やテレビ局のプロデューサーたちは、かつての映画のプロデューサーと同じように、強大な力を持ち、大きな企画を進めていく。初めて会った時に、この男は言ったものである。

「早く映画のクセを抜いてくださいね」

そうしなければ、テレビのスターとして大成しないというのだ。

「浅丘さんはホームドラマにはむかない。だけどテレビだって、そうそう大河や大作ばっかりつくっているわけじゃない。もうちょっと抜かないと、あなたの出番がなくなりますよ」

なんと嫌な男だろうと思っていたのに、ほどなく男と女の仲になってしまった。初めて彼とそういうことになった時、信子はこれが映画やドラマで演じた「不倫の人妻」かと納得した。

心の中では少しも悪いことをしたとは思っていないくせに、世の慣習に従って不安におののくふりをする。そしてわかる。世の中にしてはいけないことなどはほとんど存在していないということをだ。

男は信子のために、テレビドラマの大作をいろいろつくる。二人のことはすぐ噂になるが、もう信子はびくともしなくなっている。

13

石坂浩二との別居は、自然にゆっくりと進められた。争ったわけでも、話し合いが行われたわけでもない。仕事で外に泊まることが続くうちに、信子の留守中、少しずつ荷物が運び出されていたのだ。

こうなったら、石坂の名義になっているこの高級マンションに住む必要もなく、それで信子も家を出たのだが、ホテル暮らしは金もかかるうえに不便なことも多い。

信子は付き人だけでなく、経理も見てくれている妹の靖子に尋ねた。

「ねえ、私、今どのくらいのお金を持っているの?」

靖子は定期預金の額を告げた。思っているよりもはるかに多かった。どうやら父の源二郎が心配して、毎月収入の一定額を積み立ててくれていたようだ。

「だったら家を買うわ。今すぐ」

あちこち探した結果、広尾の天現寺の近くに決めた。新築ではないけれども、百五十平方メートルと広い。管理人が常駐してくれているのも安心出来る。

考えてみれば、信子にとって初めてのひとり暮らしである。調布の実家からそのまま浩二のマンションへと移ったからだ。インテリアなどというものにはまるで興味がないと思っていたが、雑誌を見たり、デパートをまわったりしてあれこれ買い揃える。

「呆《あき》れた。別居するっていうのに、こんなに楽しそうにしている人、見たことない」

と靖子が言ったほどだ。

三十畳ほどのリビングルーム兼応接間には、赤い布張りのヨーロッパの輸入家具を置いた。もちろんシャンデリアもだ。室内装飾に一家言を持つ浩二との家では、決して許されなかったであろう華やかさである。信子はこの部屋に棚とケースを置き、コレクションのガラス細工を飾った。およそ収集癖というものを持たず、ものに固執しない信子であるが、ただひとつガラスのアクセサリーや人形には目がない。

若い頃によく、

「ガラス細工のような美しさ」

と表現されたこともあって、ファンからの贈り物もこれが多い。身につけるものも、ガラスやイミテーションの大ぶりのものが好きだったたから、浩二に、

「君ほどの女優だったら、ちゃんとした宝石をつけなさい」

と言われたものだ。しかし信子は、他の女優のようにダイヤやルビィといった宝石に惹《ひ》かれることはなかった。スターといわれる女たちは、みんな大層見事な宝石を身につけている。戦前からの大スターである高峰三枝子は、ウズラの卵ほどのダイヤの指輪をはめていて、それが

老いて筋ばった手によく似合っていた。が、信子は自分がそれを手に入れたいとは思わない。ダイヤの重厚な光よりも、ガラスの輝きの方が愛らしく、自分に合っていると思う。ただそれだけのことだ。

シャンデリアの下、ガラス細工はいっそう光を放つ。部屋のそこだけが別の空間のように、いっせいにキラキラとにぎやかになる。信子はそれを眺めるのが好きだ。

信子はあまり本を読まない。夫の浩二は、それこそ古典から新刊のベストセラーまで、ありとあらゆる本を読んでいた。そしてそれを多少妻にも強いていたところがある。自分が感激した本を手渡し、これを読むように言うのだ。信子がまだ素直な妻だった頃、何冊もの本を読まされたことがある。けれどもそんなことが何の役に立つだろうと、今なら思う。人の頭というものは知識でいっぱいになると、その他のものが入り込む隙がまるでなくなってしまうはずだ。

現在の信子の恋人であるテレビのプロデューサーは時々こんなことを言う。

「ルリちゃんは、これ以上何も身につける必要はないんだよ。君はなまじっかの知識とか演技力なんかぶっとばすものを元から身につけているんだから」

「それって私が馬鹿でもの知らずっていうことなんじゃないの」

信子がふざけて怒ったら、いや、違うと彼は真顔になった。

「たまに愚かな魅力をふりまく女がいるけれども、ルリちゃんは素のままで完璧《かんぺき》なんだ。こんな人間はめったにいるもんじゃない」

信子は男の言っている意味がよくわからない。が、自分は今のままで充分だということだけはわかる。

「最近の若い女優を見てごらん。ルリちゃんほど美しくないし、そしてみんなもの欲しげじゃないか」

とはいうものの、時代の光は彼女たちの方にあたっているかのようであった。信子はこのところ仕事が少なくなっている。常に主役クラスを張り、傍役《わきやく》や母親役にまわることの出来ない女優はこういう時に不利なのだ。

信子はかつての旭の嘆きを思い出した。

「スターだ何だって言われても、仕事がなけりゃそれまでじゃないか」

その旭であるが、債鬼に追われる身からいっきに幸運をつかんだ。新しいシングルが、大ヒットとなったのだ。カーラジオからも、テレビからも、旭独特の間延びしたようなかん高い声が聞こえてくる。

「あの歌が出来たのはほんの偶然なんだぜ」

彼は電話口でいっきにまくしたてる。

「作詞の星野先生がさ、昔銀座にいた女の子から電話もらったんだってさ。これこれっていう店に移りました。昔の名前で出ていますって……。それが先生気に入っちゃってさ、いっきに詞が出来たって言ってるの。小林君、男は遊ぶもんだねえ、どんなところにも詩の魂はころがっているんだからって、すごくご満悦さ」

「女の人って、勤めているところで、名前を変えるのね。知らなかったわ」

「そりゃ、そうだ。ゲン直しってやつだね。俺もこの歌を歌えたのは、日本中キャバレーまわりしていたせいかもしれないなァ。まあ、おかげで、借金もこれでちゃらだなァ」

「歌ってもうかるのねえ。私もまたレコード出そうかしら」

「ダメだよ。ルリ子は歌がヘタだからな。一曲だけヒットしたやつも、ほとんど台詞《せりふ》じゃないか」

「悪かったわね」

ひとしきり言い合った後、旭がぽつりと言う。

「噂だけど、ルリ子、旦那《だんな》と別々に暮らしているみたいだな。この電話番号も変わったし」

「そうなのよ。今は広尾にいるの」

「ああいうインテリの男は大変だろうなあ。クイズ番組で時々見るけど、何でも知ってやがる。だけど家であんなに長々と解説をされちゃあ、たまんないだろうなあ」

「家の中ではそうでもないわよ」

「まあ、いいさ。男と女なんて別れる時が来たら、自然にすうっと別れちまう。別に住んでも籍はそのまま、っていうのは、まだ別れたくないってことさ」

「そんなんでもないわよ。お互い、ただめんどうくさいのが嫌いということだけよ」

そう言って受話器を置いた後、浩二は今どんな女とつき合っているのだろうかとふと考える。自分が主宰している劇団の女優だろうか、それともあのハーフのタレントだろうか。いずれにしてもこっそりとやってほしい。浩二と女とのことが週刊誌に出るたびに「離婚間近」と書かれるのはうんざりだ。世間の人々は、信子と浩二とがもうふつうの夫婦の体《てい》をなしていないことを知っているはずだ。それなのに、何かあるたびに驚いたふりをするのである。出先のスタジオや撮影所に突然芸能記者が来るのはもうまっぴらだった。

そのくせ信子は、独身生活を満喫している。例のプロデューサーとは、他人の目を気にせずにすむので、家で会うことが多くなり、彼の好きなウイスキーやブランデーを揃えておくようになった。すると彼は、何人かの親しい友人を連れてきて、信子の客間はまるでバーのように男たちが集《つど》うようになった。

「ここはとびきり美人のママがいるからね」

彼らの冗談に信子は笑った。

「これじゃあ、調布の家と変わりないじゃないの。日活《うち》の人たちの溜《た》まり場になって、私のギャラはみんなのお腹の中に入って、ぜんぶオシッコになっちゃったのよ」

男たちの中に、蜷川幸雄《にながわゆきお》が交じるようになったのは、いったいいつ頃だったろうか。痩《や》せぎすで特異な風貌《ふうぼう》を持った彼は、劇団青俳を飛び出し、映画やテレビの俳優となった。信子も何度か一緒になったことがあるが、二枚目のスターたちの傍にすわり、そうたいした役にはついていなかったはずだ。それなのに強く記憶に残っているのは、ロケの合間に聞く彼の話があまりにも面白かったからである。演劇論だけでなく、政治や文学にも通じていて、その博識ぶりには監督たちも一目置いていた。その彼が演出家に転向し、大変な成功を収めていると聞いたのは、このあいだのことである。

それがあっという間に「鬼才」と呼ばれるようになり、最近では商業演劇にも進出している。アングラ、小劇場の演出家と思われていたのに、最近は日生、帝劇の舞台をもいっぱいにすることが出来るというのだ。それは彼の意表をついたキャスティングの魅力も大きいと言われている。映画やテレビのスターといわれている俳優を、突然シェイクスピアの世界にひっぱり込み、彼らの別の魅力で客を呼ぶからだ。

その蜷川から、

「ルリ子もそろそろ舞台をやろうよ」

と言われても、信子は全く取り合わなかった。

「ダメ、ダメ、私はまるきり舞台に向いていないもの」

きゃしゃな体つきで顔も小さい。何よりも舞台にはまるで興味がなかった。昔、日活でもよく新劇の俳優たちに協力を仰いだものだ。彼らは劇団の運営費を稼ぐために、淡々とした様子でアクション映画やムード歌謡映画にも出演してくれた。男も女もとにかく演技がうまく、ピシッと傍《わき》を固めてくれる。が、彼らは主役をつとめることはない。新劇出身で映画スターになったのは、日本人ばなれした長身と美しい顔を持つ仲代達矢ぐらいであろう。あの舞台での大スター、杉村春子でさえ、映画に出る時は傍にまわることになる。

舞台人のイメージというと、芝居は確かにうまいが、華がなく左がかっていて理屈っぽいということであろうか。信子は自分が彼らと同じ場所に立つことなど、まるで想像も出来ない。

「何言ってんだ。俺はルリ子ぐらい舞台向きの女優はいないと思ってるんだ」

蜷川の口説きは続く。それは信子にとって初めて味わう、男からの色恋抜きのねちっこさであった。

「なあ、ルリ子は映画のスターになって、それからテレビのスターになった。だけどまだ舞台のスターにはなってないだろ。ルリ子ならなれるよ。絶対になれるってば」

「だけどね、私は舞台の演技のイロハも知らないのよ。ほら、新劇の人たちって、腹式呼吸とかやって特別の発声法をやるんでしょう。そうしなきゃ、客席の隅々まで届かないからって」

「いやあ、そんなの昔の話だってば」

蜷川は手を振る。

「今は役者の魅力で客をひっぱっていく時代なんだ。ルリ子みたいなとびっきりの美女が、舞台に出なきゃいけないんだよ。演技のイロハなんか、俺がいつでもつけてやるからさ」

約束どおり、蜷川は日生劇場に信子を連れていった。客の入っていない劇場は、白いカバーの椅子がまるで墓石のように見える。客という魂を吹き込まれて初めて生命を持つかのようだ。それはひんやりとした緊張感を信子にもたらす。

「私、やっぱり無理よ……」

蜷川に話しかけようとしたが、彼は既に舞台に上がっていた。そう背が高いわけではないが、脚が長いのですらりとして見える。いつのまにか革ジャンパーを脱ぎ捨てていた。

「おーい、ルリ子、そこに座ってくれよ。そう、前から十番目ぐらいだ。俺の声、聞こえるか」

「聞こえるわよー」

「そうだろ。俺はいま、ふつうに喋《しゃべ》っている。だけど、きちんと息を出せば、ちゃんと客席には届くはずだ。それにこのくらいの大きさになれば、ちゃんとマイクが声を拾う。心配することは何もないんだ。わかったかよー」

「わかったわよー」

信子は自分の声が驚くほど劇場の中に響くのを聞いた。今まで顔を誉められても声を誉められたことはない。けれども案外深みのあるいい声ではないだろうか。

「おーい、ルリ子。よく見ててくれよ。これが映画の時の驚く芝居だ」

信子の席からだと、蜷川の顔がかすかに動いたのが見えた。

「よーく、見てろよ。次が舞台での驚くしぐさだ」

黒いセーター、黒いズボンを着た彼の体が綺麗《きれい》になる。背伸びするように上半身が後ろにかすかに倒れ、両の手がそれぞれ違う高さで拡げられた。

「次は笑うしぐさだ」

さらに大きくのけぞり、喉《のど》を動かして見せた。

「次は泣くシーン」

「次は喜んでいるところだ」

次々に見せ、最後にこう怒鳴った。

「な、大げさにすりゃそれでいいんだ。なー、出来るだろ。もうわかったろー」

「わかったわー」

いつのまにか大きな声で答えていた。

その電話はいつも彼女からだとわかる。夜の十二時を過ぎてかかってくる電話などめったにないからだ。呼び出し者は、彼女の世間でのイメージと違って決して尊大ではない。信子が離れた場所にいる時など、遠慮がちに三、四回の呼び出し音で切れることもある。そしていつも最初の言葉はこうだ。

「ごめんなさい。寝てたかしら」

「いいえ、そんなことはないわ。今、昔の映画のビデオをちょっと観ていたところ」

たとえそうでなくても信子は心を込めてそういう。そうしなければ相手は遠慮してすぐに切ってしまうことを知っているからだ。

「和枝ちゃん今、何していたの」

少女に問うように尋ねる。

「いつもと同じよ。お酒を飲んでいたの」

「外でも飲んで、うちでも飲むことはないじゃないの。私、お酒を飲めないから言うわけじゃないけど、お酒を飲む人って、どうして毎日たらたらと飲むのかしら。楽しい時だけ、外でパーッと飲んで、家では我慢すればいいのにね」

「あら、お酒は楽しい時だけ飲むもんじゃないわよ」

「そうなの。だったら高いブランデーがもったいないわね」

「水割りにしてるからいいの」

「水割りにしても、あんなにガバガバ飲んだら同じことよ。もったいない」

「ママみたいなこと言うの、やめてよ。やあねえー。お酒が急にまずくなっちゃったわ」

二人の女は低く笑い合った。

「それよりもルリちゃん、初舞台よかったわね。『ノートルダムのせむし男』ってやつだっけ」

「『ノートルダム・ド・パリ』よ。その時はお花をありがとう」

「いいえ、観に行けなくてごめんなさい。でも新聞の評がどこも誉めていて、私、すっかり嬉《うれ》しくなったわ」

「そちらこそ紅白に出るのよね。七年ぶりの出場って、どこも大騒ぎしてる。さすが美空ひばりよね」

「やめてよ」

そっけなく言った。

「ママがね、NHKのプロデューサーに土下座して頼まれて引き受けちゃったのよ。私はまだあの人たちのことを完全に許しているわけじゃないんだけど」

ひばりの弟が次々と不祥事を起こし、十六年間出場し続けていた紅白歌合戦の枠に漏れたのは七年前のことだ。その時「おかゆをすすっても生きていきます」とひばりの母が言い、時代がかったことをと、さらに反ぱつをくらったものだ。が、それももう過ぎたことで、ひばりの定期公演では、新宿コマ、梅田コマ、帝劇のどこも満員となる。

「もう許してあげなさいよ。和枝ちゃんは女王なんだから。女王さまは下々の者にもっと寛大になってあげなきゃ」

「その下々の者だって、明日はどうなるかわからないわよ。突然石投げてくるんだから」

「革命っていうやつね」

「ルリちゃん、時々あんた面白いこと言うわね」

ひばりは声をたてて笑った。酒を飲んでいる時はいつもそうだが感情の起伏が激しくなるようだ。

「ルリちゃんはいつも本当に楽しそうだわ。亭主がいるせいかしら」

「知ってのとおり別居中よ」

「そうよね。まあ、ルリちゃんは昔から男が切れたことがないから、たぶん今も誰かいると思うけど」

「そりゃあね、まあ」

「楽しそうっていえば、旭ちゃんも本当によかった。あの人が何億っていう借金背負っているって聞いた時は、私本当に心配してたのよ。だけど歌が大ヒットしてほとんど返せたんでしょう。本当によかったわよ」

「本当。どこまでも運のいい人なのかしらね」

元の妻と元の恋人二人の女は、しみじみと男の幸運を喜び合った。

「私ね、今も時々旭ちゃんのことを考える時があるの。もうちょっと大人だったら、何とかなっていたんじゃないかって。そしてね、ああ私は本当にひとりぼっちだってつくづく思うわねえ……」

「何言ってるのよ。ママがいるじゃないの。それに、ほら、何とかちゃんっていう可愛い甥《おい》っ子を養子にしたんでしょう」

「ママはもう駄目なのよ」

突然言った。

「ほら、このあいだから入退院繰り返してたでしょう。あれは痛風なんかじゃない。脳の中におできが出来て、もう手術でも無理って言われているのよ」

「そうだったの……」

何回か会ったひばりの母親を思い出した。世間で「一卵性母娘」と言われているとおり、娘のひばりを仕切っている母親だ。プロデューサーとしてひばりの仕事すべてに目配りをするだけではない。ひばりの人生そのものをも計画し、実行しているのは確かであった。これは旭からも聞いていない話であるが、娘を離婚させたいために、娘夫婦の寝室に毎日布団を敷いて寝ていたという噂もあったほどだ。

「ママが死んだら、今度こそ本当にひとりぼっちだと思うのね。今までもひとりぼっちだったけど、今度こそとことん、正真正銘のひとりぼっちになる。ねえ、ルリちゃんはそういうのに耐えられる？　ねえ、ひとりぼっちっていうのは、死ぬ時、ひとりで死んでいくことよね……」

「馬鹿馬鹿しい。人間誰だって死んでいく時はひとりじゃないの」

「いいえ、そういうことじゃなくて、人間死ぬ時は、夫や子どもや孫に囲まれて死にたいわよね。でも私たちはもうそんなことはないのよ。ルリちゃんはまだわからないけど……」

「和枝ちゃん、そんな先のこと考えたって仕方ないわよ。今は目の前の仕事をとりあえず一所懸命やって、今日はいい一日だったなあと思って眠る、幸せになりたいのならそうするしかないわよ。死ぬ時のことを考えていたら、人間誰だって淋《さび》しくなってしまうでしょう」

「ねえ、いつも思っているんだけど、ルリちゃんってどうしてそんなに強いの。どうしていつも楽しそうなの」

「別に強くなんかないわよ。一日一日ふつうに暮らしているだけ」

「私だってそうしたいけれども、ママが死んだら一日が急にふつうじゃなくなってしまうわよねえ」

「大丈夫。ママはふつうの人じゃない。美空ひばりを産んで育てた人なのよ。ふつうの人よりもずっと運が強いんだから。そう簡単に死ぬもんですか」

「ありがとう、ルリちゃん。それ、ママにも伝えとくわ。すごく喜ぶと思う」

「そうよ、ママを元気づけられるの、ひばりちゃんしかいないんだもの。本当によくしてあげてね」

　電話を切った後、信子は父の源二郎のことをどうしてひばりに告げなかったのだろうかと考えた。自分の父も癌と宣告されてもう半年になる。高齢ゆえに進行が遅く、このまま逃げ切ってくれると思っていたのもつかの間、先月リンパに転移していることがわかったのだ。ひばりに向かって、

「親の病気で悩んでいるのはあなただけではない」

　と言うことは簡単だ。ひばりも慰められたに違いない。けれどもカードのように不幸を見せ合うようなことはしたくなかった。源二郎を裏切るような気がする。父はそんなみじめな手段に自分が使われることを嫌うに違いない。何よりも、信子は父が死に至る病に陥っていることなど少しも信じていないのである。

　子どもは親の死を信じない。たとえ自分が中年になり、親が高齢になっているとしても、そんなことはずっと先にあるものだと考えている。

「かなりよくないようよ。この夏を乗り切れるかどうかわからない」

という姉の澄子からの電話をもらった時、信子は大層腹を立て大きな声を出した。

「そんな大事なこと、どうしてすぐに知らせてくれなかったのよ」

「だってお父さんが、信子は忙しいからめったに連絡するなって。それにあんただって、あんまり嫌な話は耳に入れないで、っていつも言ってたじゃないの」

「そりゃ、そうだけれど」

このあいだ実家に帰った時、父の症状を詳しく説明しようとする澄子を途中で遮った。

「わかったわよ、このままよくならないっていうんでしょ。だったらゴチャゴチャ言わないで、肝心なことをいざっていう時に話してよ」

ああそうだったと思い出した。あの時自分はもう聞いていられなかったのだ。父が助からないとしたら、そのプロセスを聞いてどうなるのだろうか。信子は常々、姉や妹から、

「信子ちゃんって、いつも嫌なことから逃げまわっている」

と非難されるが、父のことはその最たるものだ。そう見舞いに行くこともなく容態も聞かない。必死で現実から逃げまわっていると言われたことがある。が、もはやずっと逃げていることは出来ないらしい。迎えなければいけない時は、もうすぐそこに来ているようだ。

次の日信子は新宿の河田町にある東京女子医大病院に向かった。目立たぬ服を着てスカーフをしていても、ロビーで待つ退屈しきっている人々は、すぐに信子を見抜いてしまう。

「浅丘ルリ子よ」

「ああ、なんて綺麗《きれい》なの」

いつもはどうということもなく聞き流す、そうしたささやき声が今日はどうもわずらわしい。

身内の不幸に面と向き合わなくてはならない時、芸能人であるということがわざわいのように思えることもある。そうはいうものの源二郎は贅沢《ぜいたく》な個室に寝ている。信子の姿を見ると「おお」と片手を上げた。まだそれほど体は弱っていないらしい。枕元に読みかけの新聞が置いてあった。

「お母さんは」

「さっき帰ったよ。新宿で買物があるらしい」

「ふうーん」

信子はあたりを見まわす。見舞い客があったらしい。果物籠《かご》がひとつと、新しい花が活《い》けられた花瓶があった。信子は傍の椅子に浅く腰かけ、父の顔を眺めた。確かに頬はこけているものの、はっきりとした死の影は見つけることが出来ない。安心のあまり、信子の口調はぞんざいになる。

「すごく顔色もいいじゃない。元気そうだわ」

「いや、年寄りのことだからいつどうなるかわからんぞ」

「何言ってるの。脅かさないでよ」

源二郎は何も答えず目を閉じた。眠りに入ったのかと思ったがそうではなかった。やがて言う。

「まあ、こんなとこだろう……」

「こんなとこって……」

「あんな戦争っていうものでさんざんかきまわされたが、まあ、いい人生だったたな。大陸に渡って新しい国をつくろうとした。こっちは失敗したが、信ちゃんっていうスターの父親にはなれた」

「やめてよ、そんな言い方は」

「いや、いつか言わなきゃいけないと思ってたさ。信ちゃんのおかげでいい後半だったよ。金のことを言ってるんじゃない。あの人との約束を果たせたからさ」

「だからさ、あの人っていったい誰なのよ」

子どもの頃から、源二郎の話の中に、時々「あの人」という言葉が出てきた。そのくせ「あの人」が誰なのか、源二郎は教えてくれたことがなかった。

「あの時、甘粕さんは言ったんだ……」

「アマカス？」

「そうだ、甘粕正彦という人だ。知っているだろう。満映《まんえい》の理事長をしていたとても有名な人だ。大杉栄を虐殺したということで、いちやく日本の歴史に出てきた」

「まるっきり知らないわ」

「信ちゃんは少し歴史の勉強をした方がいいな」

源二郎は目を閉じたまますかに笑った。

「甘粕さんとあの日、お父さんは約束したんだよ。信ちゃんをきっと女優にするってね……」

「あの日っていつなのよ」

「いつだったろうか。終戦の一年前だったような気がする。新京の満映のスタジオだった。甘粕さんに別れの挨拶《あいさつ》に行った時だったな、確か……」

信子はふと不吉な予感にとらわれた。人がこれほどくっきりと記憶を取り戻すというのは決していいことの前兆とは思えなかった。

「その時私は甘粕さんに約束したんだ。信ちゃんをきっと女優にする。それも大女優にするってな」

「私、大丈夫だったかしら」

「えっ、何が」

やっと目を開けた。白目が濁っている。こんな父の目を見るのも初めてだったが構わず先を続ける。

「私で、その約束を果たせたことになるのかしら」

「もちろんだとも。信ちゃんはずうっと私の誇りであり、喜びだったよ。礼を言うよ。本当にありがとう」

「やめてよ、そんなお芝居みたいな言い方」

「そうだな、女優に向かっていけなかったな」

「そうだわ。すごくいけないわよ」

信子は父の手を取り軽く揺すった。顔よりもずっと如実にそこには老いと死の訪れが表れていた。やわらかく小さな手は、冷たく乾き、いまにもカサカサと音をたてそうだ。

「だけど私は、あの世で甘粕さんに胸を張って会えるよ。見てください、あなたとの約束は見事に果たしましたってね」

「ほら、やめてよ、そんな言い方。でも甘粕さんってそんなにえらい人だったのね」

「えらい人かどうかは知らないが、大きな不思議な人だった。信ちゃんが男だったら、いろんなことを言い残せたのにな」

「女じゃ駄目なの」

「それに、あの知識じゃね」

「ひどいわ」

信子はふざけて父をぶつふりをする。

「別に女だからって差別しているわけじゃないが、男にしかわからないことだってある。どうして私たちが、あの国をあれほど夢みていたか……、まあ、今の人たちに話してもわかるわけはない。まあ、いい、まあ、いいさ……」

源二郎はしばらくひとりごちた。

「とにかく、私は甘粕さんに会っても大きな顔が出来る。これも信ちゃんのおかげだ……、ありがとう……、ありがとう」

信子はそれからずっと、この父の最後の言葉を何度も思い出すことになる。二十日たって源二郎は息をひきとったが、自分でも情けなくなるほど信子は悲しくはなかった。そう泣くこともなかった。それは父親が何度もつぶやいた「ありがとう」を聞いたからだ。

葬儀の最中、信子は自分の体の中から、あの言葉が浮き上がってくるのを待った。

「仕方ない」

それは信子の口癖のようになっている言葉だ。決して諦《あきら》めたり、投げやりになったりするのではない。信子は昔から、自分の不運についてくどくどと悩んだり、語ったりする人間が嫌いだった。手に入らなかったもの、失ったものについて、いつまでも嘆いてどうなるというのだろう。

「仕方ない」

自分の負の部分は出来るだけ早く忘れるようにする。そして陽のあたるほうに顔を向け、明日のことだけを考える。世間では自分のことを強い女だというけれども、それは努力して身につけた生活の知恵かもしれない。

終戦の時、タイのバンコックにいた。タイは治安も日本人への感情もそう悪くなく、大陸や他の国で起こったような悲惨なことはなかった。けれどもグランドピアノがある白い洋館から追い出され、信子たち一家は市内の収容所へと入れられた。そこで耐えたつらさや不安は、幼かったのではほとんど憶《おぼ》えていない。思い出すのは引き揚げてからの生活のことだ。

すべてを失って帰ってきた源二郎は、生活のために神田で麻雀《マージャン》屋を開いた。終戦後の日本人は麻雀に熱中していて、雀荘は儲《もう》かる商売だと言われていたからだ。けれども近くに店が乱立し、あまり客が入らなくなった。従業員を雇う金はなかったから、母と姉が店に立ち、信子と妹は昼間、牌《パイ》を磨いた。ラジオから流行歌が流れている。母は昨夜の客の反吐《へど》を片づけている。店では酒を出していたから、勝っても負けても悪酔いする客がいる。

あの時も母は、誰に言うともなくつぶやいたものだ。

「仕方ないことなのよ。戦争を恨んだって仕方ないことなのだから」

僧侶《そうりょ》の読経を聞きながら、信子は自分の中にカラッと明るい、ひと筋の希望のようなものが差さないかと待ち構えている。

人間はいつかは死んでいくものなのだ。父は七十六歳まで生きた。名を残すという人生ではなかったが、本人も口にしたとおり、そう悪くなかった人生かもしれない。

戦前に上の教育を受け、大陸に渡り、満州国建設という刺激的な現場にも立ち会った。日本に帰ってからはつらい貧しい日があったろうが、娘がすぐに大スターになった。経済的にも苦労はなく、老後は好きな本を読んだり、旅行をしたりの毎日であった。誰からも好かれ、尊敬される白髪の美しい老人であった。人間は誰もが死ぬ。不死の命など誰もが持っていない。だから、

「仕方ない」

ことなのだと、信子は無理やり、自分の心の奥をこじあけ、その言葉を出そうとしていた。

それから一ヶ月後、母と姉、妹で源二郎の遺品を片づけていた。源二郎は居間の一部に棚をしつらえ、そこに信子の映画やテレビ出演のビデオを収めていた。

「私たちにはわからないから、信ちゃんが見て捨てるものは捨てといてね」

ビデオも出始めたばかりのソニーのベータである。おそろしく高価なビデオデッキを、信子の出演作を録《と》るために源二郎が購入したのは、いったいいつのことだったろうか。

きちょうめんな父らしく、ひとつひとつにラベルが貼られていた。そしてメモを見る。源二郎の感想が書かれているのだ。

「凡作。信子の他は見るべきものなし。信子けなげなり」

もう駄目だった。源二郎の死以来、こらえていたものが音をたててほとばしり、信子は号泣した。

「父さあーん」

父を呼んだ。呼んでも応《こた》えてくれるわけでもないのに何度でも呼ぶ。愛する人の死がどうして「仕方ない」ことなのか。こんな不合理なつらいことが許されるはずはないと思う。

それでもみんなの上に、死は確実に少しずつ訪れようとしていた。

源二郎と同じ年に、ひばりの母喜美枝は脳腫瘍《のうしゅよう》で息をひきとる。六十八歳だった。母の死の衝撃で、ひばりはもう歌うことが出来ないのではないかとささやかれたがそんなことはなかった。それから二年後に上の弟、かとう哲也が四十二歳の若さで亡くなり、そして三年後に今度は下の弟、香山武彦がやはり四十二歳の若さで死んだ。

この頃になると真夜中のひばりの電話もぴたっととだえた。もう酒を飲むことも出来ないのだと、最後の電話で言ったものだ。そして信子は公演中のひばりが、九州の病院に入院したことを知る。両足の骨が壊死《えし》してほとんど歩けないという。それよりもひばりの体を蝕《むしば》んでいるものは、長年の酒による肝臓病と聞いて、信子は背筋が寒くなるような思いになった。

ひばりが酔って電話をかけてきた時、どうしてもっと強い言葉で諫《いさ》めなかったのだろうか。酒が全く飲めない信子は、酒飲みの心がわからない。

「毎晩お酒を飲まないと眠れないし、明日の元気が出てこないの」

と聞けば、そういうものかと引き下がった。しかしあの時、タクシーをとばしてでもひばりの家へ行き、ブランデーの瓶をどうしてひったくらなかったのか。

まわりの人々はささやく。もうひばりは駄目だろう。続けざまに起こった肉親の死が、ひばりから気力を奪っているのだ。病状は発表されているよりもはるかに悪い。命をとりとめても、もう舞台に立つことはあるまい。

そして同時に、もうひとつの噂も不協和音のように暗く低く聞こえてくる。

「裕次郎ももう長くはないそうだ」

六年前、解離性大動脈瘤の手術を受けた裕次郎は、信濃町《しなのまち》の慶應病院に入院した。彼の重体がテレビや新聞で伝えられてからは、見舞いのファンが病院に列をつくり、石原プロでは急きょ受付のテントを張ったほどだ。無事に手術を終えた裕次郎はガウン姿で屋上にでて、みなに手を振った。あれはまさに国民挙げての慶事だったはずだ。しかしあれから入院、退院を繰り返している裕次郎の容態は、世間で伝えられているよりもはるかに深刻だというのだ。

「裕次郎も今度ばかりは駄目だろう」

嘘と信子は叫ぶ。そんなことは嘘にきまっている。そんなことは絶対に許されるべきではなかった。

「裕ちゃんが死ぬなんて、そんなことが起こるはずはないでしょう」

やがて恐怖がわき起こる。裕次郎を失うことは、自分の過去も、そして未来もまるで失くしてしまうことだと気づいた時、まだ自分が彼にどれほどの思いを寄せているかがやっとわかった。

14

信子は美しい字を書く。それは源二郎から伝わったものだ。

昔の教養人の嗜《たしな》みとして、漢詩も読むことが出来た彼は、素晴らしい能筆であった。デビュー当時、ファンレターのひとつひとつに目をとおし、返事を書くのを手伝ってくれた源二郎は、傍に座りこう言ったものである。

「信ちゃんは学校に行っていない分、綺麗《きれい》な字を書かなきゃいけないよ。汚ない字や間違った字を書くと、所詮《しょせん》こんな程度だろうと勝手に思われてしまう」

これといって習ったわけでもないのに、信子の字は父に似ていると家族は言う。

そして今、信子はことさら丁寧に字を綴《つづ》っている。病床の裕次郎にあてたものだ。

「若葉の頃となりましたが、お元気ですか。退院のニュースが流れたかと思うと、また入院なさってとても心配しています。特別元気な裕ちゃんのことだから、また元のような笑顔をみせてくれると信じているけれども、私たちももう中年といわれる年代ですもの、ここは大事をとって、ゆっくり静養するのもいいかもしれませんね」

あたりさわりのない言葉を選んでいるのは、この手紙の封を切る、裕次郎本人ではなく妻のまき子の顔が浮かんでくるからだ。裕次郎にそのくらいの体力はあるにしても、刺激のある手紙を読ませていいかどうかは、まき子がひとつひとつチェックしているに違いなかった。

この何年か、テレビの画面でよく見かけるようになったまき子は、たいていやつれた表情をしている。あたり前だ。裕次郎の入退院の際の記者会見だからである。長い髪を邪魔にならぬように三ツ編みにしているから、年齢不詳の女に見える。あまり似合っているとは思えない。が、長く黒い髪は夫の好みなので、切るわけにはいかないのだろう。退院の時は笑顔を見せるものの、たいてい思いつめた顔をしているのが痛々しい。しかし何と妻の顔をしているのだろうかと信子は画面を見つめたものだ。夫の容態に一喜一憂している顔は、自分の人生すべてを夫に捧《ささ》げていることの証《あかし》だろう。

もし、運命が別な風にまわって、自分と裕次郎が結ばれていたら、こんな風な顔をしていたのだろうか。それは全く想像も出来なかった。信子は自分が百パーセント女優の顔をしていることを知っている。石坂浩二と一緒に暮らしていた時も、妻という部分は片鱗《へんりん》もなかったに違いない。

看病のため裕次郎の許《もと》を片ときも離れないというまき子を、羨《うらや》ましいとは思わなかった。しかし自分のもはや目が届かないところで、裕次郎が哀しい死に向かっているということが、口惜しくつらかった。

映画の中で、自分は裕次郎と何百回となく抱き合い、唇を重ねた。外国製の甘い煙草の香りがした時もあるし、時たまビールやウィスキーの味が残っていたこともある。

最初に抱き合った頃、手をまわすと裕次郎の背はいっさいぜい肉がついておらず、清潔に平らであった。手や腕の内側に、脂肪の弾力がつくようになったのは、いったいいつ頃だったろうか。

「ルリ子はいいよなァ、こんな体のままでいられるなんて、いったい何を食ってるんだよ」

とため息を漏らすほど、裕次郎の体にでっぷりと肉がついていたこともある。最後に共演した時代劇だ。そしてそのまま裕次郎はテレビの世界へと行ってしまった。もう信子は、彼の肉体や体臭を確かめることも出来ない。全く確認出来ないまま、裕次郎はもうじきまた別の世界へ行ってしまうようなのである。

信子は手紙の最後をこう締めくくる。

「またいつか、映画を一緒に撮れるといいですね。もう映画などというものは消えてしまう産業だ、などとさんざん言われているけれども私はそうは思いません。裕ちゃんの力でまた映画を復活させてくださいね。その時は私もお手伝いさせてください」

書きながらそんな日はもう二度と来ないだろうと直感した。裕次郎と同じように、映画も死の床にある。この二つを並べることがいかに空しいことか知っていても、信子は書かざるを得ない。それは自分が今、いちばん望んでいることだからだ。自分は過去を振り返らない人間だとずっと思っていたけれども実は違っていたのだ。もし出来るならば、若い頃の、いいえ若くなくてもいい、日活の撮影所に裕次郎と立ってみたい。

「本番、ヨーイ」

と助監督が叫ぶ。カチンコが鳴る。カメラがまわり出す。あの張りつめたひととき。裕次郎は荒々しく信子を抱く。激しく唇を押しつける。

「もう離さないぜ」

と言う。あの日はもう戻るはずもない。日活も消え、裕次郎も消えようとしているのだ。信子はつくづく歳月を思った。あっという間に過ぎ去っていくだけの時間を悲しいと思った。

とはいうものの、〝その日〟はまだ先のことだと信子は考えていたはずだ。父の源二郎の時もそうだった。明日かあさってかと覚悟することによって、死は遠ざかっていくような気がしていたのである。

七月十七日の夕刻、信子は仲のいい芸能記者から電話を受け取った。

「ルリちゃん、さっき裕ちゃんが亡くなったそうです」

「まさか！　嘘でしょう」

「いや、僕たちもこんなに早いとは思わなかった。もうじき渡哲也と小林専務が記者会見するそうです」

「だけど、そんなことって……」

もう少しで悲鳴を上げそうな自分を必死で抑える。芸能記者と話している手前、不用意に取り乱してはいけないと、心のどこかで命じる声がする。

「それで、ルリちゃんにコメントもらえますか。やっぱり裕ちゃんのことをいちばん知ってるのはルリちゃんだし……」

「ちょっと待ってよ。あんまり急なことで、何て言っていいのかわからないわ。頭が混乱していて、もう、どうしようもないくらい……」

「あ、それ、そのままコメントにしますよ、いいですね」

この電話を皮切りに新聞社やテレビ局からの電話がひっきりなしにかかってくるようになった。みんな断って頂戴《ちょうだい》と妹の靖子に告げ、信子はテレビをつけた。ほとんどの局で番組が中断され、臨時ニュースとして裕次郎の死を告げていた。信濃町の慶應病院と周辺に集まる報道陣が映っている。そしてやがて画面は切り替わり、沈痛な面持ちの渡哲也と小林専務を映し出す。

渡哲也が語り出す。握ったマイクが小さく震えていた。

「六月の上旬くらいから、死が迫っていることは覚悟していたようで、大変落ち着いた日々をおくっていました」

いかにも裕ちゃんらしいと信子は頷《うなず》く。それならば自分の手紙も読んでくれたはずだ。

まき子夫人の様子はどうですか、と記者の声がとんだ。小林専務が答える。

「ボクらは『ダメだ』とは言えなかった。夫人にとってきょうのことは『信じられない』の連続だったと思う。とり乱して泣き叫んだのも当然でした」

純粋ないたましさだけが、信子の胸にわき起こる。もしかすると、まき子は後追いするのではないだろうか。あれほど夫を愛していた妻を信子は知らない。裕次郎はまき子にとって夫であると同時に神であった。まき子は、神に仕える巫女《みこ》のような人生を過ごしていたはずである。あの三ツ編みも、巫女のものだと思えば納得出来る。今、まき子の傍に寄って肩を抱き、共に泣きたいと思う。が、そんなことは決して許されないであろう。まき子は決して女と抱き合って泣かないはずだ。なぜなら彼女は、夫のまわりにいた女のほとんどが、夫に思いをかけていたと信じていて、そしてそれは真実であった。まき子が共に泣くのは、石原軍団の男たちだけに違いない。おそらく自分たち女は、まき子によって排除されるだろうとぼんやり思う。

その時、靖子が部屋をノックした。

「信ちゃん、麗子さんから電話が入っているんだけど」

女優の大原麗子からだ。さっそく電話を切り替えてもらった。

「ねえ、ルリ子さん、私、まだ信じられない。裕ちゃんが死んじゃうなんて、こんなに早く」

いつもの鼻にかかった甘い声が、硬い早口になっている。

「裕ちゃん、成城に戻ったみたいよ。ねえ、行きましょうよ、せめて顔を見て最後のお別れがしたいわ」

「会えるかしら」

「あたり前じゃないの。ルリ子さんは、映画の上じゃ裕ちゃんの奥さんみたいな人だったのよ。裕ちゃんだって絶対に会いたいに決まっている」

麗子の言葉が驚くほど胸をうった。「映画上の奥さん」。まき子の姿が浮かぶ。ずっと裕次郎につき添い死を看取《みと》り、泣き叫ぶことを許される本妻。しかし自分にもある種の権利があるかもしれない。

「ねえ、ルリ子さん、今から迎えにいくわ。一緒に行きましょう。たぶんマスコミでごったがえしているはずだから、目立たない恰好《かっこう》してった方がいいわ」

「わかったわ」

黒いブラウスに灰色のジャケットを着た。が、喪服のような恰好になってしまったかと気にかかり、上着を薄い青に替えた。

迎えに来た大原麗子は、白いブラウスに紺色のロングスカートといういでたちだ。テレビを中心に売れに売れている彼女は、運転手付きの外車に乗っている。この車に人気女優が二人座っていれば、どれほど騒がしいマスコミの連中も自然と道を空けるはずであった。

赤坂から国道246号、世田谷通りを通り、成城の駅前に近づいた時には、もはやただならぬ雰囲気が漂っていた。成城に向かう車の数が半端ではなく、道が滞っているのだ。

「出来る限り近づいて頂戴」

麗子が運転手に命じた。が、裕次郎邸へ向かう道を曲がろうにも、テレビの中継車が二台止まっていてうまくいかない。

「こりゃもう、降りるしかないかもしれませんね」

運転手が言うより早く、麗子が自分で後ろのドアを開けていた。

「ルリ子さん、歩いて行こう」

「わかったわ」

裕次郎邸の前の道は、もうびっしりと人で埋まっていた。ほんの少し前に、まき子夫人と遺体をのせた車が戻ったと、信子たちはカーラジオのニュースで知っていた。その少し前には、裕次郎に仲人《なこうど》をしてもらった神田正輝《まさき》と松田聖子が病院に駆けつけ、大変な騒ぎになったという。

信子と麗子は人混みをかきわけながら前に進んだが、もちろんすぐに発見された。

「浅丘ルリ子だ」

「大原麗子もいる」

暗くなり始めたあたりに、突然小さな太陽が灯《とも》った。バシャという音と共に、テレビのライトがつけられたのだ。それを合図に、何十というカメラのフラッシュが焚《た》かれた。そして幾つものマイクが突き出される。

「裕ちゃんとの思い出を」

「今、どんなことを言ってさし上げたいですか」

「ちょっと通してください」

麗子が声を張り上げ、少し道が出来た。記者たちはここで二人を怒らせるよりは、とにかく裕次郎邸の中に入れさせた方がいい、その後でインタビューをした方がずっと得策だと判断したのだろう。なにしろ石原軍団の守りは堅く、弔問客を誰ひとりとして中に入れない。けれども浅丘ルリ子だったら話は別だろう。

その時、門の前からこちら側に向けて歩いてくる男がいた。長門裕之であった。

「話になんない。ひどいな」

怒りのために眼が血走っている。

「俺や宍戸錠を中に入れないっていうんだ。俺たちを誰だと思ってんだ。石原軍団っていったって昨日今日の仲じゃないか。あいつらに俺たち日活の人間を追い出す権利なんかあるのか」

そしてルリ子の腕を強くつかんだ。

「今行ったって裕ちゃんには会えないよ。さあ、ルリ子、麗子も帰ろう。もう裕ちゃんは俺たちの裕ちゃんじゃない」

そうねとルリ子は答え、きびすを返した。むしろすっきりとした気分になっている。今の状況が自分の予想どおりだったからだ。裕次郎は今、あまりにも多くのものに厳重に取り囲まれている。映画という国で、自由に戯れていたもうあの若い日は返ってこないのだ。これでふっ切れた。裕次郎の死を、まき子と分かち合うことなど最初から無理だったのだ。

「私もお花を出すだけだったわ」

ひばりは言った。裕次郎の死後、不意にかかってきた電話である。二人の話題は、裕次郎の葬儀のことになった。成城での密葬にも千人の弔問客が来たというが、八月に青山葬儀所で行われた葬儀は、大変な規模となった。入り口には、マドロスルックの若き日の裕次郎が巨大な看板となり、胡蝶蘭《こちょうらん》に囲まれすっくと立っている。吉永小百合も、三船敏郎も来たが、マスコミ陣がいちばん色めきたったのは、三浦友和と、引退して以来いっさい姿を見せたことのなかった妻の百恵であったろう。献花をする一般参列者の数は三万とも、四万とも言われ、真夏の夕刻まで長い列をつくった。ステージでは生バンドが、裕次郎のヒット曲を次々と演奏し、花風船五千個が空に放たれた。やがてゆっくりと大型飛行船が現れて、人々の上を横切っていく。

そこには大きな字でこう書かれていた。

「永遠に裕ちゃん」

やがて鈴木都知事が焼香をすませた頃には、雨がぱらついてきた。弱い台風でさえ、この日のために日本に立ち寄ったのだと、後に週刊誌は書いたものだ。

「いくら裕ちゃんがにぎやかなことが好きだったって言っても、あんなにまで派手にしなくってもいいような気がするの。だからね、私はまわりの人に今から言ってるのよ。私の時はもっと地味にやって頂戴って」

「そんなことを言っても駄目よ。天下の美空ひばりのお葬式が、地味に出来るわけがないじゃないの。裕ちゃんの時よりも、もっと派手になるわよ」

信子が笑いとばしたのには理由がある。ひばりは今年の四月に、両側大腿骨骨頭壊死《だいたいこっこっとうえし》という聞き慣れぬ病気と慢性肝炎とで九州の病院に長く入院し、八月に退院したばかりなのだ。

「ルリちゃんは、裕ちゃんのお葬式、行かなかったんでしょ」

「そうなのよ。日活《うち》の人たちとすったもんだあってね。昔の仲間だけで集まって『しのぶ会』をしたわ。これは取材はいっさいさせないで、二十人くらいのこぢんまりとしたものだけど、それでよかったと思ってるの」

「そうよねえ。日活の人たちがみんな集まってくれたら、裕ちゃんもきっと喜んでたわねえ……」

ひばりの声に元気がないのはもっともな話で、あまりにも闘病が長く、裕次郎の時と同じくさまざまな憶測が流れたほどだ。

「ねえ、憶《おぼ》えてる。私が旭ちゃんと結婚したお正月に、裕ちゃんちでお祝いをしてくれたのよ。

その時に初めてルリちゃんに会ったのよ」

「そうだったかしら。えーと、その前にも会っていたような気がするけど」

「いいえ、その時だわ。私、なんて綺麗《きれい》な人がこの世にいるんだろうかとびっくりした憶えがあるもの」

「いつだったかしら」

「二十五年前よ」

「いやだわ、もうそんなに前になるのね」

「そうよ、裕ちゃんも若くてカッコよくて、陽に灼《や》けてて、お酒をがんがん飲んでいたわ。健康そのものっていう感じで、この世の幸福を全部集めている、っていう気がしてた。マコちゃんと仲よくて、素敵な二人だったわねえ」

「そうよ、思い出したわ。あの時、新婚のご夫婦が二組、そして私がいたのよ。私だけが余計者っていう感じで淋《さび》しかったわ」

「よく言うわよ、あの五人のうち、私と旭ちゃんは別れて、裕ちゃんは死んでしまった。今、幸せなのはルリちゃんだけだわ」

「そうかしら」

「そうよ、だってずっと綺麗で、今は舞台でもひっぱりだこだわ。それにいつも楽しそうだもの。私はねえ、もう息切れしてるわ……」

ひばりはそこで言葉を区切った。しばらく沈黙がある。そこからどうしようもないほど深い疲労が伝わってくるようであった。

「でもね、ルリちゃん、私、もうひと頑張りしようと思うのよ。だってね、息子の和也が、もう自分がママを守るって言ってくれたの。学校もやめてひばりプロに入るって言ってくれたのよ。まだ十六歳なのに嬉《うれ》しいじゃないの」

「そう、よかったわねえ」

　心からルリ子はそう思った。和也というのはひばりが養子にした、弟、かとう哲也の長男である。両親が離婚し、父が亡くなってからも自分が忙しいためにあまり構ってやれなかった。中学生の頃はさんざんやんちゃをして心配かけさせられたけれど、心のやさしい本当にいい子なのよ、とひばりは以前語っていたものだ。

「もう身内といえば、妹とあの子ぐらいしか残っていないの。これからはね、あの子と少しゆっくりと生きていけたらなあ、なんて思っているのよ」

「そうよ、それがいいわよ。そうしなきゃいけないわ」

「なんかママが死んで、病気になってからというもの、ふーっと体から力が抜けてくのよ。こんなに頑張ったんだからもういいか、っていう心との闘いよ」

「そりゃ、あれだけの大病をしたんだから当然よ。でも十年休んだって、二十年休んだって、美空ひばりの名前がなくなるわけないんだから、でーんと構えてればいいの」

「それがね、そうしてもいられなくなったのよ」

　ひばりが突然声の調子を変えた。

「私もね、本当にゆっくりしたかったんだけれども、どんどん話が進んでいたのよ、コンサート」

「まあ、早々にコンサートをするの」

「それがね、ふつうのコンサートじゃないのよ。東京ドームのこけら落とし。ほら、後楽園があるでしょ、遊園地の」

「撮影の時に一度行ったきりだわ」

「私だってそうよ。とにかくそこに東京ドームっていう大きな屋根のある野球場が出来るの。なんでも五万人入るんですって。それが驚くじゃないの、こけら落としに、美空ひばりのコンサートをやりたいらしいの、野球じゃなくてひばりのコンサートですって」

〝コンサート〟という言葉を発音するたびに、ひばりの声が次第に明るくはずんでいくのがわかる。そしてひばりほど「美空ひばり」と誇らし気に口にする者はいなかった。

「和也の初プロデュースっていうことにするかもしれないのよ。もちろんひとりで出来るわけじゃないけど、あの子もちゃんと参加させるつもりでいるの。私が入院してる時も、あの子、ずっと考えてたんですって。お袋の復帰初のコンサートは絶対に自分がやろうって。おもしろいわよね。退院したら二人で旅行しよう、なんて言ってた子なのに、結局私に仕事をさせたいのね」

「和枝ちゃんは大変だ」

かすかな揶揄《やゆ》と賞賛を込めて信子は言った。

「あなたは絶対に美空ひばりを降りるわけにいかないんだものね」

「死ぬ時はそりゃあ、降りるわよ」

ひばりはあっさりと答えた。

「ねえ、ルリちゃん、コンサート必ず来て頂戴《ちょうだい》。ひばりの復活祭ってことで、今まで見たことのないすごいコンサートにするはずだから。絶対に来てね」

「もちろん。どんなことがあっても必ず行くわ」

「本当よ、必ず、必ず来てね」

電話はその言葉を残して、唐突に切れた。


昭和六十三年四月十一日、東京ドームは異様な興奮に包まれていた。五万の席は即売り切れで、ダフ屋まで出る騒ぎであった。

美空ひばりは本当に最後まで歌い切ることが出来るのだろうか。

相変わらず意地の悪いことをマスコミが書きたてている。大病をして四ヶ月近く入院をしていたのだ。退院の日、息子に支えられながらゆっくりと歩くひばりは、やはり精彩を欠いていた。今もまだまともに歩くことは出来ないらしい。あの体で本当に再起がかなうのか。立って歌うことが果たして可能なのか。

その夜ドームに駆けつけた客たちは、ひばりの熱烈なファンばかりだったので、ひばりを試すような目で迎える者など誰もいない。かすかな不安は持っているものの、みんなひばりの復活を信じている。それよりも何よりも、今まで見たこともないような舞台が、みんなの心を昂《たか》めているのだ。

とにかく広い。新宿コマ劇場など比較にならないほどの広さだ。そして正面に巨大なスクリーンがしつらえてあった。横に長いそれは三つに区切られ、左右には生バンドが待機し、そして真ん中の舞台が女王を迎える。氷の世界を思わせるような水色のカーテンが垂れさがっている。アナウンスが何度もあった。

「みなさま、お手元のペンライトは、こちらからの合図があるまでお使いにならないでください」

いつ何に使うのかしらねと、姉の澄子が信子にささやいた。最近外国人のコンサートでは、よくこういう演出をするらしいが、澄子のような年齢だとよくわからないのだ。

「最後にいっせいに振るんじゃないの。もっとあたりが暗くなってから」

「ああ、そうなの。舞台もすごいけど、これをただで配って、本当にお金のかかってるコンサートよね」

やがて大歓声がわき上がる。意表を衝《つ》いて、ひばりはクレーンでステージに上がってきたのだ。森英恵《もりはなえ》デザインの金地に黒の模様のドレスを着たひばりは、艶然《えんぜん》と客に微笑みかける。そして歌い始めた。東京ドームの隅々にまで、その声は響き、しみわたっていく。人々はいきなり魂をつかまれ、しばらく息も出来ない。

「リンゴの花びらが風に散ったよな
月夜に月夜にそっとえ――

つがる娘はないたとさ
つらい別れをないたとさ
リンゴの花びらが〜

風に散ったよな――」

信子のまわりは招待席であったが、やがて嗚咽《おえつ》があちこちでわき起こった。なんという深い美しい声なのだろう。ひばりが「リンゴの花びら」と口にした瞬間、東京ドームにさっと風が流れ、リンゴの白い花びらが散ってきたかのようであった。ひばりの声は高くなり低くなる。

つかまれた魂は、そのまま歌声に揺さぶられる。三曲目が終わり、やっと人ごこちついた観客から「ひばりちゃーん」という歓声が上がった。
ひばりはさらに歌い続ける。
「長い旅路の　航海終えて
船が港に　泊まる夜
海の苦労を　グラスの酒に
みんな忘れる　マドロス酒場
ああ港町　十三番地」
信子も含めて、すべての人がああ、あの時の歌だと頷《うなず》いている。戦争が終わってまだ十年ほどしかたっていない。日々の暮らしは貧しく、ひもじいこともあった。その時にこの歌がラジオから流れてきたのだ。あんな日があったなどというのは夢のようだ。日本は今、世界でも有数の金持ちの国になり、自分たちはしゃれた恰好《かっこう》をし、一万いくらのチケットを買ってこの場所に来ている。
ああ、ひばりちゃん。あんたも苦労したけれども、私たちも苦労したのよ。だけどよかった、よかったよね……。その頃には多くの客がハンカチに目をあてていた。
やがてひばりは黒くまぶしいドレスに着替える。頭部には羽根が高々と揺れ、王冠のようだ。不死鳥をイメージしたものだというが、人々には女神に見える。いや、その夜まさしくひばりは女神であった。やがていっせいに五万の灯《あか》りがともった。人々はひれ伏し、あがめる代わりに、ペンライトを力の限り振ったのだ。

「みなさん、今日はありがとうございました」
ひばりの声が涙で途切れる。
「みなさんの愛に支えられ、ひばりはまた、はばたくことが出来ました……。みなさん、また
お会いしましょう」
最後の曲は「人生一路」である。四十二歳という若さで亡くなった、弟哲也が作曲したものだ。
「一度決めたら二度とは変えぬ
これが自分の生きる道
泣くな迷うな苦しみ抜いて
人は望みをはたすのさ」
力強くこの歌を歌い終わった後、ひばりは花道を歩き始める。どこまでも続くかと思われるほど長い花道を、手を上げ、人々の歓声にこたえながら、ひばりはゆっくりと去っていく。その姿はスターであることの恍惚《こうこつ》に溢《あふ》れている。たとえ私生活でどれほどつらく悲しいことがあっても、今、この時間を生きていればすべてのことは帳消しになる、そんな表情であった。笑顔というのではない。静かに唇が上がっている。そして人々の歓声にこたえる。やはり女神の顔だ。
「よかったね、和枝ちゃん」
いつのまにか信子も泣いていた。不意に昨年この世を去った裕次郎の顔がうかぶ。ああ、スターと呼ばれる人は、もはやふつうの人間ではないのだと思う。こうしたひとときのために、神からつらい宿命を背負わされる。この世では決して幸福になれない人。それが真のスターだ。それならば、自分がいつもこれほど幸せでいられるのは、本当のスターではないからだろう

か。それでもいいと信子は思った。自分はおそらく裕次郎やひばりのようにはなれないだろう。つらい宿命も不幸もない代わりに、これほど陶酔するひとときも得られないはずであった。が、それでも生きていく、と信子は心に決める。老いても、おちぶれても生きていく。ずっと幸せなままで。自分はたぶんずっと幸福でいられるはずだという確信がある。

大歓声の中、花道を向こう側まで歩ききったひばりは、もう二度とこのドームに現れることはなかった。次の年の六月、入院先の病院で息をひきとった。裕次郎と同じ五十二歳であった。そして、信子の母が亡くなり、五年後、一緒にひばりのステージに涙を流した姉の澄子が癌で逝った。そして昭和が終わった。

六十七歳になっても、信子は美しい。

もちろん化粧にかける時間は長くなり、さまざまな工夫をこらさなくてはならない。信子は無理なリフティング手術などいっさいしていないので、顔には年相応の皺《しわ》や弛《たる》みがある。それを濃いファンデーションと独特のアイメイクでつくり込んでいくと、人形めいた美しい顔が出来上がる。舞台では二十代の役も可能であった。

信子は大スターの格を守るために仕事を注意深く選ぶ。舞台は年に一度か二度だが、これは主役だ。テレビや映画となると傍《わき》にまわるが重要な役が多い。このあいだは戦争をテーマにした映画で久々に主演をした。

消えてしまうスターも多い中、信子は未《いま》だに出演の依頼が途切れることはない。かつての日活映画を観て育った子どもたちが、映画監督やテレビや映画のプロデューサーに育っていて、信子との仕事を熱望するのだ。

「ルリ子さんとご一緒するのが、ボクの夢でした」

などと口説かれると、嬉《うれ》しくはあるが少々複雑な気分だ。自分がとても老いた大女優になった気がする。そこへいくと俳優たちはもっと率直である。若い女優たちは単純に信子を尊敬し慕ってくる。信子は相変わらず酒を飲まないが、彼女たちと食事に行くことは拒まない。忙しくなければ、仕事や恋の相談にものってやる。

石坂浩二とは八年前に別れた。三十年近くも別居していたのだから、今さら離婚もないだろうと人々は言ったものであるが、言い出したのは浩二の方である。今つき合っている女性が三十代後半だ。どうしても子どもが欲しいと言っている。そのために別れてくれないだろうか。

信子はあっさりと承諾したものの、六十歳になっても子どもが欲しいと言う浩二の気持ちをはかりかねた。いくら長生きの時代といっても、自分たちの残された時間などたかが知れている。それなのに子どもをつくってどうしようというのだ。自分の血にそれほど固執しているのだろうか。思えば、裕次郎もひばりも子どもを持たなかった。自分ひとりで名誉と富を背負い、ひとりで幕を引き、あちら側に行ってしまった彼らに信子は清々《すがすが》しいものを感じている。子どもがいない自分も、いつかきちんと跡始末をしなくてはいけないと思う。財産といってもこのマンションぐらいだが、それは妹に渡すつもりだ。もしかすると本当に体が動かなくなったら、どこか贅沢《ぜいたく》な施設に入らなくてはならない。マンションはその費用に消えるかもしれなかった。

が、老後のことを、そんな風に分別くさく考えながらも、信子に恋人がいなかったことはない。今の恋人は二十歳年下の俳優である。大衆演劇のスターといわれる彼は、怖ろしいほどの美貌《びぼう》と子役時代から培われた演技力を持っている。数年前、彼の舞台を見に行きすっかりファンになったのは信子の方だ。やがて食事を共にするようになり、おずおずと、といった感じで彼は愛を告白した。が、卑屈だったのはその時だけだ。九州出身の彼は、ずっと年上の大女優をまるで少女のように扱う。

「芝居以外のことは何も知らないんだから」

というのが彼の口癖である。つき合いはじめた当時は、二人とも別居中の配偶者がいたが、今はきっぱりと別れている。ゆえに「結婚間近か」と週刊誌に書きたてられたが、信子にはまるでそんな気持ちはなかった。別居中に数々の恋愛を味わっていたが、好きな男とは離れていて、好きな時に会うのがいちばんいいというのが結論であった。もっとも相手の俳優は納得出来ないようで、

「僕がもっと大物になれたら、ルリちゃんにプロポーズ出来るのに」

と口惜し気に言う時があった。この男と二人でイタリアを旅行した後、信子だけいったん帰り、NHKのロケのために成田を旅立った。BSの「わが心の旅」という番組で「父の面影を追って」という企画が持ち上がったのは昨年のことであった。信子の父がかつて満州国大臣の秘書官であり、歴史に立ち会った人間だということをスタッフのひとりが何かの資料で知ったというのだ。

まず天津に行き、それから列車で長春に入った。中国はせわしない近代化が進み、どこもかしこも安っぽいネオンだらけの都市になってしまったが、長春の中心部は不思議なほど整然とした美しさが保たれていた。長春はかつて新京と呼ばれ、満州国の首都が置かれたところであ

る。広い道路に日本の有名建築を真似た建物があちこちに見られる。信子はかつての日本人街を訪ねたが、ここに自分が住んでいたという確証は得られなかった。けれども中心部の病院には記憶があった。父と姉と一緒に上がった階段もそのままだ。派手派手しい外観になっているが、満鉄がつくったというヤマトホテルもそのままだ。階段を下りながら、信子はカメラに向かって言った。

「きっと父は、この階段を何度ものぼったり下りたりしたんでしょうね」

信ちゃんが男だったら、いっぱい話しておきたいことがあったのにと、死の床で父は言ったものであるが、もう仕方ないことだ。自分はどうしてもそうしたことに興味を持てなかったのだから。

二日目に、ロケ隊はかつての満映に向かった。満映の建物は今もそっくり残されている。日本映画が再び活況を呈し始めたのとは反対に、中国では映画が全く顧みられなくなった。テレビが娯楽の王座についたのは、かつての日本と同じだ。

ここではほとんど撮影は行われず、見学施設となっている。かつては日本人や中国人のスターが行き交ったであろうロビーには、ベンチが置かれ、埃《ほこり》をかぶった土産物がウインドウに並んでいる。

スタジオではセットの前で、中国人の観光客が記念写真を撮っているところだった。風の効果音を出すためのちゃちな機材に、みんなは大喜びしている。こんなものは日本では昭和三十年代に使っていたものだ。

信子はロケ隊から離れ、ひとり廊下に出た。扉を閉めた方がはるかに撮影所らしい。コンクリートから冷気が足元に伝わってきて、ステージと呼ばれるスタジオの前の廊下はエア・ポケットのような静寂につつまれている。

父の源二郎は六十年近く前、ここで甘粕という男と約束を交わしたという。それは信子を将来きっと女優にするというものだったというのだ。自分は果たして、その約束にふさわしい女優になれたのだろうか。

「信《のぶ》ちゃんはよくやったよ」

というのが、死んでいく父の言葉であったが、父は本当に満足していたのだろうか。源二郎が望んでいたのは、自分が裕次郎やひばりのように神格化されたスターになることではなかったか。が、自分は彼らのようにはならなかったし、なれなかった。大女優、スターといわれてきたけれども、信子は彼らのように宿命を背負うところまではいっていない。その代わりとても幸せだ。家庭も持っていない、後は老いていくだけの自分がどうしてこれほど充《み》ち足りて幸せなのかはわからない。戦争と引き揚げの記憶が、自分にそう多くのものを望ませないようにしているのだろうか。いや、そんなことはない。父から受け継いだ根元的な何かが、自分をしっかりと支え、不幸には向かわせなかった。

信子は携帯の電源を入れる。この携帯は日本にも通じる。かけた先は日本にいる恋人であった。

「もしもし私……。うん、あさってには帰るわ。大丈夫、心配しないで、風邪なんかひいていないから……。ありがとう、うれしい」

その時、ひたひたと近づいてくる足音を聞いたが、振り返っても誰もいない。北の中国の風は、十月だというのに刺すように吹きぬけていくばかりであった。

参考文献一覧

『満洲の日本人』塚瀬進 吉川弘文館 二〇〇四年
『満洲国皇帝の秘録 ラストエンペラーと「厳秘会見録」の謎』中田整一 幻戯書房 二〇〇五年
『満洲裏史 甘粕正彦と岸信介が背負ったもの』太田尚樹 講談社 二〇〇五年
『甘粕大尉 増補改訂』角田房子 筑摩書房 二〇〇五年
『植民地鉄道と民衆生活 朝鮮・台湾・中国東北』高成鳳 法政大学出版局 一九九九年
『歴史群像シリーズ84満洲帝国 北辺に消えた〝王道楽土〟の全貌』学習研究社 二〇〇六年
DVD『旧満洲国の皇宮』吉林省教育音像出版社 二〇〇四年
『満映 国策映画の諸相』胡昶+古泉=著 横地剛+間ふさ子=訳 パンドラ 一九九九年
『幻のキネマ 満映——甘粕正彦と活動屋群像——』山口猛 平凡社 一九八九年
『哀愁の満州映画 満州国に咲いた活動屋たちの世界』山口猛 三天書房 二〇〇〇年
『李香蘭の恋人——キネマと戦争』田村志津枝 筑摩書房 二〇〇七年
『虹色のトロツキー』1〜8 安彦良和 中央公論新社 二〇〇〇年
『日活アクションの華麗な世界 1954-1971』渡辺武信 未來社 二〇〇四年
『日活1954-1971 映像を創造する侍たち』野沢一馬・編 ワイズ出版 二〇〇〇年
『スタアの花咲く昭和時代 昭和20年〜30年編』Kindai 特別編集 近代映画社 二〇〇六年
『二十世紀ノスタルジア キネマの美女』文藝春秋編 文藝春秋 一九九九年

『映画録音技師ひとすじに生きて　大映京都六十年』林土太郎　草思社　二〇〇七年
『資料・日本映画キャメラマンの系譜』山本捨夫・編纂　日本映画撮影監督協会　一九八六年
『キネマ旬報別冊　戦後キネマ旬報ベスト・テン全史　1946～1992』キネマ旬報社　一九九五年
『さすらい』小林旭　新潮社　二〇〇一年
『熱き心に』小林旭　双葉社　二〇〇四年
『栄光の5000キロ』石原プロモーション製作　日本芸能企画
『栄光への5000キロ〈東アフリカ・サファリ・ラリー優勝記録〉』笠原剛三　荒地出版社　一九六六年
『口伝　我が人生の辞』石原裕次郎　主婦と生活社　二〇〇三年
『裕さん、抱きしめたい――亡き夫・石原裕次郎への慕情の記――』石原まき子　主婦と生活社　一九八八年
『毎日グラフ別冊　石原裕次郎 戦後青春グラフィティー　時代を共に生きた者へ　1955-1987』毎日新聞社　一九八七年
『平凡　最後の最後の特別編集　ありがとう！美空ひばりさん』マガジンハウス　一九八九年
『週刊朝日が報じた昭和の大事件』朝日新聞社　二〇〇七年
『マガジンハウスを創った男 岩堀喜之助』新井恵美子　出版ニュース社　二〇〇八年
『団塊パンチ4』飛鳥新社　二〇〇七年

＊その他、各人出演の映画、雑誌『キネマ旬報』『週刊文春』『月刊現代』『平凡』『週刊明星』『ヤングレディ』『女性自身』『女性セブン』『週刊女性』『週刊大衆』『新潮45』『微笑』等を参照しました。

＊終戦直後の満映については、黒田千代子さんにうかがいました。

解説　ルリ子とまり子

杉田成道（演出家）

拝啓、浅丘ルリ子様。

久しくお会いしていませんが、いかがお過ごしでしょうか。

戦後、最大の国難ともいえる大震災の痛ましい映像を見るにつけ、六十数年前の焼け跡の映像とイメージがかぶってしかたありません。浅丘さんが引き揚げてきた時に見たニッポンはいかがでしたか。

『RURIKO』を手に取り、僕の知らない浅丘さんが満載で驚き、ホントなのかなあとワクワクしながら読み進みました。途中で、もしかしたら林真理子さんは嘘とホントを織り交ぜて、バックグラウンドにある戦後ニッポンの大衆を描こうとしたのかなとも思い、はたまた一人の女優の生き方に潜む〝女〟というものを凝視しようとしたのか、判然としないなかに、虚実が入り混じって、なにか真実が見えてきたように感じました。

すべては虚実皮膜の間。嘘とホントの間に真実はあります。

そこで、ひとつ芝居を思いつきました。題名は「ルリ子とまり子」というのです。登場人物はもちろん映画スターのルリ子と、作家のまり子の二人です。二人だけでは煮詰まってしまいますから、途中から僕のような冴《さ》えない演出家がチョイ役でチャチャを入れます。最後に音楽にのって幻想の美空ひばりが登場する仕掛けはどうでしょうか。

舞台は、調布は布田の日活撮影所、古びたNO．9ステージ。ここはかつて石原裕次郎が愛して止まなかったステージです（嘘ですが）。外には赤木圭一郎がゴーカートで激突し、ジェームズ・ディーンのように死んだ、そのコンクリートの壁が今もそのまま残っています（これは本当）。すべてが幻想とも現実ともつかぬ、過去の彼方《かなた》に消えかけています。

空っぽのスタジオに二人の女が入ってきます。ルリ子とまり子です。暗く、何もないひんやりとしたステージはどこか薄気味悪く、まり子の肌に鳥肌が立ってきます。

「あっ、そう？　幽霊が住んでるからね」と、事もなげにルリ子は言います。すると、何処から か幻聴のように人声が聞こえてきます。

サヤ、サヤ、サヤ……クッ、クッ、クッ……。

セリフとも違うその声は、羨望《せんぼう》であり、嫉妬《しっと》でもあり、人間のむき出しの情念が渦巻いているようです。喜び、怒り、哀しみ、ありとあらゆる人間の感情がここで吐露されていたからでしょう。

まり子はルリ子の生い立ちを尋ねます。どうやらまり子はスターという存在の向こうにあるものと、ルリ子という一人の女の生き方を重ね合わせて、何かが生まれるのを推《よ》んでいるようです。

「みんな忘れちゃったわねぇ」と言いつつも、ステージを包む空気に誘われるように、ルリ子は幻想の満州を語ります。そのむこうに、まり子は甘粕正彦の幻影を見ます。そこから戦後ニッポンが、フィルムが逆回転するように浮かんできます。

スターとは大衆がいなければ存在しません。大衆が夢み、憧憬《しょうけい》し、想いを仮託する存在をスターと名づけるのです。戦後の焼け跡から、人々は生きる希望を求めていました。夢を切望していました。それはスクリーンのなかにありました。暗いなか、多くの人と共有する夢のような世界、その限りなく広がる虚像を一人で背負っていたのがスターと呼ばれる人間でした。それは大衆のうねるようなエネルギーが生み出した巨大な虚像でした。そして、希望そのものでした。

そう確信し、まり子が切り込もうとした瞬間、どこからか声が聞こえてきます。

「ヨーイ、スタート」。ステージのすべてのライトが一斉に点《つ》きます。眩《まばゆ》いばかりの光に目がくらみます。もうそこは、昭和三十年代のNO．9ステージです。

ルリ子は語ります。裕次郎のこと、旭のこと、このステージにこもった幾多の熱気のこと、時代のこと、そして……恋のこと。

いや、語らなかったかもしれません。浅丘さんならきっと、「忘れちゃったわよ、そんな昔のこと。好きに書いたら」と、言ったのかもしれません。きっとそうでしょう。でもこれはお芝居ですから、ルリ子は語るんです。いずれにせよ、まり子は、そのサバサバした口調にどこか感動を覚えます。揺るがない女の確信のような強さを感じます。

「ちょっと、演出家、出てきなさいよ。私に何させたいのよ」。ルリ子にこう言われて、仕方なく僕のような冴えない演出家がヒョコヒョコと出てきます。

「あのですね。ここで女優というものをですね。そうだ、鮮烈な印象を残した『寅さん』の恋人、ドサまわりの歌手、リリー。あれって、最初の台本は農婦の設定だって聞きました。それをルリ子さんが『監督、手を見てください。お芝居は出来るかもしれないけど、この手が毎日、鋤《すき》を持つ手に見えますか？』って聞いたそうじゃないですか。即座に山田洋次監督は台本を引き揚げ、一気に書き直して、出来た役がリリーだったといいます。監督も監督だけど、これこそまさに女優だと思うんですよね。そういう、何ちゅうか……」

「もういいわよ、引っこんでなさいよ。口車にのせようたって、ねえ」と、まり子を見た時、どこからともなく歌声が聞こえてきます。ドサまわりの歌手、リリーの声だ。いや、違う。その声に重なってもう一つの声が……。

「ああ、ひばりちゃん……」

いつしか歌声は、あの美空ひばりに変わっていた。

「和江ちゃん……」ルリ子がつぶやきます。

まり子に電撃が走ります。これこそ核心、全体の骨格が一気に見えてきます。

美空ひばり、戦後最大のスター、大衆の象徴、一人の女を包む巨大な幻影のなかで孤独に、手探りで愛を求める不安、女としての息遣い。女の弱さ、可愛さを一身に巨人のなかに併せ持つ、美空ひばり。

助けを求める手の先には、映画スターのルリ子がいる。現実を生きること、恋を生きることに、揺るがない確信を持つ女、ルリ子がいる。

まり子の眼にははっきりと、ステージの壁の向こうにひばりが見えた。

「ママが死んだら、今度こそ正真正銘のひとりぼっちになる。ねえ、ルリちゃんはそういうのに耐えられる？　ひとりぼっちっていうのは、死ぬ時、ひとりで死んでいくことよね……」

「馬鹿馬鹿しい。人間誰だって死んでいく時はひとりじゃないの。和江ちゃん、そんな先のこと考えたって仕方ないわよ。今は目の前の仕事をとりあえず一生懸命やって、今日はいい一日だったなあと思って眠る、幸せになりたいのならそうするしかないわよ」

それは、まり子の幻影なのかもしれない。だが、大衆の怒濤《どとう》のようなエネルギーを小さな肩に引き受ける二人の女に、愛と恋が交錯する。そんな一瞬に見えた。まり子は、この時、ルリ子に惚《ほ》れた。

まり子の筆は走る。

『仕方ない』

それは信子の口癖のようになっている言葉だ。決して諦《あきら》めたり、投げやりになったりするのではない。

『仕方ない』

自分の負の部分は出来るだけ早く忘れようとする。そして、陽のあたるほうに顔を向け、明日のことだけを考える」

まるでスカーレット・オハラのようではないか。タラのテーマにのせて「明日になれば、明日になれば……」と聞こえてくるようではないか。

スカーレットに不屈の精神を仮託したアメリカの大衆がいたのなら、ルリ子に日本の大衆は何を仮託したのだろう。それは〝戦後ニッポンの青春〟であったように見える。入り口といわず通路といわず、立錐《りっすい》の余地なく人で埋まった日活の映画、それは他のどの映画とも違っていた。

大衆はスクリーンの向こうに、あるべき自分、ありたい自分を見ている。ルリ子に恋をしているのは自分そのものだ。その虚像を我が心に育《はぐく》んでこそ、明日への力が生まれる（少なくとも、当時高校生の僕はそうだった）。

まり子はスターのなかにある人間を凝視し続ける。時代の変遷と一人の女の生き方を見つめ続ける。

ステージのホリゾントに戦後ニッポンの映像が走馬灯のように流れる。焼け跡、復興、映画に群がる大衆、六〇年安保、東京オリンピック、カラーテレビ現る……。

その前のルリ子にスポットライトがあたる。

突如、地面が激しく揺れる。強い地震だ。ホリゾントに映るニッポン人の顔、顔、顔、が歪《ゆが》み、崩れてゆく。壁が轟音《ごうおん》とともに落ち、瓦礫《がれき》に変わってゆく。まさに、歴史はくり返してゆくようだ。

じっと見ているルリ子。かすかにつぶやきが聞こえる。

「あの時と同じ……仕方ない……今日は眠ろう……明日になれば」

やがてすべては消える。暗闇。

ゆっくり二人の女が浮かぶ。まり子は女の絵を描き、ルリ子は編み物をしている。

「誰の絵?」

「あなたのよ」

「ふーん、こんな顔?」

「そうよ、こんな顔よ」

「ふーん、まあ、いいか」

何事もなかったように、ルリ子は編み物を続ける。まり子も淡々と絵を描いている。

こんな芝居なのですが、浅丘さん、出演してくれますか?

林さん、台本、書いてくれますか?

無理だろうなァ……。

本文中には、満州、支那、沖仲仕、ジプシーなど、今日の人権擁護の見地に照らして不当・不適切と思われる語句、表現がありますが、歴史的事実を考え合わせ、ママといたしました。読者の皆様にご理解いただきますようお願いいたします。

編集部

初出　野性時代　二〇〇六年十二月号～二〇〇八年二月号
単行本　二〇〇八年五月、小社刊

協力　MY Promotion

本書は著者の取材に基づいて、実在の人物をモデルに書かれたフィクションです。

JASRAC　出1105037-101

RURIKO《ルリコ》

林《はやし》 真理子《まりこ》

角川文庫 16841

平成二十三年五月二十五日　初版発行

発行者―井上伸一郎
発行所―株式会社角川書店
東京都千代田区富士見二―十三―三
電話・編集（〇三）三二三八―八五五五
〒一〇二―八〇七八
発売元―株式会社角川グループパブリッシング
東京都千代田区富士見二―十三―三
電話・営業（〇三）三二三八―八五二一
〒一〇二―八一七七
http://www.kadokawa.co.jp
印刷所―暁印刷　製本所―BBC
装幀者―杉浦康平

定価はカバーに明記してあります。

は 4-33　ISBN978-4-04-157943-5　C0193